《ウォールストリート・ジャーナル式》

経済指標
読み方のルール

THE WALL STREET JOURNAL.
GUIDE TO THE 50 ECONOMIC INDICATORS
THAT REALLY MATTER

サイモン・コンスタブル／ロバート・E・ライト 著
SIMON CONSTABLE / ROBERT E. WRIGHT

2011年『日経ヴェリタス』
エコノミストランキング第1位 上野泰也 監訳／高橋璃子 訳
YASUNARI UENO / RICO TAKAHASHI

かんき出版

The Wall Street Journal Guide to the Fifty Economic Indicators that Really Matter by Simon Constable and Robert E. Wright

監訳者まえがき

経済の先行きが不透明さを増している中で、自分はどのように生きていけばよいのか。国の経済政策は、どのようなものが望ましいのか。個人の資産運用あるいは資産防衛はどうあるべきか。さまざまな問題意識を抱いている人は少なくないでしょう。

しかし、そこでただ立ち止まってしまっては、物事は前に進みません。

忙しい日々の中でも、できるだけ効率的に関連する知識を吸収したうえで、今後の人生を大きく左右する問題として、「経済」と、正面から向き合おうとする姿勢が大切です。

そうした視点から、私は編著者として『世界一わかりやすい』シリーズ3部作（小社刊）に携わったわけなのですが、その中の一冊である『世界一わかりやすい経済の本』の「はじめに」の中で、次のように述べました。

「私たちは、経済というものを、どう理解すればよいでしょうか。とてもシンプルにいってしまえば、経済の正確な姿をうつしだす鏡である『経済指標』と、経済を動かしている原理である『市場原理（マーケットメカニズム）』の2つを理解することだと思います」

ここでいう『経済指標』は、なにも日本のそれに限った話ではありません。現代の経済は、「グローバル化（グローバリゼーション）」が顕著です。

世界各国の経済は、モノとマネーの双方を通じて、複雑に絡み合うようになりました。このため、ギリシャなど欧州で財政の危機が深刻化すると、日本でも景気悪化や株価下落が生じます。タイで大洪水が発生すると、日本でデジタルカメラが品不足になるといった事態になるのです。

では、世界中の経済指標をつぶさに見ていく必要があるのでしょうか。プロの投資家やエコノミストはともかく、多くの人はそんな時間的余裕はまったくないのが実情でしょう。そこで、できるだけ効率的に、関連知識を吸収することが大切になってくるのです。

世界一の経済規模を誇り、世界経済のハブ（中心軸）になっているのは、何といっても米国です。日本の経済は、米国の経済の好不調によって、多大な影響を受けています。日本の株価は、米国の株価に連動して上下するケースがほとんどです。

そこで、米国の経済がどのように動いているのかが、「この指標さえチェックしていればわかる」という本はないのだろうか、という話になります。本書『ウォールストリート・ジャーナル式 経済指標 読み方のルール』は、まさにそうした本だといえるでしょう。

私は、マーケットの視点から経済を分析し予測していくエコノミストとして、すでに22年以上働いています。そうした私の知識や経験から見ても、サイモン・コンスタブル、ロバート・E・ライト両氏が著した本書の記述には、うなずかされる部分が数多くありました。たとえば、「はじめに」の中にある次のような記述は、私がいくつもの著書で主張してきたことと、ぴたりと重なりあっています。

「経済指標は、経済の変化をいち早く察知するための道具です」

「ここで取り上げた経済指標が、すべてではありません。経済のヒントは日常のさまざまなところに転がっています。自分の目でそれを探してみてください」

「他人の言うことを鵜呑みにするのではなく、自分自身で判断できるようになりましょう」


そうはいっても、「ウォールストリート・ジャーナル」という米国の新聞の名前を聞いただけでちょっと尻ごみしてしまう、という方がいるかもしれません。でも、そんな心配は不要です。「ウォールストリート・ジャーナル（The Wall Street Journal）」は、ニューヨークの金融街であるウォール街の名前を含む、伝統ある経済新聞で、一般紙である「USAトゥデー」を抜き去り、現在、米国でもっとも販売部数が多い新聞になっています。要するに、一定の知識と教養のあるアメリカ人にとっては、普通の新聞だということです。日本の「読売新聞」とも提携しています。

また、経済についての情報をインターネットで入手する機会が増えていますが、「ウォールストリート・ジャーナル」のオンライン版は、速報性があるうえに内容も充実しており、そこに掲載された記事が材料になって東京市場が動くこともしばしばです。むろん、本書もそこからの迅速な情報入手ができるよう、インターネット上のアドレスを掲載しています。

そうはいうけれど、経済指標が50個ともなると、ちょっと根気が続きそうにないな、という人がいるかもしれません。そうした心配も不要です。

この本の原書を読んで、私がまず感じたのは、「どこからでも読める読み物になっているな」ということでした。米国の経済指標を紹介する本は日本でも多数出版されていますが、それらの多くは「事典」の性格が濃いものです。無味乾燥な記述の羅列で、読んで楽しいものだとは、けっしていえません。

ところが本書の場合は、それぞれの項目があたかもコラムのように書かれており、まさに「読んで楽しい内容」になっています。しかも、「どこから読んでもよい」のです。

雑誌や本を必ず後ろから読むあまのじゃくのような人を、しばしば見かけます。

では、本書を最後から読んでみましょう。50番目に出てくるのは「ウェイトレス美人指数」です（原書では「雌ギツネ指数（Vixen Index）」となっていますが、日本の読者にはわかりにくいので、本書では具体的な表現になっています）。

これは、景気の良し悪しと、ウェイトレスの美人度合いが関係しているのではないかという、著者の日常の生活感覚から生み出された「経済指標」です。これは多分に男性の視点からのチェック指標なので、女性の読者の方々は、これを修正して、「ウェイター『イケメン』指数」といったものを考案していただければよいかもしれません。似たような話で、筆者が米国で生活していた日本人から聞いたところでは、2000年にインターネットバブルが崩壊する直前、米国がバブル景気で人手不足の状態になった際に、マクドナルドの店員の質が目立って落ちた、ということでした。

対象にしている読者層が広いということも、本書の特色でしょう。

外債や株式などで投資をしている人や、ビジネスマンにくわえて、シニア層、主婦、学生など、さまざまな人が読んで楽しめる、あるいは有益な知識を得ることができる内容になっています。

そして、マーケットで働いているプロにとっても、この本は、米国の経済指標の見方をブラッシュアップするうえで、さらには新たな知識を吸収するためにも、きわめて有益なものだと思います。

エコノミストとして米国の経済指標を詳しく見ている筆者でも、出てくる50の指標の中には、知らなかったものがいくつかありました。逆に、筆者が重視している米国の経済指標の中で、本書には出てこなかったものも、たくさんあります（モンスター雇用指数、住宅市場指数など）。プロの方々は、本書にとりあげられた50の指標に加えて、「プラス50指標」を考案してみるのも一興でしょう。

本書を通じて、「経済」に関する皆さんの視野が広がることを、心から期待しています。

2012年1月

みずほ証券 チーフマーケットエコノミスト　上野泰也

はじめに

本書のテーマは、経済指標を知ることです。しかし、ただの教科書ではありません。

本書は、いかにあなたのお金を守るかについての本なのです。

多い少ないにかかわらず、それはあなたの大切な資産です。きちんと守り、そして少しの運と多くのテクニックを駆使して、どんどん増やしていきましょう。

そのための最善の方法は、データの動きを読むことです。誰もが見ているような主要指標だけでなく、みんなが聞いたこともないようなデータをふんだんに利用するのです。

多少でも投資をしている人なら、２００８年から２００９年にかけての金融危機の痛みは記憶に新しいことだと思います。１日のうちに、あるいは1時間のうちに、大量の資産が跡形もなく消えていきました。

あのような経験を繰り返さないために、何ができるでしょうか。

それは経済の動きを読むことです。

本書でご紹介する経済指標は、経済の変化をいち早く察知するための道具です。何かが起こってしまう前に察知できれば、うまく投資先を変えて対処することができます。

もう後悔しなくてすむのです。

自分の資産を守ることは、投資で成功するための大原則です。

仮に数年間うまく資産を増やしたとしても、そのあと金融危機に襲われてマイナスになったのでは意味がありません。あるいは金融危機が終わったとして、すぐに市場に飛び込んでいく判断ができるでしょうか。２００８年から２００９年の金融危機とその後遺症を見たところ、多くの投資家はその判断が遅すぎるようです。彼らは経済の過去の姿を見ているからです。

必要なのは、未来を見ることです。

金融危機によって総額何兆ドルというお金が失われたわけですが、ほとんどの人は十分な教訓を得たようには見えません。相変わらずリスクを取るべきところで守りに入っていたり、様子を見るべきところで大胆すぎる動きに出たりしています。

その結果、高く買って安く売り、さらに高い値段で買い戻すはめになってしまうのです。

もっとも駄目なパターンです。

こうした現状を打破するために、本書でご紹介する経済指標の読み方をしっかりと身につけましょう。景気のよいときに儲けるだけでなく、景気の変動に負けない投資力を身につけるのです。

本書の目的はお得な銘柄を紹介することではありません。自分で経済を理解し、判断できるようになってもらうことです。「人に魚を与えれば1日で食べてしまうが、釣りを教えれば一生食べていける」ということわざがあります。投資についても同じです。

◎経済の動きはさまざまな指標に現れている

経済の動きは見えにくく、先行きを判断するのは簡単ではありません。

しかしその手がかりは、さまざまな数値に現れてきます。

経済指標は、そうした手がかりを読みとるためのツールです。

経済指標には、3つの種類があります。「先行指標」と呼ばれるのは、将来どこへ向かうかを教えてくれる指標です。「一致指標」は現在の様子を教えてくれます。また「遅行指標」は、過去の状態を私たちに見せてくれます。投資判断に直接役立つのは先行指標ですが、経済を正しく把握するためには、一致指標および遅行指標を知っておくことも大切です。

本書では具体的な投資戦略にも踏み込んでいきますが、主に中長期的な投資を前提としています。デイトレードの勝ち方や、FX、デリバティブなどのテクニックを論じることは本書の目的ではありません。もっと大きな経済の波を見ていきます。1カ月後、1年後に何が起こるかを正しく予測し、今のうちに投資してじっくりと収穫を待つのです。

経済指標は何か魔法の数字のように語られたり、きわめて難解な学問のようにあつかわれることもあります。しかし、本書のアプローチは違います。子どもにもわかるとまではいいませんが、経済を専門的に学んでいなくても、経済指標を理解することは可能です。

経済指標は魔法などではなく、誰にでも開かれた明確な数値なのです。

ただし、ここで取り上げた経済指標が、すべてではありません。経済のヒントは日常のさまざまなところに転がっています。自分の目でそれを探してみてください。

他人の言うことを鵜呑みにするのではなく、自分自身で判断できるようになりましょう。

◎本当に知っておくべき50の指標とは

経済の全体的な動きを理解するために、本書では経済のあらゆる側面から広く50の指標を取り上げています。ただし、一部の有名指標は除外しています。経済に興味がない人でも聞いたことがあるような指標をわざわざ説明することは避けました。誰もが知っていることを学んでも、他人に差をつけることはできないからです。

そのかわり、ちょっと変わった指標も取り上げています。それらの指標を駆使して、意外な視点からインフレ率を予測し、誰もがまだ気づかないうちにＧＤＰ（国内総生産：国内で生み出されたモノやサービスの総付加価値）や失業率の動きを予測できるようになりましょう。

50という数は多すぎるように感じるかもしれません。

しかし経済は生きものです。つねに形を変えながら動きまわっています。

そうした経済の全体像を捉えるためには、多角的に検証することが不可欠です。目立つ指標とそうでない指標はありますが、すべて経済の陰影や手ざわりを映し出す重要な手がかりなのです。

これさえ見ていれば完璧という指標はありません。多くの角度から、丁寧に光を当てていくことが大切です。

経済指標は、思わぬ理由で乱高下することがあります。市場の気まぐれでおかしな動きになることもあります。また速報のあと、大きく修正される指標もあります。さらに住宅販売のように、季節によって調整が入る指標もあります。そうした人為的な調整は正確であるとは限らず、調整によって数値がずれてしまう場合もあります。

そのような統計ノイズに惑わされないためにも、複数の信頼できる指標を知っておくべきです。たくさんの指標が同じ方向を示していれば、それだけ情報の信頼度は高くなります。

単なる季節変動ではなく、実際に景気が動いている可能性が高くなるのです。

本書で取り上げた50の指標は、以下の４つの基準にもとづいて選ばれています。
1．タイムリーである……今ここで投資判断に役立つ指標でなくては意味がありません
2．信頼できる……修正が少なく、正確性の高い指標だけを取り上げます
3．有名すぎない……誰もが知っている指標を使っても、人と同じことしか見えません
4．実用的である……具体的で、経済や投資と密接に結びついた指標を厳選しています

私たちは長年の経験を生かして、これらの基準を満たす指標を慎重に選び出しました。さらに多くの専門家や学者の方に意見をいただきながら、ラインナップを磨き上げていきました。そうして生き残った50の指標は、単にすぐれた手がかりというだけでなく、誰にとってもサプライズを含んだ内容となっています。

周囲の人間に見せたところ、日々仕事で経済や投資に取り組んでいる人々の誰ひとりとして、私たちが用意した50の指標すべてを知っている人はいませんでした。どんな経済通の方でも、本書を読めば何らかの発見があるはずです。

経済がどこからやってきて、今どこにいて、この先どこへ向かうのか。それを知りたければ、ぜひ本書を読み進めてください。

◎本書の使い方

物理学におけるもっとも有名な公式はアインシュタインの$E=mc^2$ですが、マクロ経済学においてはGDP＝C＋I＋G＋NXがそれに相当します。GDP（国内総生産）の成り立ちを示す公式です。GDPは経済学においてもっとも広く受け入れられている経済活動の指標で、特定の1年間あるいは四半期において、世の中でどれだけたくさんのものが生み出されたかを教えてくれる数値です。

この公式にもとづき、本書は大きく4つのセクションに分かれています。

- **個人消費（C）**……Part1
- **投資支出（I）**……Part2
- **政府支出（G）**……Part3
- **貿易収支（NX）**……Part4

さらに、この4つに分類されない2つの重要な項目について、それぞれ別セクションを設けて議論していきます。

・**複合的指標**……Ｐａｒｔ５
・**インフレその他の不安要素**……Ｐａｒｔ６

このように経済学的な分類にそって並べているので、最初のほうは少々まじめな話題が多く感じられるかもしれません。しかし、順番に読み進める必要はありませんので、もっと刺激的な話が読みたいという方は後半から読んでみてください。

最後のほうにはなかなかエキサイティングな話題も出てきます。1から50まで順番に読み進めるのではなく、ウェブのように好きなページから好きなページへ飛び移ればいいのです。

各指標を検討するにあたって、経験豊かな専門家の方たちにも多くご意見をいただきました。さまざまなプロの方たちの話を取り入れることで、経済と投資をより深く、多角的に捉えることが狙いです。かなり豪華な面々にご登場いただいています。

それぞれの指標をスピーディに活用できるように、次のようなガイドも充実しています。

・**指標の変化が現れるタイミングによって「先行指標」「一致指標」「遅行指標」の３種類にラベリング**

・関連して読むべき項目を明示

さらに各指標の最後にある「まとめ」コーナーでは、７つのポイントを簡潔にまとめています。

①いつデータを見るか……発表時期
②どこにデータがあるか……データの入手先
③データの何を見るか……注目ポイント
④それは何を意味するか……意味すること
⑤どのように動けばいいか……投資アクション
⑥リスクの大きさ……リスク評価（低、中、高、極めて高い）
⑦リターンの大きさ※……リターン評価（$、$$、$$$、$$$$）

※なお、「⑦リターンの大きさ」では、成功した場合のリターンの大きさをドルマーク（$）の数で表します。１つの$は10％の年間収益率を表します。ご存じのように、リスクとリターンは密接に関係しています。リスクが大きければそれだけ大きなリターンが期待できますが、あくまでも成功した場合に限ります。誤解のないようにいっておきますが、期待される利益が大きいということは、成功する可能性が低いということでもあります。

もしもあなたがとてもラッキーで、有名になる前のグーグルのような企業を偶然見つけ出すことができるなら、指標なんか知らなくても大金持ちになれます。

しかし、エンロンやリーマン・ブラザーズをつかまないという保証はどこにもありません。どちらもかつてはマーケットの寵児でしたが、衝撃的な破綻劇へと追い込まれていきました。

数多くの経済指標を知っておけば、それだけ経済の動きに対する勘が働くようになります。はじめは情報量についていけなかったり、混乱することもあるかもしれません。しかし、すぐに全体的な動きが見えるようになり、上手な投資判断ができるようになるはずです。

もちろん人間ですから、間違えて損をすることもあるでしょう。

ただし、本書で身につけた知識があれば、損失は徐々に小さくなり、すばやく取り戻せるようになります。さらに経済のリズムに対する耳をやしなうことで、これから伸びてくる分野を人よりも早く見つけることができるようになります。

ここに選び抜かれた50の指標を活用して、正しい投資を最大限に増やし、間違った投資を最小限に減らしていきましょう。

知ることが成功の鍵です。

ウォールストリート・ジャーナル式
経済指標　読み方のルール

目次

Part2 投資支出

Part 5 複合的指標

Part 1 個人消費

個人消費に関する経済指標

最初にご紹介するのは、個人消費にかかわる5つの指標です。

個人消費のカテゴリーに含まれるのは、自動車・家具などの耐久財購入や食品・衣料などの消耗品購入、さらに交通・教育・娯楽などのサービス購入です。個人の支出を広くカバーする領域となっています。

近年では米国経済のおよそ70%を個人消費が占めており、けっして軽視できないものとなっています。ここに登場する5つの指標を見れば、経済活動のもっとも大きな鼓動を感じとれるようになるでしょう。

01 自動車販売台数
――自動車を知れば経済が見えてくる

「国にとって良いことは、ゼネラル・モーターズにとっても良いことだ。逆も然りだ」

ゼネラル・モーターズの元社長、チャーリー・ウィルソンの言葉です。彼がこう言ったのは1953年のことですが、状況は今もほとんど変わっていません。自動車産業は国の経済を支える柱であり、とりわけ製造業においては唯一無二の影響力を持っています。

自動車やトラックをつくるためには、どんなものが必要でしょうか。ボディに使われる鋼板、塗料、窓やライトに使われるガラス、電気配線用の銅、タイヤのゴム、プラスチック、内装に使われる布や革など、実にさまざまな材料が使われています。

つまり、自動車の製造と販売が好調なときには、その周辺の産業も仕事が増えるということです。フォードやトヨタやゼネラル・モーターズが元気なときには、部品をつくる会社もみんな元気になるのです。

米国のデューク大学でファイナンスを教えるキャンベル・ハーヴェイ氏はこう述べています。

「**自動車販売台数**は非常に重要な指標です。自動車産業はとても多くのつながりによって成り

●タイミング
景気後退時：先行指標
景気拡大時：一致指標だが回復遅れる

●関連指標
⑪ISM製造業景況指数
（81ページ）

立っているので、自動車産業の動向を見ていれば経済全体の様子を知ることができます」

一般の人にとって、自動車やトラックはとても高価な買いものです。住宅に次いで大きな買いものだといえるでしょう。３万ドルの新車は年収の大半、人によっては年収以上に相当します。

そのため、自動車を買うときにはふつうローンを組むことになります。ローンを組むということは、この先しばらく返済を続けられる自信があるということを意味します。つまり、雇用が安定しているのです。

近いうちにクビになる不安のある人は、車を買おうとは思わないでしょう。

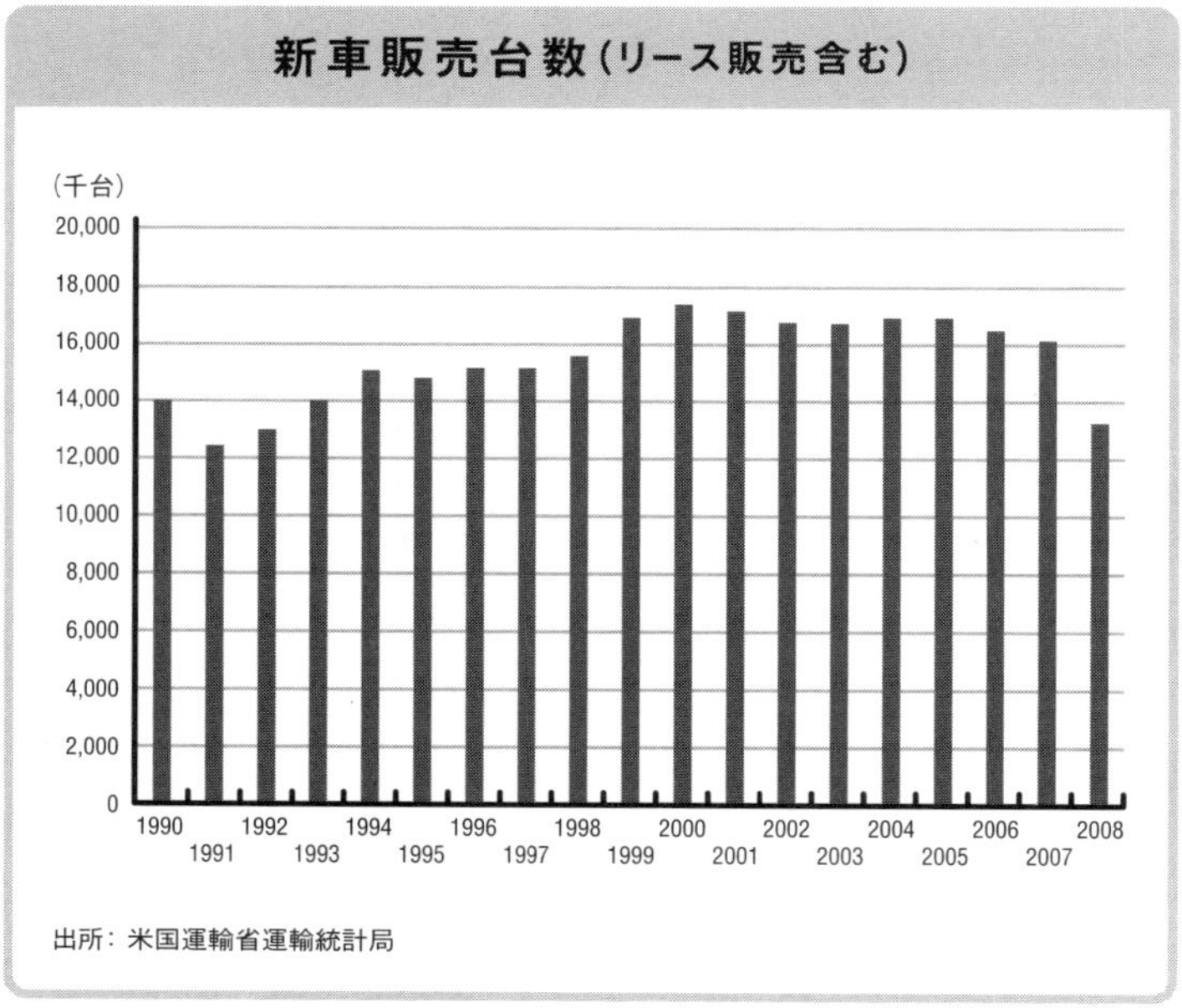

投資戦略 新車販売台数が減っていたら株を売る

自動車販売台数は、景気の後退を知るためのすぐれた先行指標*です。仕事の先行きに不安がある場合、人々は自動車を買い控えるようになるからです。一方、景気が回復してくるときには、この指標の動きは遅れてやってきます。明らかに景気が回復したと判断できるまで、人々は大きな買いものを決断できないからです。

前ページの図表を見ると、2000年末から2001年の景気後退に先がけて、販売台数の伸びが明らかに落ち込んでいることがわかります。その後は景気の回復に合わせてゆるやかに持ち直してきますが、やがて2007年末にはじまる景気後退を反映して、大きく減っています。

自動車販売台数を見るときのポイントは、中古車ではなく新車の販売台数に注目するということです。なぜなら、新車の製造が経済全体への影響力を持っているからです。中古車が売れても部品や原料の会社は儲かりません。中古車販売も購買意欲を反映してはいますが、経済全体への影響ということで考えると、新車だけを見るべきなのです。

これを念頭に置いて、自動車販売台数のデータを分析してみましょう。

「明確な動きを探してください。明らかな上昇または下降トレンドを見つけるのです。過去のデータと比べて今どのような位置にあるか、そして持続的な傾向があるかどうかに注目してください」（ハーヴェイ氏）

先行指標
時系列のデータや指標などの変動に先立って動く傾向にある指標のこと。たとえば、「景気先行指標」「株価の先行指標」などと使われる。経済指標は一般的に、「先行指標」「一致指標」「遅行指標」の3つに分類される自動車販売台数がコンスタントに減少している場合、確実に景気は悪くなっているといえます。

一方、販売台数の上昇は景気の回復を表しますが、そうでないこともあるので注意が必要です。景気後退にともなう金利低下で、人々がローンを組みやすくなり、一時的に販売台数が増える場合があるからです。景気は悪くなっていても、返済金額が少ないという理由で車が売れるのです。

自動車販売台数が減ってきているときには、景気後退が予測されるので、景気の影響を受けやすい資産への投資は控えましょう。

具体的には、株を避けて国債や格付けの高い社債にシフトすることをおすすめします。

まとめ01

①発表時期……毎月最初の営業日に前月分のデータを発表

②データの入手先

The Wall Street Journal オンライン版（wsj.com）では各社の販売台数速報を逐次掲載しており、全体が出揃ったところで総合記事にまとめ、各数値の意味と業界の状況を解説しています。The Wall Street Journal オンラインの Market Data Center（www.WSJMarkets.

com）にアクセスし、上部メニューから「Calendars & Economy」→「Auto Sales」のリンクを選択してください。データの概要、市場の期待に対するパフォーマンスなどがまとめられています。その他の情報源としては、米国運輸省運輸統計局のウェブサイト（http://www.bts.gov/publications/national_transportation_statistics/）で詳しい情報が入手できます。また、ゼネラル・モーターズやフォードなど、個々の自動車メーカーのウェブサイトでも、それぞれの売上データが確認できます。

③**注目ポイント**……新車販売台数とリース台数の減少

④**意味すること**……収入の先行きに対する不安から、自動車の買い控えが起こっている

⑤**投資アクション**……景気との連動性が高い資産への投資を避ける。株を避けて、国債や格付けの高い社債を買う

⑥**リスク評価**……中

⑦**リターン評価**……$$

02

チェーンストア売上高
――米国GDPの7割を占める個人消費

●タイミング
一致指標

アメリカ人は買いものが大好きです。

人々の消費は、国の経済を左右する決定的なファクターとなっています。

私たちが商品やサービスを買うときには、たいてい小売店を通じて購入します。ですから小売店の売上げを見れば、個人消費の動向を把握することができます。

小売業界のデータは発表されるまでに時間がかかる場合も多いのですが、**チェーンストア売上高**はとてもスピーディに入手できます。高級百貨店のSaksや衣料品のＧＡＰ、卸売のＢＪなど、大手チェーンの売上情報が毎週発表されているのです。

チェーンストアの売上高は小売業界全体からすると10％程度ではありますが、火曜日には前の週の情報が手に入るというタイムリーさは大きな魅力です。

情報のスピードだけではありません。チェーンストアは全米のいたるところに展開しているため、特定の地域にかたよらない全体的な動向をつかむことができます。国全体としての個人消費の傾向を知るには、チェーンストア売上高を見るのがいちばんなのです。

ジョンソン・レッドブック・インデックス(抜粋)

年月	レッドブック・インデックス前年同月比(%)	小売店目標前年同月比(%)	売上高(10億ドル)	前月比(%)*	目標前月比(%)	営業月情報	
						週	締め日
07年7月	2.89	2.8	17.53	0.12	0.0	4	07年8月4日
07年8月	2.39	2.0	17.56	−0.32	−0.7	4	07年9月1日
07年9月	1.99	2.6	17.83	1.17	1.7	5	07年10月6日
07年10月	2.10	2.3	17.73	−0.45	−0.2	4	07年11月3日
07年11月	2.39	2.3	17.65	−0.16	−0.2	4	07年12月1日
07年12月	1.32	1.2	17.80	−0.21	−0.3	5	08年1月5日
08年1月	0.54	1.1	18.07	−5.64	1.3	4	08年2月2日
08年2月	0.48	0.7	17.66	−2.33	−2.1	4	08年3月1日
08年3月	1.06	1.4	17.84	1.60	2.0	5	08年4月5日
08年4月	1.60	1.8	17.50	−1.42	−1.3	4	08年5月3日
08年5月	1.82	1.7	17.54	0.47	0.4	4	08年5月31日
08年6月	2.59	2.8	17.26	−0.86	−0.7	5	08年7月5日
08年7月	2.92	2.9	17.43	1.31	1.3	4	08年8月2日
08年8月	1.74	1.6	17.43	−1.14	−1.3	4	08年8月30日
08年9月	1.25	1.7	17.31	−1.13	−0.7	5	08年10月4日
08年10月	0.57	0.7	17.36	−0.42	−0.3	4	08年11月1日
08年11月	−0.91	−0.5	17.41	−1.16	−0.7	4	08年11月29日
08年12月	−0.95	0.6	17.30	−0.68	0.8	5	09年1月3日
09年1月	−2.30	−1.8	17.10	−2.68	−2.0	4	09年1月31日
09年2月	−1.62	−1.9	17.04	0.76	0.4	4	09年2月28日
09年3月	−0.80	−0.8	16.92	0.09	0.1	5	09年4月4日
09年4月	0.49	0.3	16.93	1.37	1.1	4	09年5月2日
09年5月	−0.09	0.2	16.97	−0.34	−0.1	4	09年5月30日
09年6月	−4.38	−4.2	16.96	−4.34	−4.1	5	09年7月4日
09年7月	−5.64	−5.0	16.91	−1.62	−0.9	4	09年8月1日
09年8月			16.58			4	09年8月29日

* 前月比データは季節調整済。締め日を迎えていない当月分のジョンソン・レッドブック・インデックスは過去1カ月間のデータをもとに算出

** 2009年6月分以降はウォルマートのデータを含まない

チェーンストアが指標としてすぐれているもう1つの理由は、その販売力にあります。大手チェーンストアは最新の販売手法を使い、優秀な販売員を雇っています。規模が大きく流通網も整備されているため、流行の商品を真っ先に売り出すことができます。こうした販売力があるからこそ、個人消費の動向を知る指標として信頼できるのです。

小さな商店の売上高が低いのは、単に販売力が足りないだけかもしれません。しかし、大手チェーンストアの売上高が低ければ、ほかの小売店も売れていないと考えて間違いありません。

チェーンストア売上高を知るための主な情報源は2つあります。

1つはジョンソン・レッドブック、もう1つは国際ショッピングセンター評議会(ICSC)とゴールドマン・サックスが出しているものです。どちらもチェーンストアの週間売上高と月間売上高を発表しています(小規模な小売業者も含めた全体的な数値は、商務省が毎月第2週に発表している**米国小売売上高***で確認できます)

投資戦略 既存店売上高の伸びに注目する

個人消費は米国の**GDP***の非常に大きな部分を占めています。ですから経済の様子を知ろうと思うなら、チェーンストア売上高を見て個人消費の動向をしっかり把握しておく必要があります。

チェーンストア売上高が増加していれば、個人消費は全体的に好調であるということができま

米国小売売上高
百貨店や自動車ディーラー、食料品店、衣料品店、ガソリンスタンドなどさまざまな小売店・フードサービスの売上のサンプル調査をもとに、米国商務省が推計・発表しているデータ

GDP
国内総生産(GDP: Gross Domestic Product)とは、一定期間内に国内で産み出された付加価値の総額

す。逆にチェーンストア売上高が減少している場合、個人消費は落ち込んでいると考えられます。特定の小売チェーンに投資するかどうかを考える場合も、チェーンストア売上高を判断材料として使うことができます。Saks（ＳＫＳ）やTarget（ＴＧＴ）、J.Crew（ＪＣＧ）などの大手チェーンに投資する場合、チェーンストア売上高は参考になるでしょう。

ただし、特定の小売チェーンに投資するときは、もっと詳細なデータも検討する必要があります。「チェーンストア売上高をもとに株を買うには、かなりの機敏さとテクニックが必要になる」とＰＭＧキャピタル投資銀行の小売業界アナリスト、クリスティン・ベンツ氏は言います。

では、どのようなテクニックが必要なのでしょうか。チェーンストア売上高を投資に役立てるには、いくつかのポイントがあります。

まず、本質的でないデータに惑わされないことです。チェーンストアの売上高はさまざまな要因で上下します。特に大きな影響を与えるのは、店舗数の増減です。そのため、オープンから1年以内の新規店舗は、除外して考えたほうが全体の傾向をつかみやすくなります。

つまり、現在まで1年以上存続している店舗のデータだけを見ればいいのです。そのための指標が、既存店売上高と呼ばれるデータです。既存店売上高には新規店舗の売上げが含まれないので、純粋な売上げの推移を知ることができます。既存店売上高は毎月第1木曜日に発表されます。毎週出される全体の売上高に比べるとタイムリーさに欠けますが、投資判断を行うには非常に重要なデータです。

「株を選ぶときには、既存店売上高の前月比と前年同月比をチェックしてください。前月比だけでなく、前年の同じ月と比べて売上げが伸びていれば、顧客の獲得が順調に進んでいると考えられます」（ベンツ氏）

さらに、その期間の既存店売上高に対する期待値を知っておくことも大事です。前年同月比が順調に見えても、市場の期待を下回っている場合には、株価の上昇は期待できません。前月比と前年同月比が伸びていて、さらに市場の予測を上回るパフォーマンスを見せているなら、その株はかなり有望です。

またベンツ氏によると、小売業の上場投資信託はあまりおすすめできません。景気がよかった頃にはＳＰＤＲ Ｓ＆ＰリテールＥＴＦ（ＸＲＴ）のような上場投資信託も魅力的でしたが、２００８年の経済危機によって事情が変わりました。各企業の置かれた状況が大きく異なっている現在では、個別の銘柄を選んで買ったほうが高いリターンが期待できます。

まとめ02

①発表時期……既存店売上高は毎月第1木曜日。週間売上高は毎週火曜日の朝に発表

②データの入手先

The Wall Street Journal では各チェーンストアの売上高速報をスピーディに掲載しています。企業ごとの情報だけでなく、業界の概況をまとめた記事も便利です。The Wall Street Journal オンラインの Market Data Center（www.WSJMarkets.com）にアクセスし、上部メニューから「Calendars & Economy」→「U.S. Economic Events」のリンクを選択してください。カレンダーの火曜日の欄にＩＣＳＣと Redbook の記事へのリンクが張られています。記事にはデータの概要、市場の期待に対するパフォーマンスなどがまとめられています。月間の既存店売上高データについては、多くの上場チェーンストアのウェブサイトから確認できます。ジョンソン・レッドブック・インデックスはレッドブック・リサーチ社の顧客専用サービスとなっていますが、www.redbookresearch.com のウェブサイトから無料サンプルを閲覧可能です。

③**注目ポイント**……既存店売上高の前月比および前年同月比の増加（減少）

④**意味すること**……チェーンストアの売上げが好調（不調）である

⑤**投資アクション**……既存店売上高が伸びる見通しなら株を買い、落ちそうなら株を売る

⑥**リスク評価**……中

⑦**リターン評価**……$$

03

消費者信頼感指数
——人々の機嫌がよければ消費は増える

米国の国民気質をひと言で表すなら、「買いもの好き」です。巨額のお金が買いものに費やされており、経済全体に多大な影響を与えています。そのため、投資家やアナリストはいつも消費者心理を真剣に見守っています。

消費者の機嫌がよければ、たくさんお金を使ってくれるからです。

消費者心理を知るには、どうすればいいのでしょうか。

経済指標は一般的に人々の行動を数値にしたものが多く、人々の気持ちまでは教えてくれません。そのため人々の気持ちを知るには、今どんな気分なのかを訊いてみる必要があります。

そうした調査を実際に行っている機関が2つあります。1つは**コンファレンスボード***（全米産業審議委員会）、もう1つはミシガン大学です。一般にコンファレンスボードが発表するものは**消費者信頼感指数**と呼ばれ、ミシガン大学のほうは**ミシガン大消費者信頼感指数**と呼ばれています。

どちらの指標も、消費者が今の経済をどう感じているか、そしてこの先どうなると思っているかについて、意見調査の結果をまとめたものです。

●タイミング
先行指標

コンファレンスボード
全米産業審議委員会という米国の民間調査機関。アンケート調査で現在と半年後の将来の景況感、雇用状況、所得、自動車や住宅の購入計画などの項目について、楽観か悲観かで回答された結果を指数化、発表している消費者信頼感指数が高ければ、人々は経済が順調であると感じています。たとえば先月49だった消費者信頼感指数が今月55になっていた場合、人々は景気が上向いてきたと感じていることになります。逆に数字が下がっている場合、人々は景気の先行きに不安を抱いているといえます。

コンファレンスボードの消費者信頼感指数は、毎月最終火曜日に発表されます。ミシガン大消費者信頼感指数はそれよりも早く速報が出され、そのあと確報が出るので、毎月2回ずつの発表となります。

ミシガン大のデータは早いだけでなく、全体的な状況を把握するのにとても便利です。

対するコンファレンスボードは、より深い分析に適しています。コンファレンスボードの消費者信頼感指数には、消費者心理だけでなく、自動車や大型家電など高額商品の購入予定データも含まれています。またインフレ予想に関するデータや、消費者心理の年齢・収入別分析も見ることができます。

これらの消費者信頼感指数はとても役立つ指標ですが、1つ小さな欠点があります。数値の振れが大きく、データに多くのノイズが入るのです。ちょっとしたことで上がったり下がったりするので、読み違えないように注意しなくてはなりません。

データが変動しやすいのは、調査対象である人々の心理が、ニュースなどの情報に影響されやすいからです。たとえばガソリン価格が上がったり、テロ発生のニュースがあったりすると、消費者心理はすぐに落ち込みます。

　下に示すミシガン大消費者信頼感指数の図表を見ると、消費者心理が細かく揺れ動く様子が見てとれるでしょう。

　一方で大きな動きとしては、不況に向かう時期にあわせて消費者信頼感が確実に低下しているのがわかります。

ミシガン大消費者信頼感指数

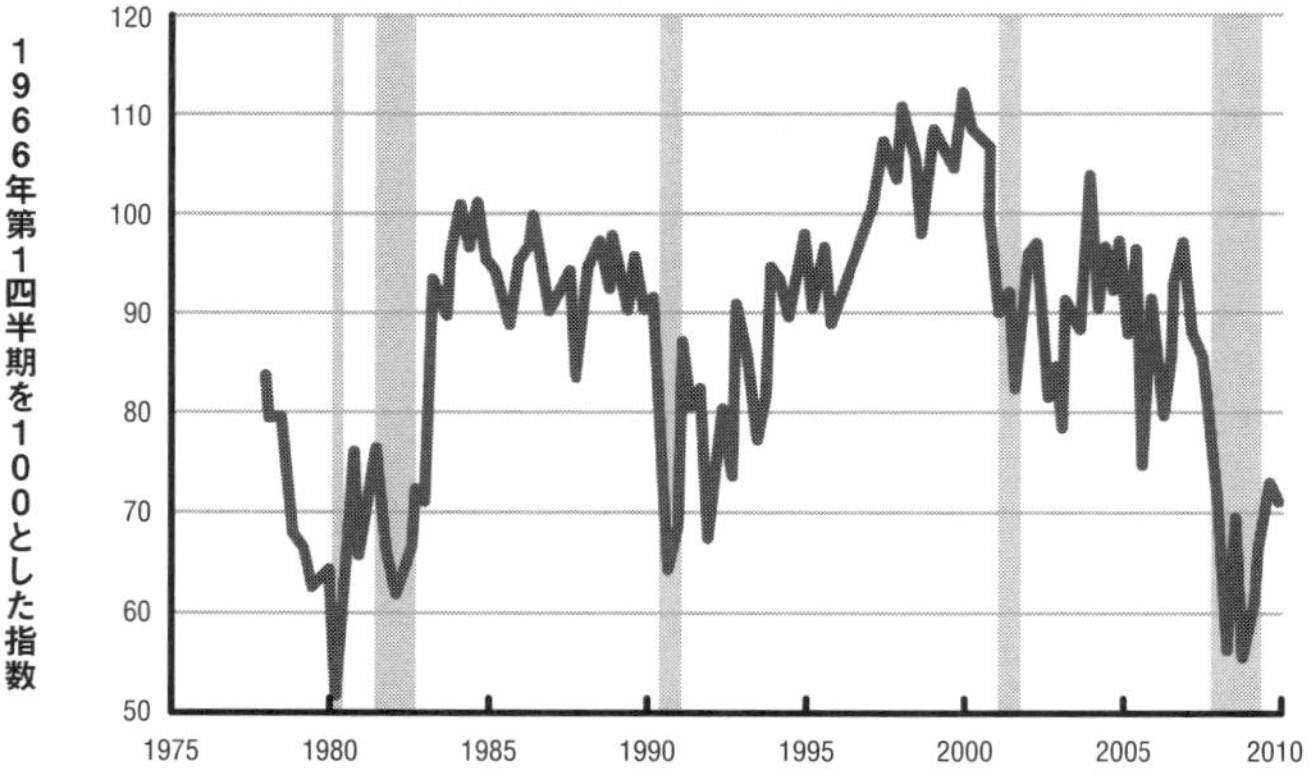

出所：ミシガン大学

投資戦略 上昇なら生活必需品の株を買う

消費者信頼感指数は非常に上下しやすいので、早とちりをしないよう慎重に判断する必要があります。1回の調査で高い数値が出たからといって、状況が良くなっているとは限らないのです。何か突発的な要因で、たまたまよくなっただけかもしれません。

ジェフリーズ投資銀行でチーフアナリストを務めるアート・ホーガン氏は、次のように述べています。

「ある時点のデータだけを見ても、状況をつかむことはできません。細かい動きにとらわれず、3カ月分の平均的な動きがどうなっているかに注目してください。そこに何らかの傾向が見えれば、投資判断を行ってもいいでしょう」

右の図表を見てみると、1980年や2001年のデータは正確に不況を反映しています。しかし1981～82年、1990年、2008～09年のデータを見ると、実際には景気が回復していないのに消費者心理が急に上昇し、再び下がっているのがわかります。

このように不安定なデータなので、ほかの経済指標とあわせて利用することをおすすめします。たとえば耐久消費財の売上げや、銀行が消費者に対する融資を拡大しているかどうかなどを確認してください。

消費者心理が動いているという確信が持てたら、投資先を検討していきます。

消費者信頼感指数が上がっているときには、小売業界の株が買いです。ホーガン氏によると、まず最初にチェックすべきなのはウォルマート（ＷＭＴ）などのスーパーマーケットです。食料品や雑貨など、生活必需品をあつかうお店の株が最初に動くからです。その次に注目するのはCoach（ＣＯＨ）やティファニー（ＴＩＦ）など、いわゆる贅沢品のジャンルです。生活に必要ではないけれど、余裕があれば買いたいと思うような商品は、遅れて動いてきます。

逆に消費者信頼感指数が下がっているなら、最初に株価が下がってくるのは贅沢品をあつかう企業です。贅沢品関連の株から優先的に処分しましょう。

まとめ03

①発表時期……コンファレンスボード消費者信頼感指数は、毎月最終火曜日の午前10時（米東部時間）。ミシガン大消費者信頼感指数は、毎月第2金曜日頃に速報を発表

②データの入手先

The Wall Street Journal では両消費者信頼感指数の速報をスピーディに掲載しています。The Wall Street Journal オンラインのＵＳ版（wsj.com）にアクセスし、上部メニューから「Markets」→「Market Data Center」リンクを選択。移動後の上部メニューから「Calendars & Economy」→「U.S. Economic Events」のリンクを選択してください。カレ

ンダーの第2金曜日にミシガン大消費者信頼感指数、最終火曜日にコンファレンスボードの消費者信頼感指数へのリンクが張られています。記事にはデータの概要、市場の期待に対するパフォーマンスなどがまとめられています。その他の情報源としては、Briefing.com がこれら両指数のレポートを提供しています。*セントルイス連邦準備銀行の連邦準備銀行経済データベース（*FRED）は、ミシガン大消費者信頼感指数の情報を公開しています。コンファレンスボードの消費者信頼感指数は Conference-Board.org で閲覧可能です。

③注目ポイント……消費者信頼感指数の数カ月にわたる上昇（低下）

④意味すること……消費者が景気に対して楽観的（悲観的）になっている

⑤投資アクション……小売業界の株を買う（売る）。上昇しているときは生活必需品から買いはじめて贅沢品に移行。低下しているときには贅沢品から売りはじめて生活必需品に移行

⑥リスク評価……低

⑦リターン評価……$

セントルイス連邦準備銀行
米国のミズーリ州セントルイスに本店を置く連邦準備銀行の1つ。なお、連邦準備銀行（Federal Reserve Banks）は、市中銀行の監督と規制など、公開市場操作以外の連邦準備制度の業務や連邦準備券（ドル紙幣）の発行を行い、12の連邦準備地区に1行ずつある

FRED
セントルイス連邦準備銀行が無料で提供するFRED（Federal Reserved Economic Data）は、収録範囲が金融部門だけにとどまらず、GDP、財政、貿易、産業など多岐にわたる

04

中古住宅販売件数

——持ち家の価格が消費を左右する

アメリカ人にとって、マイホームはまさに人生の夢です。住宅販売を抜きにして米国経済を語ることはできません。住宅は人々の家計にとって非常に大きなインパクトを持っており、人々の心理や消費行動など、さまざまなレベルで国の経済に影響しています。

そのため、**全米不動産業者協会***（ＮＡＲ）が発表する**中古住宅販売件数**はエコノミストや投資家たちの注目の的となっています。

この指標は、中古住宅がその月にどれくらい売れたかを表します。なぜ中古住宅なのかというと、中古住宅の販売件数は新築よりも多く、住宅市場の大部分を占めているからです。

この指標が教えてくれるのは、中古住宅が売れた数だけではありません。メディア大手のブルームバーグ社でエコノミストを務めるジョー・ブルスエラ氏はこう述べています。

「中古住宅販売件数のデータには、まだ売れていない在庫数や、平均的な販売価格のデータも含まれています。これらが大きな意味を持ってくるのです」

住宅価格は経済に大きな影響を与えます。「資産効果」と呼ばれる効果があるからです。

●タイミング
先行指標

●関連指標
⑦銅価格（60ページ）
㉜新築住宅販売件数（198ページ）

全米不動産業者協会
全米不動産業者協会（NAR：The National Association of Realtors）は、全米の不動産業に関わる者で組織される民間団体

資産効果とは、資産価格の上昇によって人々の消費行動が促進される効果のことです。資産価格が上昇すると、資産を持つ人々は自分が豊かになったと感じ、景気の先行きに対しても前向きな気持ちになります。そしてたくさん買いものをするようになります。収入は変わらないのに、消費する量が増えるのです。逆に住宅価格が下がった場合、人々の気持ちは節約に向かうので、消費が大きく落ち込んでしまいます。

こうした資産効果の極端な例が、２０００年代半ばの住宅バブルです。人々は住宅価格の上昇を当てにして、実際の購買能力以上にものを買い続けました。単に豊かになったと感じただけでなく、高値になった住宅を担保にどんどんお金を借りて消費したのです。

また資産効果以外にも、住宅販売は経済への実

中古住宅販売件数

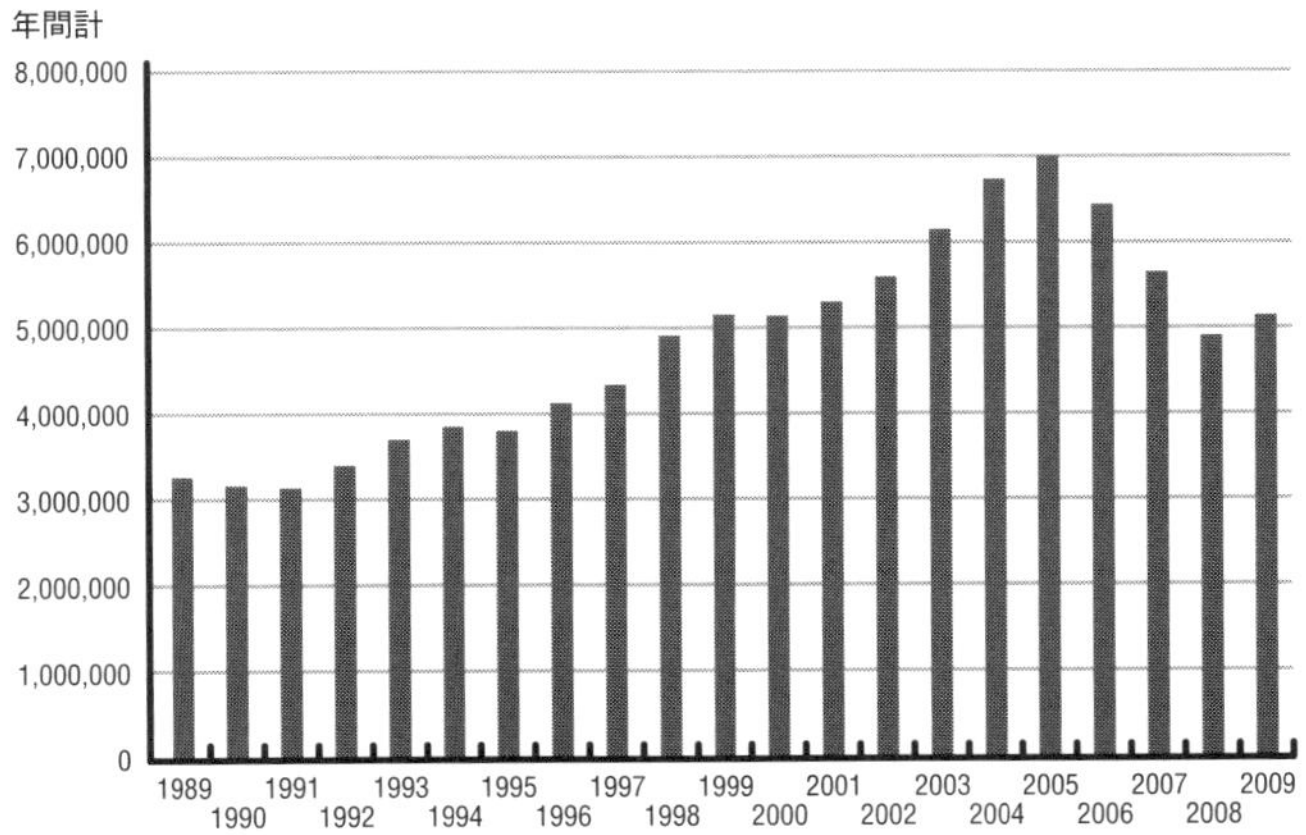

出所：NAR（全米不動産業者協会）

質的な影響力を持っています。

「住宅を購入すると、それにあわせて家具や家電などもいっぺんに購入することになります。こうして住宅販売は経済のあらゆるところに波及していくのです」（ブルスエラ氏）

投資戦略　景気を予言する「供給月数」に注目する

歴史的に見ると、住宅販売はつねに経済回復の鍵を握ってきました。戦後の不況期を振り返れば、いずれも住宅販売が経済回復の主要な推進力となっていたことがわかります。

不況になると**連邦準備制度理事会***（ＦＲＢ）が利下げを行うのも、そのためです。

住宅を購入するとき、人々はローンを組んで銀行からお金を借ります。金利が下がれば月々の返済額が減ってローンが組みやすくなり、人々の購買意欲が高まるというわけです（同様に自動車も金利が下がることによって売れやすくなります）。

ただし、２００８年の住宅バブル崩壊以降、住宅販売の経済回復に対する有効性は疑問視されるようになってきました。

「住宅販売が経済回復に対して果たす役割はかなり小さくなるでしょう。経済回復への推進力ではあり続けますが、主役の座は外されてしまいました」（ブルスエラ氏）

中古住宅販売件数が回復基調にあるかどうかを判断するには、売り出し中の在庫件数に注目し

連邦準備制度理事会
連邦準備制度理事会（FRB：Federal Reserve Board）は、連邦準備制度の統括機関で、中央銀行に相当する

ます。具体的には、現在のペースで売れ続けた場合に、現在売り出し中の住宅が何カ月ですべて売れるか（在庫件数 ÷ 販売件数）を見てください。これは住宅在庫供給月数として知られる数字です。

供給月数が短い場合、住宅市場は上向きになっているといえます。景気もよくなっていると考えていいでしょう。逆に供給月数が長い場合には、住宅市場が落ち込み、景気が悪化しつつあると考えられます。

まとめ04

①発表時期……毎月25日頃、米東部時間で午前10時

②データの入手先

The Wall Street Journal では、中古住宅販売件数の速報をスピーディに掲載しています。The Wall Street Journal オンラインの Market Data Center（www.WSJMarkets.com）にアクセスし、上部メニューから「Calendars & Economy」→「U.S. Economic Events」のリンクを選択してください。カレンダーの25日頃に「Existing Home Sales」というリンクが張られています。記事にはデータの概要、市場の期待に対するパフォーマンスなどがまとめられています。全米不動産業者協会のサイトで直接データを見ることも可能です（www.

realtor.org/research/research/ehsdata）。また同サイトの「販売保留件数」データもチェックしておくといいでしょう（www.realtor.org/research/research/phsdata）。販売保留件数は契約完了後、所有権の移転が完了していない件数を指します。これらは所有権の移転が完了すると中古住宅販売件数にカウントされるので、この先の推移を予測するのに役立ちます。

③注目ポイント……販売件数の増加（減少）、供給月数の減少（増加）

④意味すること……景気が上向いている（落ち込んでいる）

⑤投資アクション……中古住宅市場その他の指標が好調であれば、景気との連動性が高い株を買う。景気が落ち込んでいる場合は、株（特に住宅関連）を避けて、キャッシュまたは国債などの安全な資産に移行する。株を選ばざるをえない場合は、生活必需品などの景気に影響されにくい銘柄を選ぶ

⑥リスク評価……中

⑦リターン評価……$$

05 不完全雇用
——失業率よりも強力な雇用指標

●タイミング
景気後退時：先行指標
景気回復時：遅行指標

「要は経済なんだよ、馬鹿」というクリントン元大統領のスローガンは当時大流行しましたが、これはそのまま「要は雇用なんだよ、馬鹿」と言い換えることができます。政治家にとって経済の悪化は、すなわち雇用の悪化を意味するからです。

それは投資家にとっても同じです。しかし失業率を見ただけでは、指標として十分ではありません。もっと強力で、投資に役立つ指標があるのです。

不完全雇用という言葉を聞いたことがあるでしょうか。これはフルタイムの求人が足りないために、パートタイムで働いている状態を指す言葉です。不完全雇用は失業率よりもずっと便利な指標です。なぜかというと、現状ではなく未来のことを教えてくれるからです。

企業がリストラを行うとき、一般にその前段階として短時間しか働かない労働者の増加が見られます。企業もいきなり従業員のクビを切ることはしたくないからです。

「人材の育成には多大なコストがかかるので、企業はそう簡単に人材を手放すことができません」と、キャンター・フィッツジェラルド社で市場ストラテジストを務めるマーク・パド氏は言います。いったん人を切ってしまうと、景気がよくなってきたときにまた新しい人を雇って教育しなくてはなりません。人材採用と育成にかかるコストを企業もよく知っているので、解雇には慎重にならざるをえないのです。

景気の低迷が長期化し、いよいよ体力がなくなってくると、企業はようやく従業員の解雇に手をつけます。短時間労働者が増えたあと、しばらくしてから解雇がはじまり、失業率が増えるのです。そのため、不完全雇用は景気の悪化を予測するための強力な先行指標となります。

米国の労働省労働統計局が出している不完全雇用の数値は、単なるパートタイム人口ではありません。パートタイムで雇用されている人たちのうち、フルタイムで働く意志があるのに短時間労働をやむなくされている人の数です。経済を読むう

米国の失業率および不完全雇用の月次推移

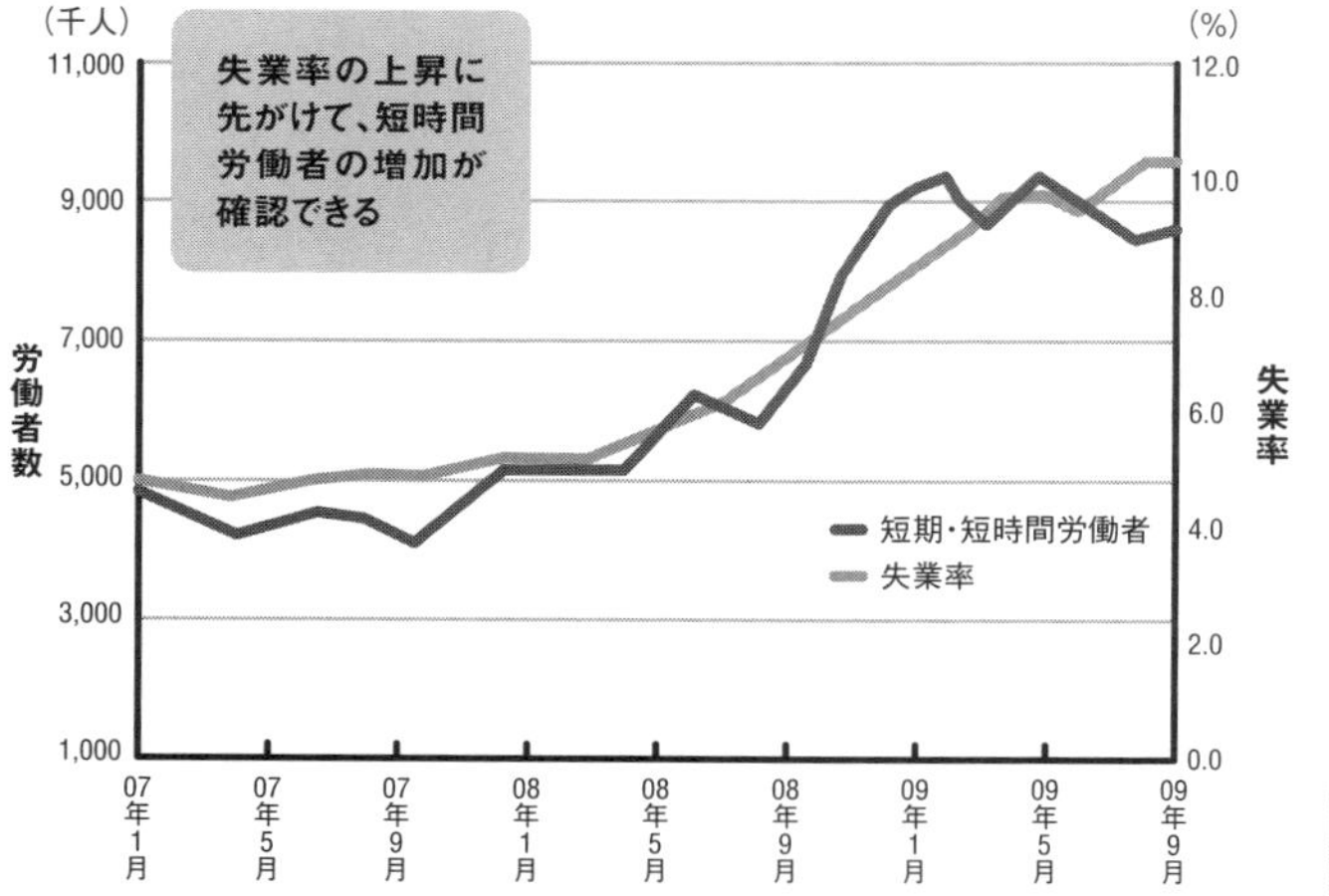

出所：米国労働省労働統計局

えで、この区別は重要です。景気が良くても悪くても、自ら望んでパートタイムを選んでいる人は一定数いるからです。

もちろんすべての企業が、リストラの前段階として短時間雇用を行うわけではありません。いきなり解雇に踏み切る場合もあるでしょう。ですから個々の企業について、パートタイムの労働者が増えたから解雇がはじまるという法則があてはまるとは限りません。

ただし全体的に見れば、不完全雇用と経済の悪化には明らかな相関が見られます。グラフを見れば一目瞭然です。

景気の回復については、この指標はそれほど役に立ちません。パートタイム従業員から雇っていって徐々にフルタイムの社員に切り替えるというやり方は、あまり一般的ではないからです。多くの企業は、人材が必要になってきたら、パートタイムの段階を踏まずにフルタイムの求人を出します。ですから景気の回復を知るためには、不完全雇用よりも残業時間の増加をチェックしたほうがいいでしょう。**雇用統計***を見て、残業時間の多い状態が数カ月続いていたなら、雇用が増えてくると考えられます。高い残業代を払って従業員を酷使するよりも、新しい人を雇ったほうが安上がりだからです。

雇用統計
米雇用統計とは、米労働者が発表している雇用情勢に関する重要指標。失業率と非農業部門雇用者数を中心として、週平均労働時間、賃金インフレの状態を示す平均時給など多数の項目が、米労働省から月初めの金曜日、米東部時間午前8時30分に発表される

投資戦略 生活必需品への投資で資産を守る

不完全雇用をまめにチェックしましょう。不完全雇用が増えていたら、失業率が高くなる前ぶれです。このようなときには、どういう分野に投資すればいいのでしょうか。

「失業率が高いときには、守りに入るべきです。薬、食品、アルコール。人の生活に欠かせないジャンルを選んで投資します」(パド氏)

たとえ仕事がなくても、生活必需品を買わないわけにはいきません。ですから不景気のときには、そうした日用品をあつかう企業に投資するのが堅実なのです。特にパド氏がすすめるのはヘルスケア、医薬品、食品、電力、ガソリンなどです。これらをあつかう企業は景気に左右されにくく、安定した収益を上げることができます。

不完全雇用を見るうえで、注意しておきたい点が2つあります。

1つめは、フライングに気をつけるということです。

経済の動向に関係なく、短期的に不完全雇用が増える場合があります。たとえば、10年ごとに行われる国勢調査の時期には大量のパートタイム労働者が雇われますが、国勢調査が終わればもとに戻ります。不完全雇用が増えているなと思ったら、ほかの指標もいくつかチェックしてみてください。ただのイレギュラーなイベントではなく、景気が確実に動いているということを確信してから行動に出ましょう。

もう1つ注意すべき点は、生活必需品にかかわる株を買うといっても、値上がりを期待するわけではないという点です。

そうした株はディフェンシブ銘柄とも呼ばれますが、あくまでも資産を失わないための守りの姿勢を意味しています。リスクの高い株に投資すれば大きく失う危険がありますが、ディフェンシブ銘柄を選べばそれほど大きくは下がらないだろうということです。

まとめ05

①発表時期……毎月第1金曜日、米東部時間で午前8時30分

②データの入手先

The Wall Street Journal では米国の雇用状況をつねに追跡しています。統計が発表され次第、The Wall Street Journal オンライン版のヘッドラインおよび新着記事に詳しい雇用状況が掲載されます。さらに詳細なデータが知りたい場合は、米国の労働省労働統計局のウェブサイト（www.bls.gov）にある Employed Persons by Class of Worker and Part-time Status という表を参照してください。

※注意　2010年初めに労働統計局は統計手法を一部変更しています。データを比較する場合は、統計の取り方と表示方法が変わっていないかどうかを必ず確認してください。状況

に変化がなくても統計手法によって変化があるかのように見える場合があります。

③注目ポイント……不完全雇用の増加

④意味すること……景気が悪化している

⑤投資アクション……医薬品や食品、アルコールなどのディフェンシブ株を買う

⑥リスク評価……低

⑦リターン評価……$

Part 1 個人消費

Part 2 投資支出

Part 3 政府支出

Part 4 貿易収支

Part 5 複合的指標

Part 6 インフレその他の不安要素

投資支出に関する経済指標

Ｐａｒｔ2では投資支出に関する指標を取り上げていきます。ここでいう投資は株などの金融投資ではなく、企業による在庫投資（在庫量の増減）や、建物・機材・コンピュータなどの設備投資、また個人住宅や集合住宅の建設を指します。

こうした投資支出はＧＤＰの15～20％を占めています。個人消費に比べると小さい数字ですが、投資支出には変動が大きいという特徴があります。そのため経済に大きな影響力を持っているのです。

消費者はお金がなければ節約しますが、どんなときでも最低限の食べ物や衣服を買う必要があります。しかし企業は、お金がなければ工場やソフトウェアに対する投資をゼロにすることが可能です。これは個人の住宅購入についても同じです。景気が悪くなってくると、投資支出は極端に減少するのです。

06 BBレシオ

――あらゆる製品に組み込まれた半導体チップ

●タイミング
先行指標

ほんの半世紀前まで、コンピュータが各家庭にあるという光景は、サイエンス・フィクションの中でしかあり得ない話でした。しかし今では当たり前の現実となり、携帯電話やノートパソコンをはじめ、時計や自動車などいたるところにコンピュータが組み込まれています。

かつては夢物語だったコンピュータですが、今や日常であるばかりか、現代のような巨大なビジネスとなったのです。

こうしたコンピュータを動かす心臓部にあたるのが、マイクロプロセッサという小さな部品です。半導体チップと呼ばれることもあります。

グローバル・エクイティ・リサーチ社でアナリストを務めるトリップ・チョードリー氏によると、マイクロプロセッサの市場は２０１０年時点で、３０００億～３５００億ドルにもなるといいます。

この小さな半導体チップは、家庭や職場のあらゆる便利な道具に組み込まれています。何を買っても半導体チップがついてくるのです。したがって半導体業界の状態を見れば、ハイテク関連の業界はもちろん、経済全体の状態をある程度読みとることができます。

半導体業界の状態を知るには、**ＢＢレシオ**と呼ばれる指標を見るのが便利です。この指標は出荷受注比率とも呼ばれ、受注した額と、出荷が終わった額の関係を表しています。

例をあげて説明しましょう。ある会社に対して、その月にマイクロプロセッサの注文が１００個入ったとします。しかし生産が追いつかず、その月に出荷することのできたチップは80個だけでした。この場合、その月の受注額は１００で、出荷額は80です。ＢＢレシオは100/80、つまり1・25となります。

ＢＢレシオが1より大きいときには、受注残があることを意味します。

これは生産よりも多くの受注があるということ

半導体BBレシオ

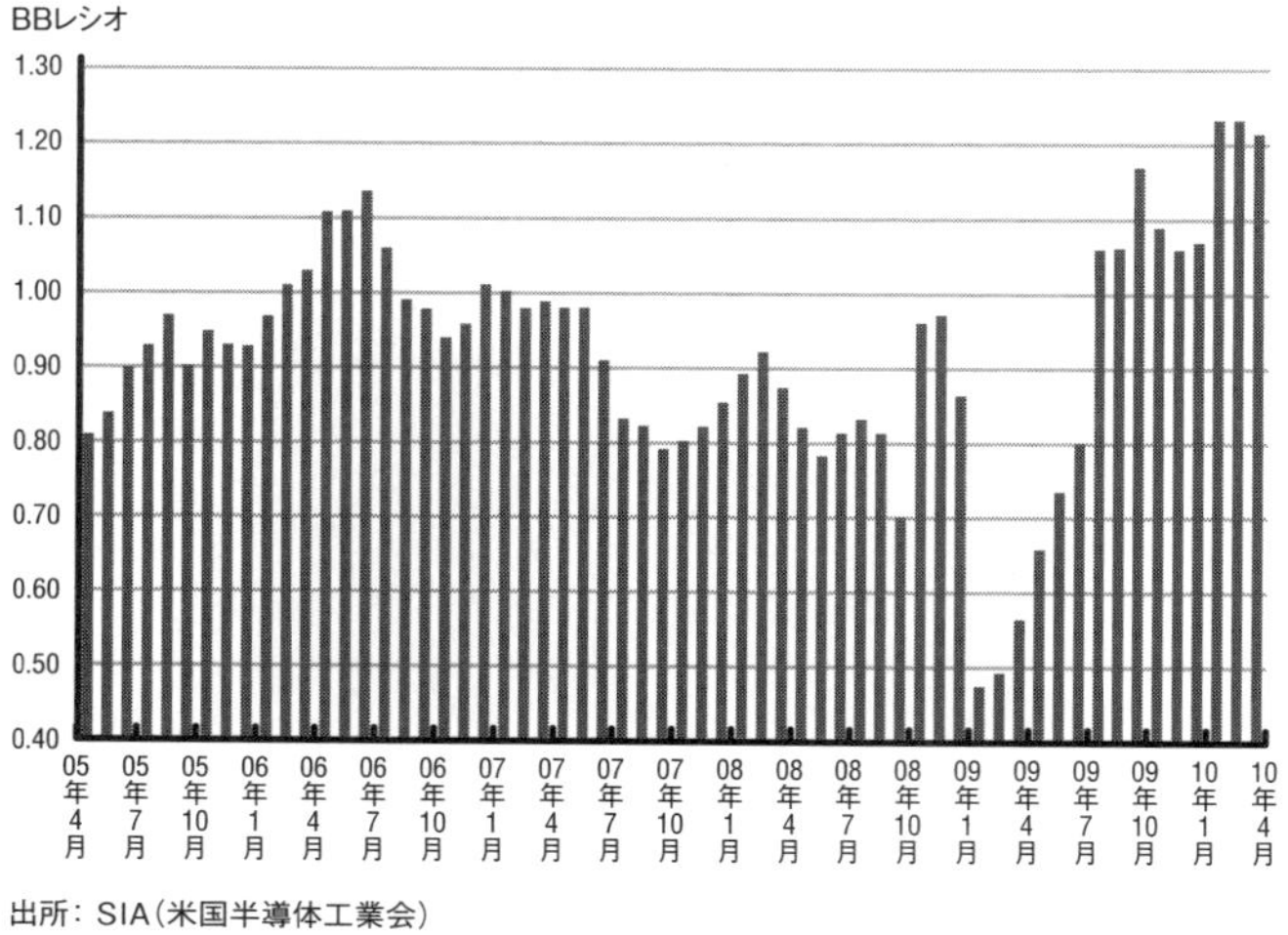

出所：SIA（米国半導体工業会）

ですから、この先の業績拡大が予測できます。業界にとっては非常に望ましい状態です。米国半導体工業会*（ＳＩＡ）は、ＢＢレシオの統計を毎月発表しています。これを見れば特定の企業だけでなく、半導体業界全体での受注と出荷がどのような関係にあるかを知ることができます。

投資戦略 1より大きければ半導体業界の株を買う

原則として、ＢＢレシオが1を超えていたら業界の先行きは明るいと見ていいでしょう。生産が追いつかないほどたくさんの注文が入っているのです。パソコンやiPad、携帯電話や自動車などの需要が増え、半導体業界がどんどん勢いづいていると考えられます。

逆に景気が悪くなってくると注文が減るので、半導体メーカーは余分な在庫を抱えることになります。ＢＢレシオが1より小さくなった場合、半導体業界および経済全体の先行きは暗いと考えられます。

前ページの図表を見ると、不況を反映してＢＢレシオが急落しているのがわかります。２００９年1月には０・47にまで下がっています。これはつまり、その月に出荷した量の半分しか注文が入ってこないということです。売れ残った半導体チップは倉庫にしまわれて、いつか売れるときを待つことになります。

米国半導体工業会
米国半導体工業会（ＳＩＡ：The Semiconductor Industry Association）は、インテルなど米国の主要半導体メーカー32社が加盟する業界団体で、1977年に設立。加盟企業の半導体売上高は米国半導体企業全体の約80％を占めるしかしこのような悪い数値が出たあと、ＢＢレシオは経済回復に先がけてコンスタントによくなっていきます。２００９年7月にはＢＢレシオが1を超え、出荷を上回る量の受注が半導体メーカーに入ってきています。これは経済が不況の底を脱し、回復へ向かって動き出したことを示しています。

ただし個別の株を買うときには、この指標を単純に鵜呑みにしてはいけません。

「たしかにＢＢレシオが1を超えるのは望ましい状況です。携帯電話やパソコンなどがよく売れていて、業界が活気づいているということですから。しかしあくまでもそれは業界全体についての話であって、個別の株を買うときにはそれぞれの企業のデータを検討しなくてはいけません」（チョードリー氏）

ＢＢレシオを見るうえでもう１つ注意すべきなのは、メーカーの在庫管理手法の変化です。昔は過剰在庫を抱える企業が多かったのですが、最近は在庫をなるべく抱えない方針を取る企業が多くなっているのです。これはつまり、昔のＢＢレシオと今のＢＢレシオを単純に比較することができなくなったことを意味します。

いずれにせよ、1より大きいのがよいしるしであるということは覚えておきましょう。

まとめ06

①**発表時期**……毎月中旬に前月分のデータを発表

②**データの入手先**

米国半導体工業会（ＳＩＡ）のウェブサイト（www.sia-online.org）で最新のＢＢレシオが確認できます。www.semi.orgでも同じ情報が閲覧可能です。

③**注目ポイント**……ＢＢレシオが1より大きい（小さい）

④**意味すること**……景気が上向いている（落ち込んでいる）。半導体業界が好調（不調）である

⑤**投資アクション**……半導体メーカーの株を買う（売る）

※ただし、そのほかの指標に同じ傾向が確認できる場合のみ

⑥**リスク評価**……中〜高

⑦**リターン評価**……$〜$$$（投資戦略による）

07 銅価格

――銅の価格は景気のバロメーター

●タイミング
先行指標

「銅は景気を知っている」というのは、投資家のよく使う言いまわしです。銅そのものはただの鉱物ですが、**銅価格**はまるで経済を把握しきっているかのように動くからです。

銅価格が上がっているときは、経済は順調に動いています。銅価格が下がっているときは、経済の調子は思わしくありません。

米国グローバル・インベスターズの最高投資責任者、フランク・ホルムズ氏はその理由をこう説明します。

「銅はその固有の性質のために、産業全体を支える存在となっています。住宅や公共インフラ、製造業などの業績を銅の価格は顕著に反映するのです」

つまりこういうことです。銅の供給は比較的安定しており、物価の変動からもそれほど影響を受けません。そのため需要の増加を素直に反映して価格が上がります。家や会社の電気配線などで銅がたくさん必要とされれば、そのぶんを正確に反映して値段が高くなるのです。

銅と経済の密接な関係は、今後も長く続くと考えられます。銅は安価でありながら、電気を通す導体として非常にすぐれています。当分はほかの素材にその座を奪われることはないでしょう。電気を通しやすいという点でいえば金のほうがすぐれていますが、高価なので日常の利用には適していません。アルミニウムも導体としてはすぐれていますが、出火しやすいなどの問題があるため屋内の配線にはあまり使われません。

また電気配線のほかに、自動車や電子器具などの製造にも銅は欠かせない存在となっています。電気や熱に対する高い伝導性が必要とされる場所では、つねに銅が活躍しているのです。

投資戦略　3ドル以上なら景気拡大にそなえる

「銅価格を見れば、景気の悪化が予測できる」と米国グローバル・インベスターズのポートフォリオマネジャー、ブライアン・ヒックス氏は言いま

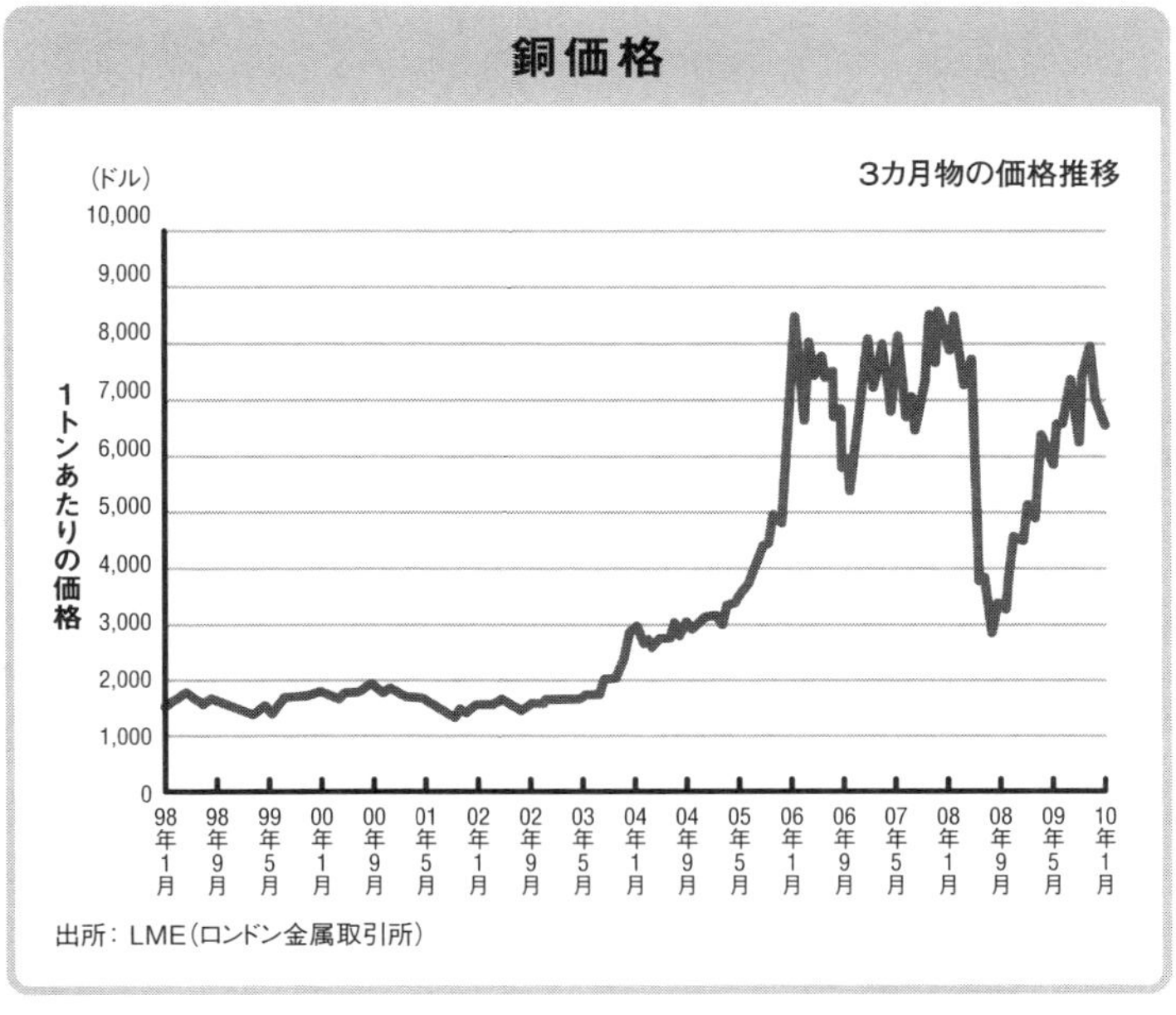

す。

今世紀に入ってから、銅の需要と供給のバランスは特に繊細なものとなっています。昔よりも銅価格が変化しやすく、需要と供給の変化に応じて敏感に揺れ動くのです。

銅価格を見るうえでのポイントは、大きな傾向をつかむことです。銅価格が上がっていく傾向にあれば、好景気の前ぶれです。銅価格が下がっていれば、景気は下向きになっていくと考えていいでしょう。

最近の例では、２０１０年初頭の銅価格の値下がりがあげられます。

ヒックス氏はこの値動きを見て、中国経済が停滞しはじめていると考えました。ほかの指標を調べてみたところ、やはり同じような傾向が見られます。そこでヒックス氏は銅関連の株を早々に売ることにしました。彼がすべて売りきってから、ようやく世の中が同じ結論に達し、価格の暴落がやってきたのです。

銅価格が高いというときの目安は、だいたい**1ポンド***当たり3ドル（1トン当たり約6600ドル）を指します。1ポンド当たり2ドル（1トン当たり約4400ドル）を切ると銅価格は普通より低く、需要が停滞していると考えられます。

ただし、銅価格は景気とは無関係な要素に影響を受けることもあるので注意してください。

たとえば地震が起こったり、労働者のストがあった場合などは、銅の供給量が減るので価格が

1ポンド
1ポンドは約0・4536kg

上がります。やがて銅の産出量がもとに戻ると価格も下がります。こうした動きを景気の変化と読み違えないように気をつけましょう。

まとめ07

①発表時期……毎営業日

②データの入手先

The Wall Street Journal では産業用金属価格の動向をつねに追跡しています。The Wall Street Journal オンラインの Market Data Center（www.WSJMarkets.com）にアクセスし、上部メニューから「Commodities and Futures」のリンクを選択し、ページ内の「Metals」メニュー以下を参照してください。銅価格の情報はほかにも、さまざまな場所で確認できます。**ロンドン金属取引所***（ＬＭＥ）のウェブサイト（www.lme.com）や、**ニューヨーク商品取引所***（ＣＯＭＥＸ）のあるＣＭＥグループのウェブサイトで最新の情報が閲覧可能です。また www.KitcoMetals.com は金属市場の情報に特化したウェブサイトで、詳細な情報が掲載されています。どの情報を見る際にも、つねに一定の基準となるデータに注目することが大切です。ＬＭＥの場合は３カ月価格（３カ月後が引渡期限の売買価格）が基準となります。ＣＯＭＥＸの場合は基準となる引渡価格が変化するので、初心者には把握しづらいか

ロンドン金属取引所
イギリスのロンドンにある世界最大規模の非鉄金属専門の取引所。１８７７年に設立されたＭＭＥ（Metal Market and Exchange Co.）を継承するかたちで、ＬＭＥ（London Metal Exchange Limited）が設立された

ニューヨーク商品取引所
米国のニューヨークにある世界最大の商品・エネルギー先物取引所であるニューヨーク・マーカンタイル取引所（ＮＹＭＥＸ：New York Mercantile Exchange）の一部門で、ＣＯＭＥＸ（Commodity Exchange）とも呼ばれる。金・銀・銅・アルミなどが上場されている先物市場で、特に金先物（ＮＹ金）は世界の金価格の指標的な存在

もしれません。さらに詳細なデータが知りたい場合は、世界鉄鋼統計研究所（www.world-bureau.com/searchlink.htm）の会員制ウェブサイトで検索可能です。また**国際通貨基金***（IMF）のウェブサイト（www.imf.org/external/np/res/commod/index.aspx）にも無料の情報が掲載されています。

③**注目ポイント**……銅価格の上昇（下落）。1ポンド3ドル超または2ドル未満が分岐点

④**意味すること**……景気が上向いている（落ち込んでいる）

⑤**投資アクション**……供給に問題がなく、需要が増えていると確信できたら、銅や製造業に投資する。景気拡大に向けてポートフォリオを調整する（下落時はその逆）

⑥**リスク評価**……高

⑦**リターン評価**……$$$

国際通貨基金

国際通貨基金（IMF：International Monetary Fund）は、通貨と為替相場の安定化を目的とした国際連合の専門機関で、本部は米国のワシントンDCにある

08 耐久財受注額

——経済への信頼感が素直に表れる指標

●タイミング
先行指標

景気の先行きを知りたいなら、企業や家庭が大型商品をどれくらい買っているかに注目してみましょう。**耐久財受注額**と呼ばれる数字です。

個人にとって耐久財といえば、冷蔵庫や洗濯機などの大型家電や自動車を指します。いったん購入したら長く使う製品です。価格も高価なものが多いので、それを買っても生活に支障がないという自信がなくては購入に踏み切れません。

企業の場合、耐久財というと一般的に資本設備を指します。製造機械や設備のうち、売ればお金になるようなもののことです。特殊なところでは、航空機も高額な耐久財に含まれます。

一般消費者の耐久財購入が増えている場合、人々の購買意欲が上がっていることを意味します。企業の耐久財購入が増えている場合は、業界が全体的にうまくいっていて、経済に対する信頼感が上がっていることを意味します。

資産運用会社ロード・アベットのチーフエコノミスト、ミルトン・エズラッティ氏もこう述べています。

「耐久財が売れるということは、企業にリスクを取る余力があるということです。つまり商売がうまく回っていて、先行きが明るいと見ていいでしょう」

企業が新しい設備を買うのは、それを使って生産した製品が世の中で売れるという自信があるときだけです。売れ行きに確信が持てなければ、高価な耐久財の購入に踏み切ることはできません。

したがって、耐久財の購入は景気が上向きになっている証拠だといえるのです。

投資戦略 業界の本音を投資に生かす

耐久財受注データを見るうえで、1つ忘れてはならない点があります。耐久材には軍艦や戦闘機など、国の防衛に関わる高価な製品も含まれるということです。これらの製品は国の意向で売れ行

耐久財受注額

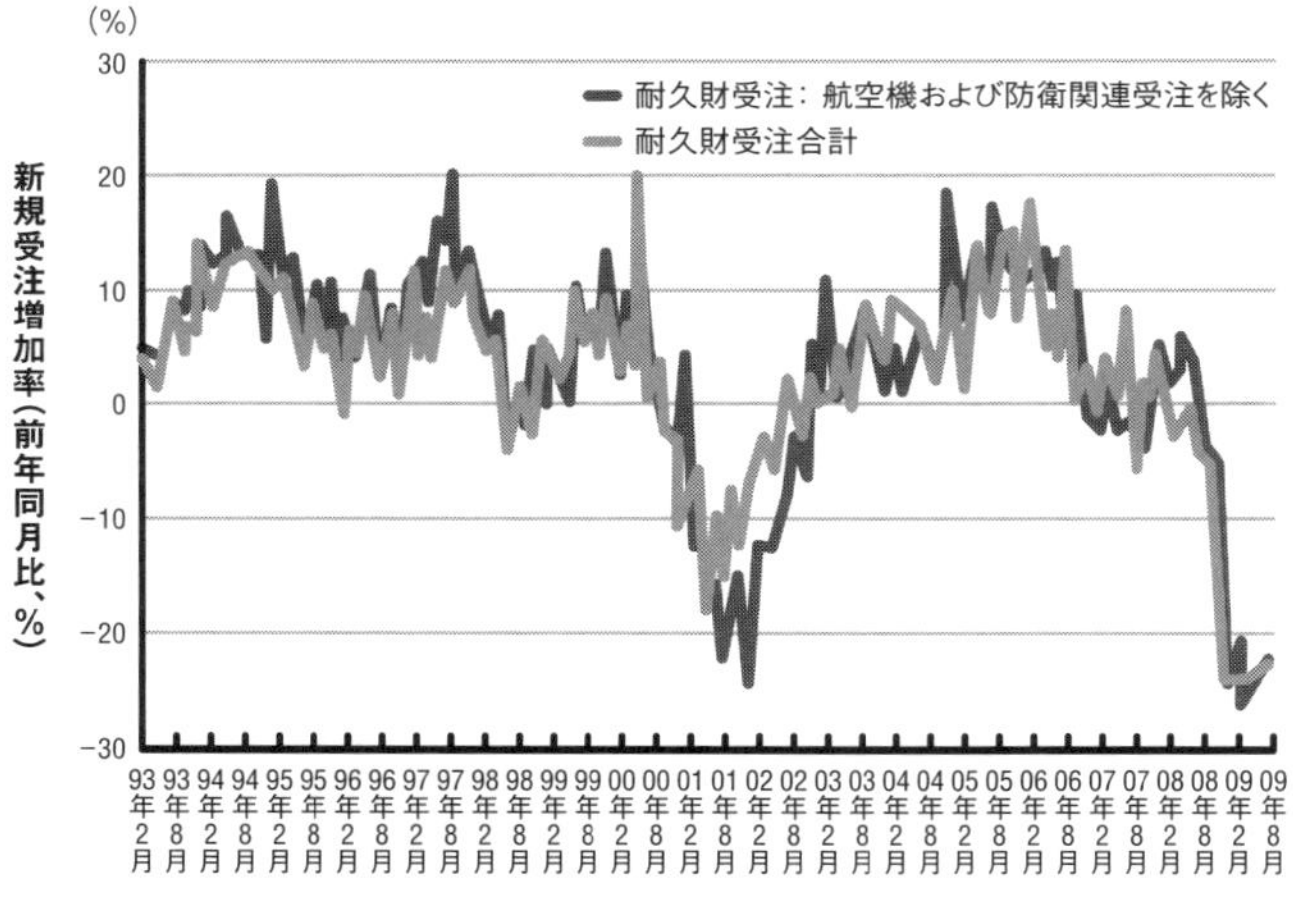

出所：米国商務省／News N Economics

きが決まるので、景気予測にはあまり役立ちません。

耐久財受注額の一覧表の中には、そうした防衛関連の受注額を除外したデータもわかりやすく表示されているので、そちらを参考にするのがいいでしょう。同様に航空機受注を除いたデータも見ることができます。航空機は非常に高額で、また受注のタイミングにも一貫性がないため、除外して考えたほうがデータの傾向が見えやすくなります。

しかし航空機受注を除外して見たとしても、やはり耐久財受注額はかなり変動が大きい指標です。月によってかなり金額に差が出てきます。ですから前月と比較するだけでなく、3カ月や5カ月といった期間での平均を見ることをおすすめします。そうすれば、受注額の変化がただの誤差なのか、それとも明確な動きなのかを見きわめやすくなります。

一般的に、耐久財受注額の増加は株価の上昇を示唆していると考えられます。高価な耐久財には、経済全体を支える力があるからです。

さらに深く知りたい場合は、業界別の耐久財受注額の数値に注目すべきだとエズラッティ氏は指摘します。そうすれば、見かけよりも状態のよい業界がどこなのかを知ることができます。先行きに自信を持っているという本音が見えてくるのです。

これはほかの指標ではなかなかわからない、ユニークな情報だといえるでしょう。業界が好調だと判断できれば、その業界のなかで買い銘柄を探します。

いろいろなジャンルの耐久財がまんべんなく売れている場合は、経済全体が上向いている証拠です。そのようなときには、**S&P500***などの代表的な株価指数に連動した商品を買うのが得策でしょう。あるいはゼネラル・エレクトリック（GE）などの耐久財製造業に対象を絞った上場投資信託もあります。

ただし、明らかに業界の好調が見てとれる場合でも、株価にはきちんと注意することが必要です。いくら好況だからといっても、高値で買ってしまっては意味がないからです。

まとめ08

①発表時期……毎月26日頃、米東部時間で午前8時30分に前月分のデータを発表

②データの入手先

The Wall Street Journalでは耐久財市場の動向をつねに追跡しています。米国商務省の統計データが発表され次第、The Wall Street Journalオンライン版のヘッドラインに速報記事が掲載されます。データだけを確認したい場合は、The Wall Street Journalオンラインの Market Data Center（www.WSJMarkets.com）にアクセスし、上部メニューから「Calendars & Economy」→「U.S. Economic Events」のリンクを選択してください。カレンダーの26日前後に「Durable Goods Orders」というリンクが張られています。また、米

S&P500

S&P500（Standard & Poor's 500 Stock Index）は、米国の投資情報会社スタンダード・アンド・プアーズ社が算出している米国の代表的な株価指数。ニューヨーク証券取引所、アメリカン証券取引所、NASDAQに上場している銘柄から代表的な500銘柄の株価をもとに算出される

国商務省のウェブサイト（www.census.gov/manufacturing/m3）で直接確認することも可能です。「Historical Data」のリンクから過去のデータも参照できます。シンプルで使いやすい情報としては、投資家情報サイト Briefing.com が無料で情報を提供しています。「Economic Calendar」から「Durable Orders」のリンクを選択してください。

③**注目ポイント**……防衛関連および航空機を除いた耐久財受注額の増加（減少）。3～5カ月のスパンで確認する

④**意味すること**……まもなく景気が上向いてくる（落ち込んでくる）

⑤**投資アクション**……S&P500など、広範なインデックスを対象とした上場投資信託を買う（売る）。よりリスクの高い戦略としては、ゼネラル・エレクトリックのような特定の耐久財メーカーの株を買う（売る）

⑥**リスク評価**……中～高（投資戦略による）

⑦**リターン評価**……$$～$$$

09

住宅建築許可件数と住宅着工件数

——ローンの組みやすさが生み出すサイクル

●**タイミング**
先行指標

●**関連指標**
⑦銅価格（60ページ）
㉜新築住宅販売件数（198ページ）

住宅の購入は、一般的な人にとって非常に大きな出費です。簡単には手が出せませんし、一生家を買う機会のない人も多いことでしょう。自分の持ち家に住むことは、なかなか手の届かないあこがれであり、一種のアメリカン・ドリームなのです。

住宅は耐久財のなかでも特殊な性格を持っています。使用年数がとても長いからです。また、1棟建設するのにかなり長い期間が必要です。完成までに1年ほどかかる場合もあります。

住宅建築許可件数は、住宅の着工に先立つ建築許可の発行数を指します。そして**住宅着工件数**は、実際に住宅の建設がはじまった件数を指します。これら2つの指標に注目する理由は、それが短期~中期的な経済に対する信頼を表しているからです。

業者が家やマンションを建設するためには、それを人々が買ってくれるはずだという確信が必要です。人々が家を買うためには、この先しばらく安定した収入があるだろうという見通しが必要です。もうすぐクビになりそうな人は、ローンを組むわけにはいかないからです。

住宅建築には景気に連動したサイクルがあります。不況下では、金利がかなり低くなるため、家賃を払い続けるよりも買ってしまったほうが得になります。すると家を買いたいと考える人が増えます。業者もそのことを知っているので、今なら売れると踏んで家を建てはじめます。

住宅建築許可と着工の件数が増えてきたら、経済全体がもうすぐ活気づいてくるというサインです。なぜなら着工にともなって、住宅建築のための資材が発注されるからです。木材やレンガ、セメント、屋根材、パイプなど、さまざまな資材が必要になってきます。住宅建築が増えることによって、たくさんの業界がうるおうわけです。

しかし逆もまた同じです。好景気のときには金利が上がるので、ローンを組むと割高になってしまいます。そのため住宅建築がしだいに減り、その影響で経済も下向きになっていきます。

米国住宅着工件数

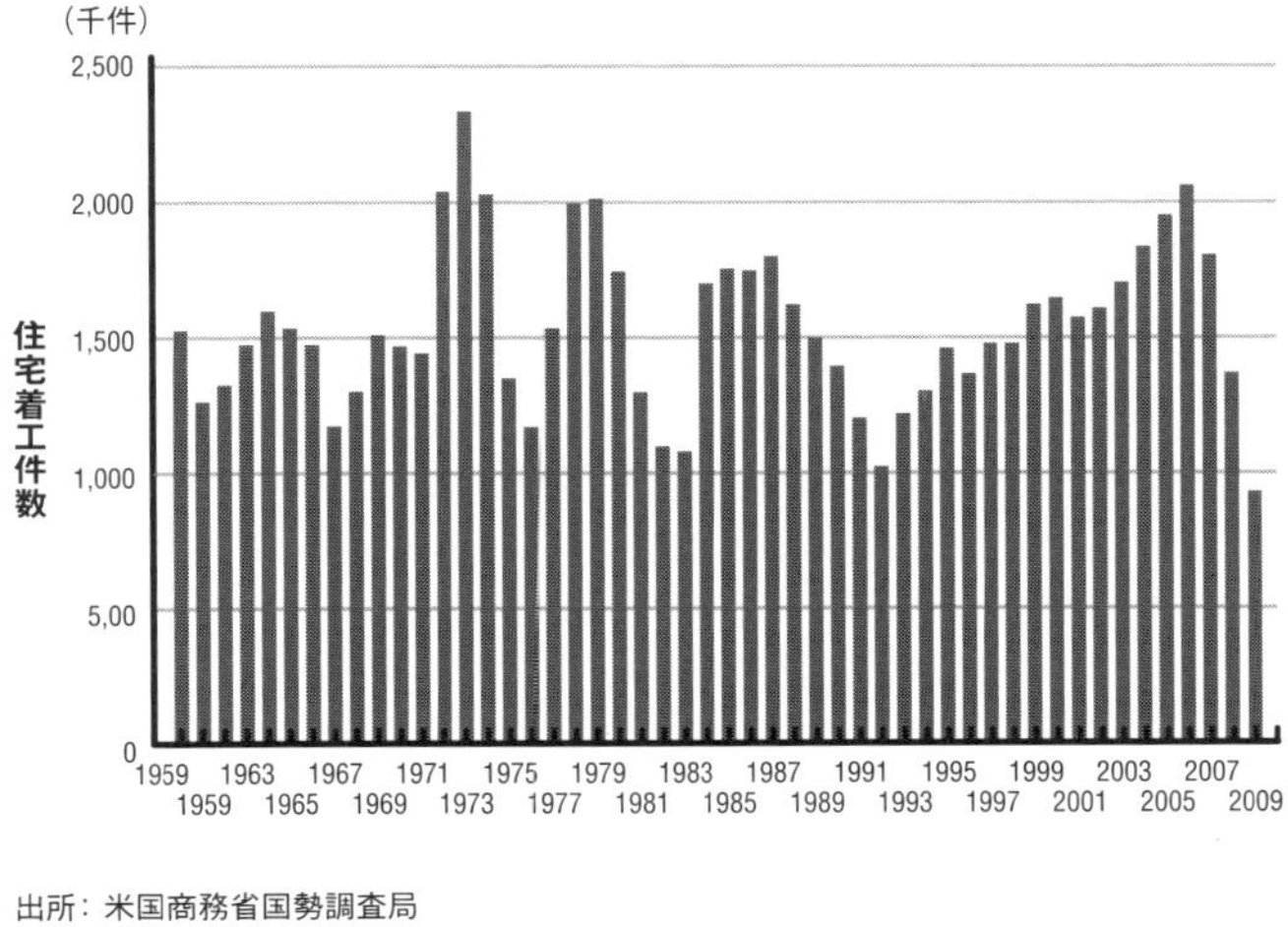

出所：米国商務省国勢調査局

投資戦略　住宅建築業者の上場投資信託を狙う

住宅建築許可件数と住宅着工件数は、景気が回復しはじめるのに先がけて増えてきます。件数が減ってくるのも、実際の景気後退より早い段階です。経済の変化よりもひと足先に動くのです。ですからこの2つの指標は、景気をいち早く読みとるためのすぐれた先行指標となります。（※通常このように景気回復に先がけて増えてくるはずの建築許可・着工件数ですが、2009年の景気回復時にはまったく増えませんでした。これは不況に先がけて起こった住宅バブル崩壊の影響です。このように特殊なケースもありますが、本書の目的は特定のできごとについて議論することではないので、一般的な傾向として通常の景気サイクルで何が起こるかを説明しています）

住宅市場の動向を利用して利益を出す方法はいろいろとありますが、まずは住宅業界が上向きなのか、下向きなのかを判断するところからです。

ブルーマーブル・リサーチ社のチーフ投資ストラテジスト、ビニー・カタラーノ氏はこう言います。

「ある月のデータだけを見て判断するのではなく、どのような傾向で動いているかを把握することが必要です。少なくとも3カ月程度のデータを見てみないと、本当に増加傾向にあるかどうかを判断することはできません。数カ月のデータを見て、これは確実に来ているなと判断できたら、どこに投資するかを考えます」

住宅市場が上向きになってくると、まず最初に恩恵を受けるのはもちろん住宅建築業者です。カタラーノ氏によると、ＳＰＤＲ Ｓ＆Ｐホームビルダーズ ＥＴＦ（ＸＨＢ）などの上場投資信託が狙いめだといいます。ＳＰＤＲ Ｓ＆Ｐホームビルダーズ ＥＴＦは、住宅建築に関わる複数の企業の株価で価格が決まります。

住宅業界が好調であれば、全体的に見てこれらの企業の株は上がるはずです。しかも多数の企業をひとまとめにしてあつかうため、たまたま間違った株を選んでしまうリスクを回避できます。もっとも無難な選択肢だといえるかもしれません。

ただし注意すべき点として、株価の決定要素は住宅市場の動向だけではないということがあげられます。金利や全体的な景気によっても株価は変わってきます。

時には住宅建築の伸びがデータに現れていないのに、市場の期待だけで株価が跳ね上がる場合もあるので気をつけてください。

また住宅市場が上がってきたら、林業や鉱業にも注目してみるといいでしょう。住宅の着工にともない、木材や、電気配線に使われる銅の需要が伸びてくるからです。

まとめ09

①発表時期……毎月16日頃、米東部時間で午前8時30分に前月分のデータを発表

②データの入手先

The Wall Street Journal では住宅市場の動向をつねに追跡しています。住宅建築許可および着工のデータが発表され次第、The Wall Street Journal オンライン版のヘッドラインに速報記事が掲載されます。データだけを確認したい場合は、The Wall Street Journal オンラインの Market Data Center（www.WSJMarkets.com）にアクセスし、上部メニューから「Calendars & Economy」→「U.S. Economic Events」のリンクを選択してください。カレンダーの16日前後に「Housing Starts（住宅着工件数）」というリンクが張られています。

住宅建築許可件数については米国商務省国勢調査局のウェブサイト（www.census.gov/const/www/newresconstindex.html）で直接確認できます。

③注目ポイント……数カ月スパンでの住宅建築許可件数の増加（減少）

④意味すること……景気が上向いている（落ち込んでいる）

⑤投資アクション……住宅建築業者の株、または住宅建築関連の上場投資信託を買う（売る）

⑥リスク評価……中～高（投資戦略による）

⑦リターン評価……$$～$$$

10 鉱工業生産指数と設備稼働率

――工業の動向を知るための2大指標

一部の扇動的な人々や政治家たちの悲嘆の声を聞いていると、米国の工業はもう完全に終わってしまったのかと思えてきます。しかし、状況はそれほどひどくありません。工業生産高は合計1.7兆ドルに達し、GDP*の1割以上を占めています。工業は依然として経済の柱であり続けているのです。

投資家やエコノミストも、みんな工業の動向につねに目を光らせています。彼らが注目する指標は2つあります。**鉱工業生産指数**と**設備稼働率**です。この2つの指標は密接に結びついています。

鉱工業生産指数は、米国の鉱業および製造業（公益事業も含む）において、月々どれだけの量のものが生産されたかを測る指標です。鉱工業生産物にはさまざまなものが含まれます。医薬品や携帯電話、テレビのような製品はもちろんのこと、金塊や鋼、木の板などもすべてこの指標に含まれる生産物です。鉱工業生産指数は経済の変化に先立つこともなければ遅れることもなく、経済の動きと一致して推移します。

●タイミング
一致指標、先行指標

GDP
国内総生産（GDP：Gross Domestic Product）とは、一定期間内に国内で産み出された付加価値の総額

一方の設備稼働率は、理論的な最大生産能力に対する実際の生産量の比率を示す指標です。最大生産能力とは、米国のあらゆる企業がすべての工場の設備を休みなくフル稼働させた場合に生産できる量のことです。設備稼働率はこの最大生産能力を１００％とした場合に、実際の生産量が何パーセントになるかで表されます。この指標は製造業の状況を知るうえで非常に役立ちます。

設備稼働率が高い水準にあれば、製造業は好調であるといえます。

設備稼働率が高くなるということは、企業が機械などの資産を無駄に寝かせていないということですから、業界にとって望ましい状態なのです。

米国設備稼働率

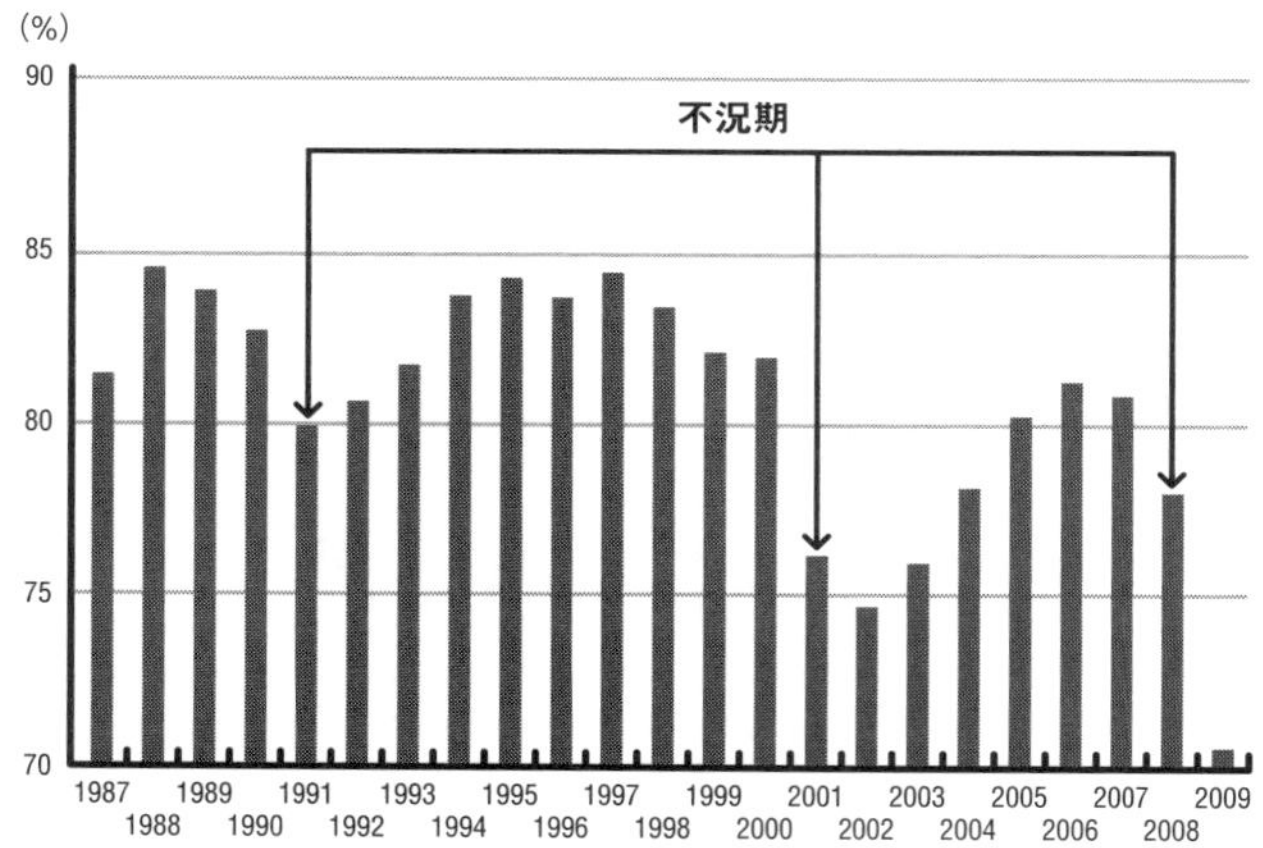

出所：FRB（連邦準備制度理事会）

投資戦略 原料コストにも注意する

設備稼働率と鉱工業生産指数が景気の浮き沈みに合わせて上下する様子は簡単に見てとれます。１９９０～91年、２００１年、２００８～09年の不況の時期には、設備稼働率が大幅に下がっています。また景気回復がはじまると、ちょうど1カ月遅れるかたちで設備稼働率が回復傾向に入るのがわかります。下に示す表は、２０００年から２００２年にかけての月々の設備稼働率を表しています。薄いグレーで塗りつぶした部分が不況の時期です。

設備稼働率は景気の先行きを知るうえでも参考になります。設備稼働率が高いときには、企業が設備投資を行ったり、新たに人を雇ったりする可能性が高くなります。生産能力を上げるために、大型機械を購入する企業も増えるでしょう。生産量が生産能力の限界に近づくにつれて、今ある設備や人員では回らなくなってくるからです。

年	1月	2月	3月	4月	5月	6月	7月	8月	9月	10月	11月	12月
2000	82.3	82.4	82.4	82.6	82.5	82.3	81.8	81.4	81.5	80.9	80.7	80.1
2001	79.3	78.6	78.1	77.7	76.9	76.2	75.7	75.2	74.7	74.1	73.6	73.5
2002	73.7	73.6	74.1	74.2	74.5	75.2	74.9	75.0	75.0	74.9	75.2	74.9

ＰＮＣウェルス・マネジメント社のチーフ投資ストラテジスト、ビル・ストーン氏も「生産能力が足りなくなってくると、企業は人を増やしたり、より性能の高い機械を購入するなどして対応する」と述べています。

そうすると、工業用機械の製造・販売を行う企業が恩恵を受けることになります。カミンズ（ＣＭＩ）やＡＢＢ（ＡＢＢ）、フルアー社（ＦＬＲ）などが狙いめでしょう。ただしこの業界の株価は景気の変動によって大きく揺れ動くので、うまくタイミングをつかむことが重要です。

個別企業の株に加えて、製造業の複数の銘柄をひとまとめにした上場投資信託もよい選択肢です。代表的なものに、バンガード社が出しているバンガード・インダストリアルＥＴＦ（ＶＩＳ）があります。これには工業用機械とは違うジャンルの株も含まれていますが、だいたい同じような領域をカバーしています。

設備稼働率から予測できることは、もう1つあります。設備稼働率が一定の高さになってくると、今度はコストが膨らんでくるという問題が出てきます。製造に使う原料の価格が上がってくるのです。設備稼働率の上限は理論的には１００％ですが、実際には80％台半ばで止まることがほとんどです。１９７０年代に設備稼働率が90％に近づいたときには、原料価格が大きく跳ね上がりました。なぜでしょうか。

ストーン氏によると、設備稼働率が高い状態のときにはものが売れているということですから、企業はもっと高い値段でものを売ろうとします。そうして多くの企業が値上げを行うと、結果的にコストの増大をまねいてしまうのです。

「原料コストが上がってきたときには、コストの増大に苦しむ企業よりも、原料を提供する側の企業を選ぶのがベストです。原料価格が上がることで利益を得る企業を狙うのです」（ストーン氏）

そのような企業を対象にした上場投資信託には、バンガード社のバンガード・マテリアルETF（VAW）や、iシェアーズのiシェアーズ・北米天然資源ETF（IGE）などがあります。いずれも天然資源やコモディティ（エネルギー、金属、穀物など）をあつかう企業の株をまとめた上場投資信託です。

まとめ10

①発表時期……毎月15日頃、米東部時間で午前9時15分に前月分のデータを発表

②データの入手先

The Wall Street Journal では鉱工業生産の動向をつねに追跡しています。鉱工業生産および設備稼働率のデータが発表され次第、The Wall Street Journal オンライン版のヘッドラインに速報記事が掲載されます。データだけを確認したい場合は、The Wall Street

Journal オンラインの Market Data Center（www.WSJMarkets.com）にアクセスし、上部メニューから「Calendars & Economy」→「U.S. Economic Events」のリンクを選択してください。カレンダーの15日前後に「Industrial Production」というリンクが張られています。また**連邦準備制度理事会***（FRB）のウェブサイト（federalreserve.gov）でも鉱工業生産指数と設備稼働率のデータを閲覧できます。最新データは www.federalreserve.gov/releases/g17/current、過去のデータは www.federalreserve.gov/releases/g17/current/table11.htm から直接参照可能です。

③**注目ポイント**……設備稼働率の上昇（低下）

④**意味すること**……設備投資が増えてくる（減ってくる）。景気がまもなく上向き（下向き）になる

⑤**投資アクション**……工業用機械関連企業の株または上場投資信託を買う（売る）

⑥**リスク評価**……中～高

⑦**リターン評価**……$$～$$$

連邦準備制度理事会
連邦準備制度理事会（FRB：Federal Reserve Board）は、連邦準備制度の統括機関で、中央銀行に相当する

11 ＩＳＭ製造業景況指数

――購買担当役員が明かす製造業の実情

製造業はかつてのような絶対的影響力こそ失いましたが、まだまだ経済の重要な柱となっています。そのため経済や投資に関わる人間は、製造業の動向を示す1つの指標を毎月欠かさずチェックしています。**ＩＳＭ製造業景況指数**です。これは全米の製造業の購買担当役員にアンケート調査を実施し、その結果をもとに製造業の景況感を表したものです。

購買担当役員は製品をつくるための原材料を仕入れる役割を負っていますから、製造業にとってはまさに要となる存在です。彼らはつねに、今後どれだけの原材料が必要になるかを考えています。さまざまな要素を考慮したうえで、何をどれだけ仕入れるかを決定するのです。

たとえばフォード社の購買担当役員であれば、鋼や塗料、フロントガラスやタイヤなどを仕入れます。これくらい売れるだろうという会社の予測にもとづき、その台数の車をつくるのに必要なだけの原材料を買うわけです。購買担当役員は会社の状況を日々肌で感じながら仕事をしているので、彼らの意見は業界の状況を知るうえで非常に信頼度の高い情報となります。

米国供給管理協会*（ＩＳＭ）は、主要製造業およそ４００社を対象にして、新規受注・生産・

●タイミング
先行指標

●関連指標
⑩鉱工業生産指数と設備稼働率（75ページ）
㉞フィラデルフィア連銀景況指数（207ページ）

米国供給管理協会
米国供給管理協会（ＩＳＭ：Institute for Supply Management）は、企業の購買・調達・物流・生産管理などの支援を行っている1915年設立の米国の非営利団体雇用・入荷遅延比率・在庫・仕入価格・受注残・輸入・輸出の各項目について購買担当役員にアンケート調査を行っています。なかでも新規受注・生産・雇用・入荷遅延比率・在庫の５項目はＰＭＩ（Purchasing Managers' Index）と呼ばれ、ＩＳＭ製造業景況指数のメイン指数となっています。

「ＰＭＩを見れば、製造業が拡大局面にあるか縮小局面にあるかを読みとることができる」とモルガン・スタンレーのストラテジスト、ソフィア・ドロッソス氏は言います。

たとえば、ＰＭＩが50を超えていれば、製造業は順調に伸びているといえ、逆に50を下回っていれば、製造業の業績は悪化していると考えられます。

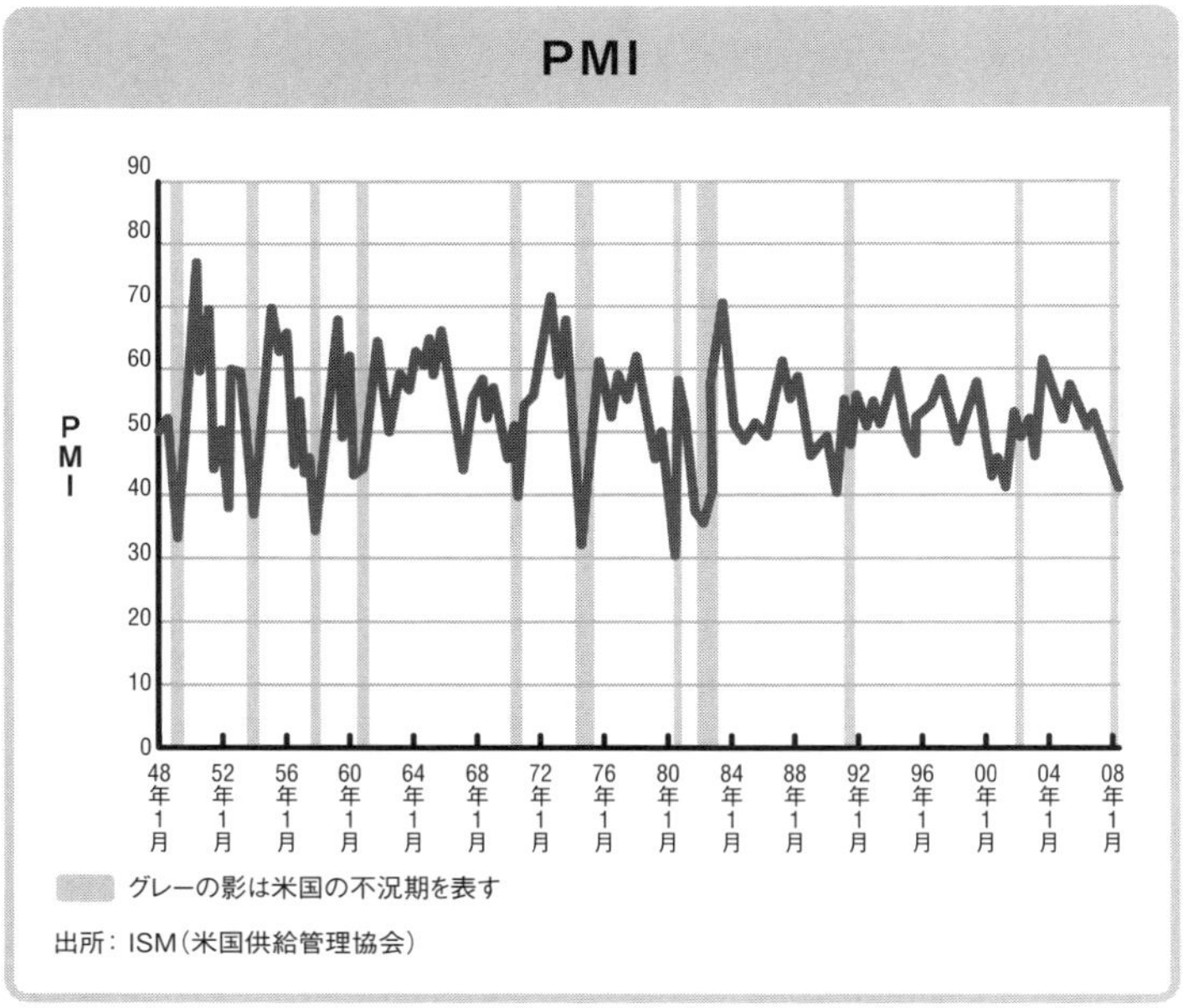

投資戦略 新規受注と雇用指数に注目する

ＩＳＭ製造業景況指数を見るうえで大事なのは、ＰＭＩだけでなく詳細をチェックすることです。もちろん主要指数であるＰＭＩは重要ですが、実はその下の各指数のほうが景気の先行きについて多くを教えてくれることもあるのです。

たとえば新規受注指数を見れば、この先の経済活動がどうなるかを予測することができます。新規受注指数が50を超えていれば、製造業の先行きは明るいと見ていいでしょう。

また雇用指数を見れば、製造業の労働市場がどうなっているかを知ることができます。これも50を超えていれば、製造業の雇用は順調に伸びているといえます。

「ＰＭＩ、新規受注指数、雇用指数の３つが同時に上がっていたら、製造業全体の景気がよくなっていると考えられます。そのようなときにはベータ値の高い資産が好まれます」（ドロッソス氏）

ベータ値とは、市場の影響を受けて価格がどの程度変動するかという、連動性の大きさを表したものです。ベータ値の高い資産は、景気が良くなったときに値段が上がりやすい傾向にあります。たとえば製造業が順調に伸びているときには債券を買うよりも、ベータ値の高い株を買ったほうが得になります。

まとめ11

①発表時期……毎月最初の営業日、米東部時間で午前10時

②データの入手先

The Wall Street Journal はＩＳＭのデータをつねに追跡し、製造業景況指数に関するデータが発表され次第、The Wall Street Journal オンライン版のヘッドラインに速報記事が掲載されます。データだけを確認したい場合は、The Wall Street Journal オンラインのMarket Data Center（www.WSJMarkets.com）にアクセスし、上部メニューから「Calendars & Economy」→「U.S. Economic Events」のリンクを選択してください。カレンダーの毎月第1営業日前後に「ISM Manufacturing」というリンクが張られています。ＩＳＭのウェブサイト（www.ism.ws）でも無料で情報を公開。その他、会員制サイトのwww.Briefing.comも統計のまとめを掲載していて、Investor（投資家）セクションは無料で閲覧できます。

③注目ポイント……ＰＭＩ、新規受注および雇用指数が50を超えている

④意味すること……製造業が順調で、景気が上向いている

⑤投資アクション……ベータ値の高い資産、特に製造業関連の株を買う

⑥リスク評価……高

⑦リターン評価……$$$

12 ＩＳＭ非製造業景況指数

――民間経済の7割を占めるサービス業

世の中には、モノをつくり出さない仕事がたくさんあります。不思議なことですが、事実です。たとえば食料品店は食べ物を売っていますが、それを生産しているわけではありません。不動産会社はマンションを売りますが、それを建てているわけではありません。ガソリンスタンドではガソリンを売っていますが、原油を採掘しているわけではありません。

銀行、商店、卸売業、デベロッパー以外の不動産業など、私たちの周りにはサービス業があふれています。サービス業は投資家やエコノミストにとって非常に大きな意味を持っています。なぜならサービス業は雇用および**GDP***の面で、政府支出を除いた民間経済のおよそ7割を占めているからです。

そのため、**米国供給管理協会***（ＩＳＭ）が毎月出している**ＩＳＭ非製造業景況指数**は、とても重要な意味を持ってきます。この指標はサービス業の購買担当役員から見た景気の状況を表しており、サービス業の状況について非常に多くを教えてくれます。

ＩＳＭ非製造業景況指数はとても読みやすい指標で、前節で紹介したＩＳＭ製造業景況指数と

●タイミング
先行指標

●関連指標
⑪ＩＳＭ製造業景況指数（81ページ）

GDP
国内総生産（GDP：Gross Domestic Product）とは、一定期間内に国内で産み出された付加価値の総額

米国供給管理協会
米国供給管理協会（ＩＳＭ）：Institute for Supply Management）は、企業の購買・調達・物流・生産管理などの支援を行っている1915年設立の米国の非営利団体

同じように、いくつかのシンプルな数字で構成されています。総合的な景況指数は、企業活動指数として表されます。スイス再保険最大手スイス・リーの米国チーフエコノミスト、カート・カール氏はこう述べています。

「基本的には、企業活動指数が50を超えていればサービス業は拡大局面にあるといえます。逆に50を下回っていれば、後退局面にあるということです。しかし50という数字は、実のところ確かではありません。この指標は歴史が浅く、まだ基準として妥当であるといえるだけの実績がないのです」

ＩＳＭ非製造業景況指数は、１９９０年代にできた新しい指標です。製造業の景況指数ができたのは１９３０年代ですから、かなり差があります。歴史が浅いということで、このデータが信頼

ISM非製造業景況指数

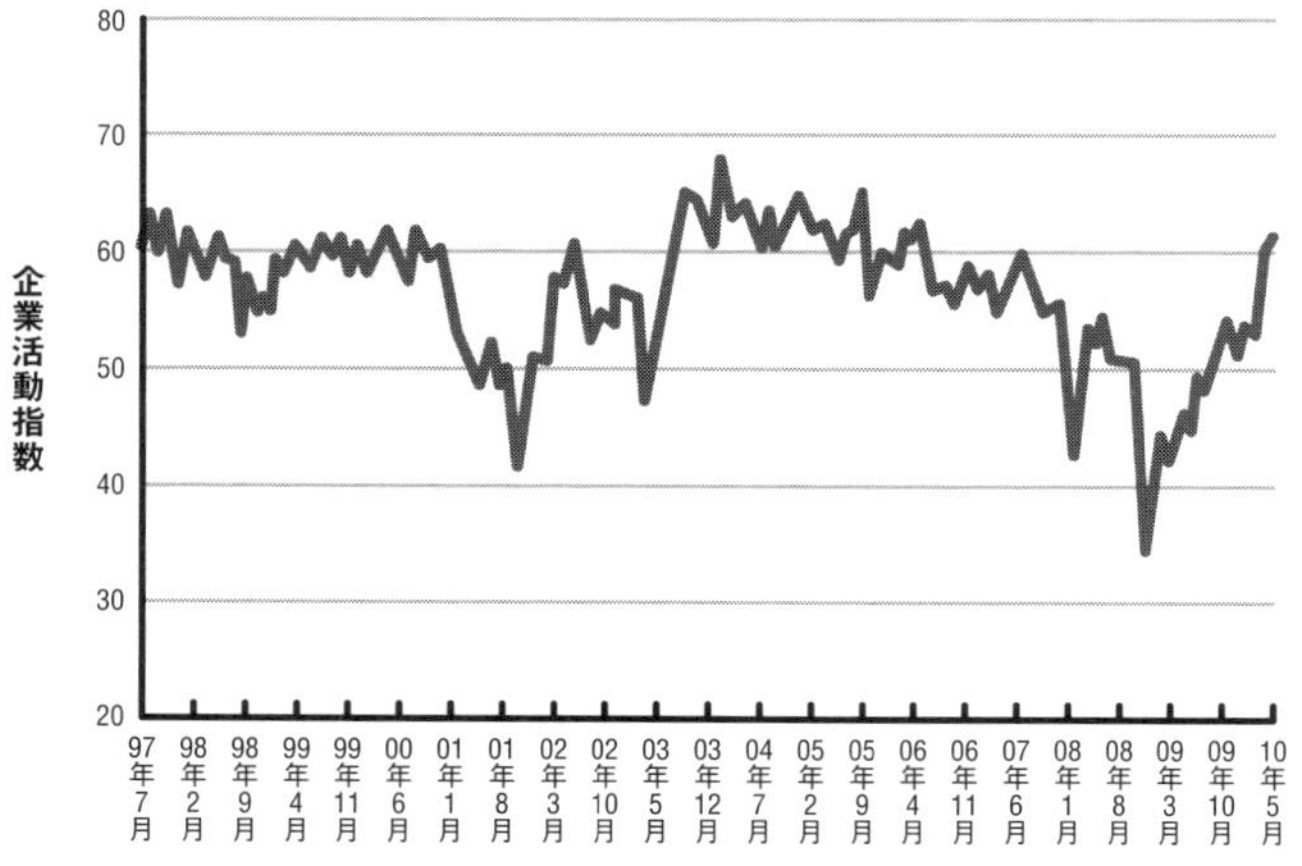

出所：ISM（米国供給管理協会）

性に欠けると考える人もいます。しかし、毎月の発表のすばやさなどを考えれば非常に便利な指標なので、カール氏をはじめ多くの専門家がこの指標を活用しています。

ただしこの指標には、1つ大きな欠点があります。製造業と違って、サービス業における購買担当役員はそれほど重要なポジションではないということです。たとえば鉄鋼メーカーが鉄鉱石と石炭を仕入れる量は事業の状況に直結していますが、銀行が紙を購入する量は事業とはあまり関係がありません。

投資戦略 方向性ではなく位置を見る

ＩＳＭ非製造業景況指数のなかでも、新規受注指数は先行性の強い指標です。総合的な状況というよりも、サービス業の先行きを読むことに特化した指標だといえます。

同様に輸出用受注も、将来の状況を予測するうえで重要な指標です。新規受注指数と輸出用受注指数のいずれか、あるいは両方がコンスタントに50を超えている場合、サービス業は近いうちに伸びてくると考えてまず間違いないでしょう。

ただしＩＳＭ非製造業景況指数は比較的新しい指標であるため、数値の振れがかなり大きいことを考慮する必要があります。そのためカール氏は、毎月の指数を視覚的なグラフにする方法を推奨しています。そしてグラフを見るときには、方向性ではなく位置に目を向けましょう。指数が上がってきているか、下がってきているかは特に問題ではなく、それらがコンスタントに50を超えているかどうかを見るのがポイントです。

まとめ12

①発表時期……毎月第3営業日、米東部時間で午前10時

②データの入手先

The Wall Street JournalではISMのデータをつねに追跡しています。非製造業景況指数に関するデータが発表され次第、The Wall Street Journalオンライン版のヘッドラインに速報記事が掲載されます。データだけを確認したい場合は、The Wall Street JournalオンラインのMarket Data Center（www.WSJMarkets.com）にアクセスし、上部メニューから「Calendars & Economy」→「U.S. Economic Events」のリンクを選択してください。カレンダーの毎月第3営業日前後に「ISM Non-Manufacturing」というリンクが張られています。ISMのウェブサイト（www.ism.ws）に無料で情報が公開されています。また情報サイトのwww.Briefing.comも統計のまとめをすばやく掲載しています。Briefing.comは会員制サイトですが、Investor（投資家）セクションは無料で閲覧可能です。

③注目ポイント……新規受注指数の上昇（低下）、および企業活動指数が50を超えているか

どうか

④**意味すること**……サービス業が上向き（下向き）である。景気が上向いている（落ち込んでいる）

⑤**投資アクション**……株などリスクの高い資産を買う（売る）。国債などの不況に強い資産を売る（買う）

⑥**リスク評価**……低

⑦**リターン評価**……$

13 JoC−ECRI工業価格指数

——景気との連動性が高い精鋭指標

●**タイミング**
先行指標
●**関連指標**
⑦銅価格（60ページ）

経済を読み解こうと思うなら、時には腕まくりをして泥にまみれることも必要です。油田や銅鉱山に足を運んで、ゴツゴツした工業原料をじっくり観察してみましょう。

そんな時間はない、というあなたも安心してください。どうやら、すでに誰かが汚れ仕事を引き受けてくれたようです。**JoC−ECRI工業価格指数**を見れば、家にいながらにして工業原料の動向を知ることができます。

工業はサービス業ほど目立つ分野ではありませんが、景気の変化をとても忠実に反映します。JoC−ECRI工業価格指数は、景気を先読みしたい人にとって、非常に頼もしいツールとなってくれるのです。

JoC−ECRI工業価格指数が表しているのは、主要な工業用原材料の価格です。これらの原材料をもとに、世の中のあらゆる製品がつくり出されていきます。

景気が上向いてくると製品のニーズが増えるので、原材料の注文が多くなります。注文が多くなれば、原材料の価格が上がります。景気拡大の前ぶれです。逆に原料の注文が減ってくると、原材料の価格は下がります。景気後退の前ぶれです。このように工業用原材料の価格は、世の中の需要を広く反映し、経済全体の先行指標として機能するのです。

ＪｏＣ－ＥＣＲＩ工業価格指数には、エネルギー価格やベースメタル（鋼や銅・ニッケル・アルミニウムなどの非鉄金属）のほか、繊維製品やゴム、獣脂、合板などさまざまな原材料の価格が含まれています。一見とりとめもないように見えますが、実は考え抜かれて選ばれたものばかりです。１９８０年代のはじめ、ニューヨークに拠点を置く**景気循環調査研究所***（ＥＣＲＩ）の精鋭メンバーたちが全力をつくして、数ある指標のなかから景気との連動性が高い原材料の価格だけを切り出すことに成功したのです。

たとえば農産物は気候の影響を受けやすいので、この指標にはふさわしくありません。また貴金属は投機対象としての値動きがあり、工業製品用ではないので対象から外されています。

さらに、ＥＣＲＩの基準は先物取引の対象とならない原材料を中心に設定されています。銅などは取引対象ですが、ほかのおよそ半数は取引対象外のものから選ばれています。

ＥＣＲＩのマネージング・ディレクターを務めるラクシュマン・アチュサン氏はその理由をこのように述べています。

「通常は問題となりませんが、ときどき工業原料が投機対象としてホットになることがあります。すると誰も彼もが飛びついて、価格がとても不安定になってしまうのです」

景気循環調査研究所
景気循環調査研究所（ECRI：Economic Cycle Research Institute）は、景気循環を専門的に研究している米国の研究機関もしも取引対象となる原材料を中心にＪｏＣ－ＥＣＲＩ指数が構成されていたなら、そうした動きに影響されて価格が跳ね上がることになります。そうすると景気の動きを正しく反映することができません。そのため取引対象以外のものを多く選んで、投機的な要素の影響を受けにくくしているのです。

JoC-ECRI工業価格指数

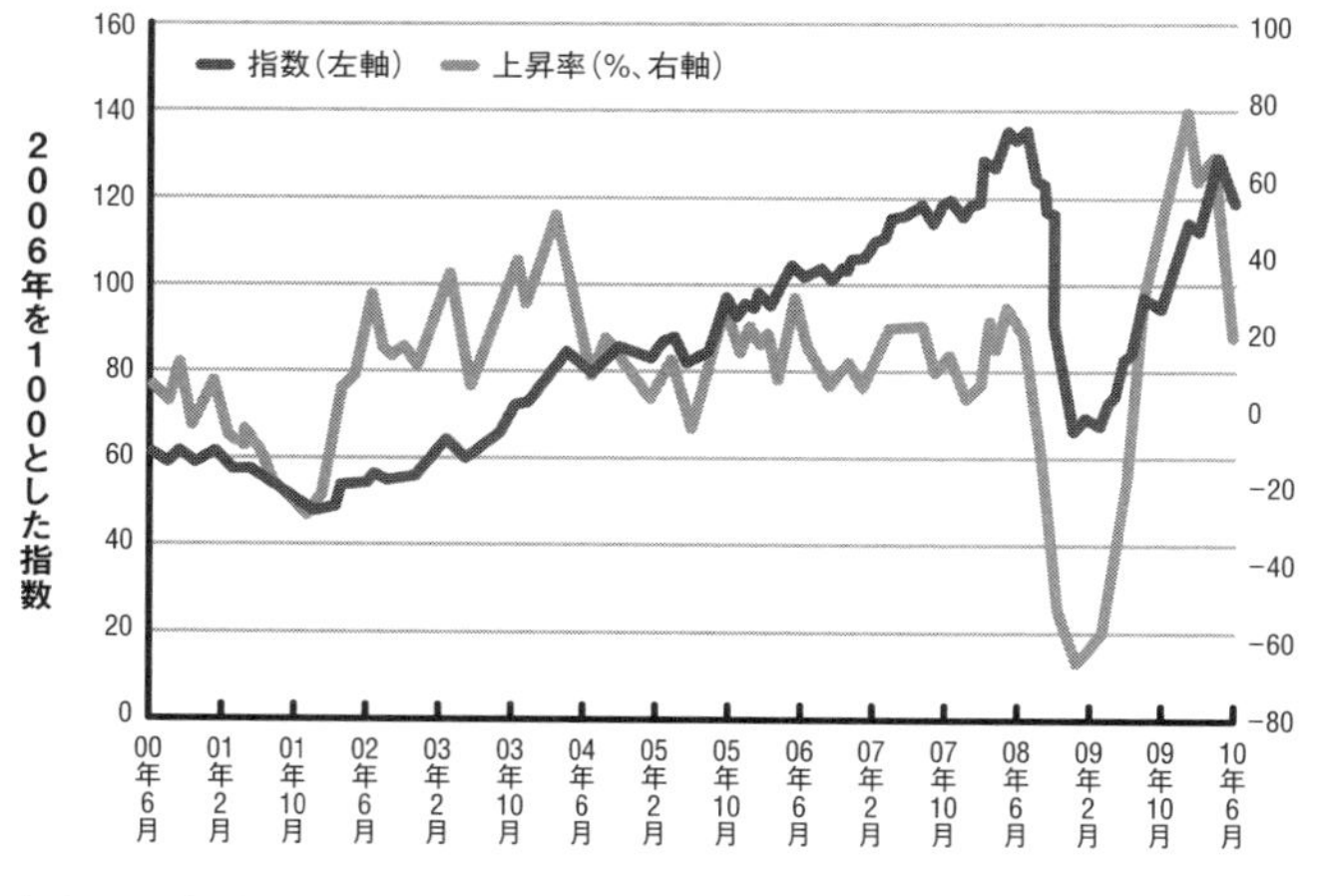

出所：ECRI（景気循環調査研究所）

投資戦略 分析を支える「3つのP」に注目する

アチュサン氏自身もJoC－ECRI指数を好んで利用するそうです。経済の変化に敏感で、動きが非常にはっきりしているからです。右ページのように図にしてみれば一目瞭然です。

一例をあげるなら、2009年に経済が不況から回復しつつあったとき、JoC－ECRI指数は50～60％という大幅な上昇を見せました。そうした動きを見れば、「世間の大半の人が何といおうとも、確信を持って行動できる」とアチュサン氏は言います。

しかし図を眺めているだけでは、好景気と不景気の変わり目を正確に読みとることはできません。もっと分析的な見方も必要です。アチュサン氏によれば、分析のポイントは「3つのP」です。「顕著で（Pronounced）」、「持続的で（Persistent）」、「広範囲にわたっている（Pervasive）」かどうか。つまり指標の動きが十分に大きく、持続的にそちらの方向に動いていて、特定の材料だけでなく指標を構成する全体的な動きがそうなっているか、ということです。

3つのPが確認できれば、経済の流れが変わったと判断することができます。

また覚えておきたいのは、原材料そのものの価格と同じように、原材料を生産する企業の株価も非常に景気連動性が高いということです。景気がよくなると、それらの企業の株価は大きく跳ね上がります。たとえば歯磨き粉をつくるP＆Gよりも、その原材料をつくるデュポン社の株価のほうが大きく動くのです。

まとめ13

①発表時期……毎週

②データの入手先

ＥＣＲＩの有料会員になると、最新のＪｏＣ－ＥＣＲＩ工業価格指数データを受け取ることができます。また投資週刊誌のバロンズにも、工業価格指数データが毎週掲載されています。いずれも有料ですが、最新データをチェックするには最適な情報源です。無料でもある程度の情報は入手可能です。ＪｏＣ－ＥＣＲＩ工業価格指数データの約7割はさまざまなメディアを通じて公開されていますので、しっかりチェックしてみてください。

③注目ポイント……3つのＰ、つまり「顕著で（Pronounced）」、「持続的で（Persistent）」、「広範囲にわたっている（Pervasive）」動き

④意味すること……景気が上向いている（落ち込んでいる）

⑤投資アクション……製造業の株を買う（売る）

⑥リスク評価……高

⑦リターン評価……$$$

14 LME在庫
──銅の値動きを誰よりも早く予測する方法

●タイミング
先行指標

●関連指標
⑦銅価格（60ページ）
⑪ＩＳＭ製造業景況指数（81ページ）

銅の価格は、景気の先行きを知るためのすぐれた先行指標です。しかしさらに、その銅価格をあらかじめ知ることができたらどうでしょうか。実は、銅をはじめとする金属の値動きを事前に予測する方法があるのです。

銅など工業原料となる金属の価格を予測するためには、使われずに倉庫に眠っている金属の量を見ます。何トンの銅やアルミニウムが倉庫に積まれているかということです。直感的にはわかりづらいかもしれませんが、これが価格を知るための便利な方法なのです。

過去のデータをもとに考えると、金属の在庫が増えてくるのは、消費量よりも多く産出されはじめていることを示しています。この状況が続くと、在庫がどんどん増えていき、やがて余り気味になって価格が下がります。逆に在庫が減ってきた場合は、需要に対して原材料が不足してくるということなので、金属の価格は上がります。

問題は、使われずに眠っている金属の量をどうやって測るかということです。たとえばニューヨークにある銅線工場に行って、何トンの在庫を抱えているかと尋ねればいいのでしょうか。

しかし実際のところ、個別の工場の在庫状況を見てもそれほど役には立ちません。そうした工場の在庫をすべて集めて全体を見たときに、初めて在庫量が意味を持ってくるのです。

金属の在庫量は把握しづらく、つねに投資家たちを悩ませてきました。この問題の解決策として注目されているのが、**ロンドン金属取引所***（ＬＭＥ）です。ＬＭＥは工業原料の金属をあつかう世界最大規模の先物取引所で、銅・すず・ニッケル・亜鉛・アルミニウムなどの非鉄金属を上場しています。ＬＭＥは世界各地にある指定倉庫に金属の在庫を抱えており、その在庫量を毎営業日に発表しています。

もちろん**ＬＭＥ在庫**が世界の金属在庫のすべてを表すわけではありません。しかしＬＭＥ在庫の数値はシンプルで透明性があり、しかも毎日発表

ロンドン金属取引所　高品質アルミニウム在庫

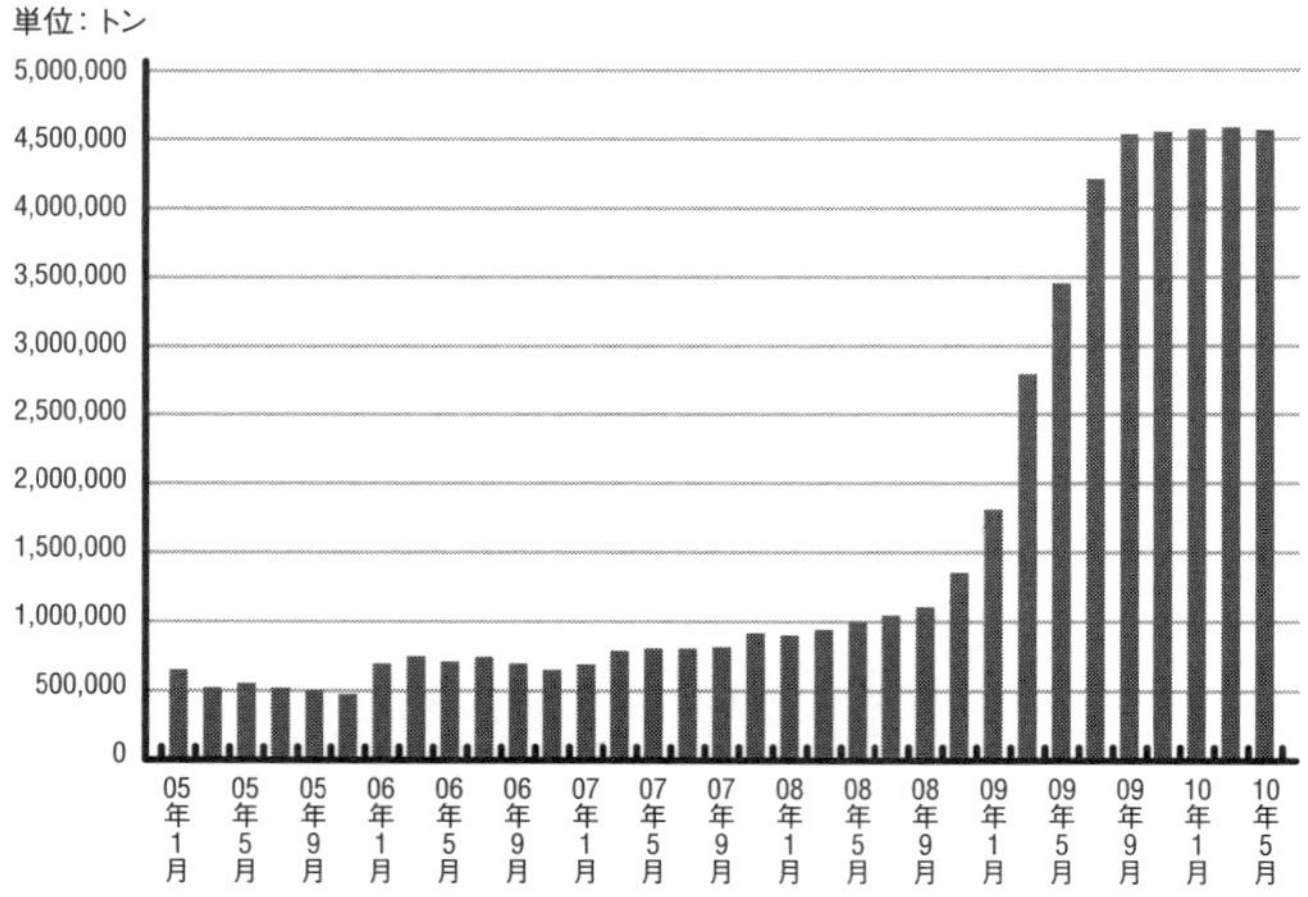

出所：LME（ロンドン金属取引所）

されるので、かなり注目に値する指標だといえます。

投資戦略 地道な調査でライバルに差をつける

ＬＭＥの在庫量は、金属および鉱業の先行きについて多くを教えてくれます。在庫が多いときには、新たな採掘や製錬に歯止めがかかるため、業界は停滞してきます。在庫が少ないときには、採掘や製錬の仕事が増え、業績が伸びてきます。

しかし話はそう簡単ではありません。コモディティ（エネルギー、金属、穀物など）特有の、少々わかりにくい値動きがあるからです。それは裏を返せば、念入りな調査をしてうまく立ち回れば大きく儲けられるということでもあります。大半の投資家は、このデータに注目していても、それほど深く調べようとはしないからです。

では一般の投資家に差をつけるためには、どうすればいいのでしょうか。ＧＦＭＳコンサルティングのマネージングディレクター、ニール・バクストン氏はこのように言います。

「ＬＭＥ在庫は、市場のバランスを見るための指標として使います。要するに、市場に出回っている金属在庫の量が、需要に対して十分に足りているかどうかということです。在庫量と価格は普通、たがいに相反する動きをします。在庫が少なければ価格は上がり、在庫が多ければ価格は下がります。しかし金利がとても低いときには、この相関が崩れることがあります」

ロンドン金属取引所
イギリスのロンドンにある世界最大規模の非鉄金属専門の取引所。１８７７年に設立されたＭＭＥ（Metal Market and Exchange Co.）を継承するかたちで、LME（London Metal Exchange Limited）が設立された

２００８年から２００９年にかけての不況期がそうでしたが、非常に低い利率でお金が借りられる場合、銅を含むコモディティが投機対象として盛り上がってくることがあります。そうすると、在庫量が多いのに価格は高いという状態になります。投機家が手に入れた金属が、製造に使われることなく倉庫にとどまっているからです。

ＬＭＥ在庫を補足するデータとして、ＣＭＥグループの一部門である**ニューヨーク商品取引所***（ＣＯＭＥＸ）と、**上海先物取引所***の在庫量があります。これらをあわせて考えることで、市場に出回っている在庫量がさらに正確に見えてくるでしょう。

バクストン氏はそれに加えて、市場の需要を予測することが大事だと言います。特にＩＳＭ製造業景況指数などの、購買担当者の意見を反映した指標（ＰＭＩ）に注目していきます。ＰＭＩは製造業がこの先どのような動きに出ようとしているかを教えてくれます。もしも製造業の購買担当者が明るい見通しを持っているなら、金属需要はこれから伸びてくると考えていいでしょう。

さらに中国の景気も、金属価格にとって非常に重要なファクターです。中国の金属需要は莫大であり、いくつかの金属については全世界の30～40％を占めています。中国の金属需要が上下すると、金属価格も大きな影響を受けるのです。

金属市場を見るときは、このように基本的なデータを地道に調べることが何よりも大事です。苦労を厭わなければ、きっと報われるはずです。

ニューヨーク商品取引所
米国のニューヨークにある世界最大の商品・エネルギー先物取引所であるニューヨーク・マーカンタイル取引所（NYMEX：New York Mercantile Exchange）の一部門で、COMEX（Commodity Exchange）とも呼ばれる。金・銀・銅・アルミなどが上場されている先物市場で、特に金先物（NY金）は世界の金価格の指標的な存在

上海先物取引所
中国の上海にある、銅、アルミニウム、天然ゴムなどの商品先物取引所

まとめ14

①**発表時期**……毎営業日

②**データの入手先**

ロンドン金属取引所のウェブサイト（www.lme.com）で金属価格や在庫などの情報を確認できます（一部有料）。ＣＯＭＥＸの金属在庫については www.cmegroup.com を参照してください。また上海先物取引所の在庫量は www.shfe.com.cn で毎週公開されています。

③**注目ポイント**……さまざまな金属在庫の増加（減少）。さらに中国の金属需要および製造業の景気をチェックする（ＰＭＩなど）

④**意味すること**……在庫が少ない場合は製造業が好調である。在庫が多い場合は製造業が停滞している（ただし金利が極端に低い場合を除く）

⑤**投資アクション**……在庫が少ない場合は、製造業の株を買う。在庫が多い場合は、製造業関連の株を避ける

⑥**リスク評価**……高

⑦**リターン評価**……$$$

15 家計貯蓄率

――貯蓄は経済を支える底力

●タイミング
一致指標

アメリカ人は貯蓄が苦手です。こつこつ貯蓄することに意義を感じないのでしょう。クレジットで買ってお金はあとで払えばいいのだし、貯蓄するより消費したほうが経済も回るはずだというのが彼らの論理です。

しかしTDバンク・ファイナンシャル・グループの次席エコノミストであるデレク・バールトン氏によると、お金を使うのが経済に良いとは限らないようです。

「長期的に見れば、貯蓄をしたほうが経済成長に役立つ」と同氏は言います。

今あれこれ買うのに使っているお金を貯蓄に回せば、より多くのものを生産するための投資に利用されます。経済全体で見た場合、より多くのお金が貯蓄されていれば、それだけ多くの投資が可能になるのです。預金口座に入れたお金はじっと寝ているわけではなく、融資や有価証券というかたちで運用されていきます。それはたとえば新しい工場をつくったり、古い設備を一新して生産力を上げたりするのに使われるわけです。

そのため貯蓄は経済にとって大きな意味を持ってくるのですが、その動向を把握するのは簡単ではありません。人々の貯蓄を正確に記録したデータはどこにもないからです。**家計貯蓄率**と呼ばれる数字は、すべての国民の所得合計から、消費の合計を引くというやり方で算出されています。入ってきたけれども使っていないお金があれば、それは貯蓄されているはずだという考え方です。

貯蓄は企業に融資されるだけではなく、国の財政にも役立っています。国は、とても返しきれないと思われるような多額の債務を抱える場合があります。そのときに問題なのは、いったい誰からお金を借りるのかということです。

お金を借りる先が国内の預貯金であれば、不安要素がずっと少なくなります。

たとえば本書の執筆時点で、日本政府はGDP比で200％近い負債を抱えています。これは、

家計貯蓄率

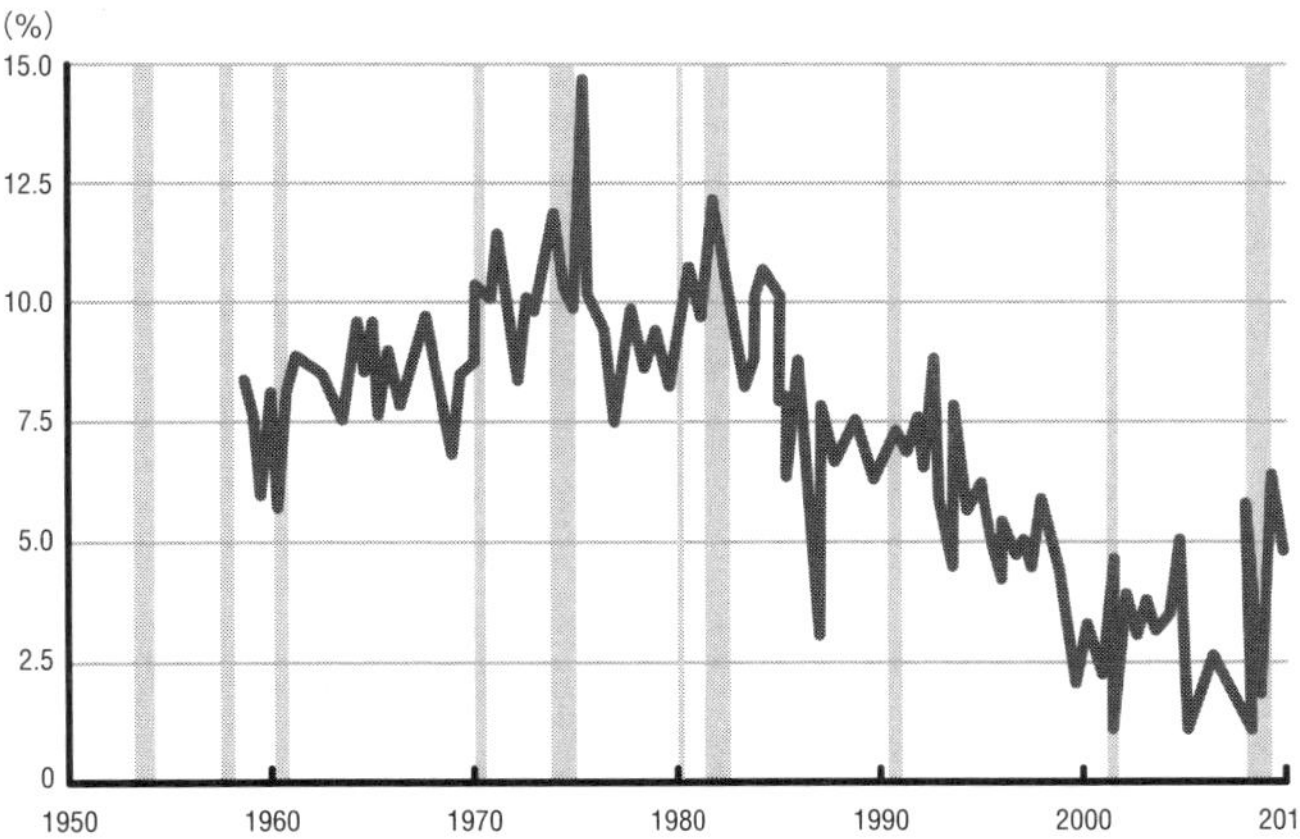

グレーの影は米国の不況期を表す

出所：米国商務省経済分析局

GDP*比で見れば米国の約2倍であり、世界的にも非常に大きな数値です。

しかしおもしろいことに、日本政府は米国政府よりもずっと安心だという見方もできるのです。なぜなら日本政府は、そのお金のほとんどを国内から借りているからです。

それに比べて貯蓄率の低い米国では、海外からの借金に多くを頼っています。日本政府は自国で完結しているので安心ですが、米国政府は海外からお金が入ってこなくなったら非常に困ってしまうのです。

投資戦略 消費者の不安度を投資に生かす

貯蓄率には1つ大きな問題があります。その計算方法が正確さを欠いていることです。貯蓄率の計算に使われる所得金額も消費金額も、概算でしかありません。どちらの金額も非常に大きな数字ですから、大きな誤差が生まれる場合があります。

そのため、結果として算出された家計貯蓄率が大幅にぶれることもあるのです。

「貯蓄率の水準が高いか低いかというのはあまり気にしないようにしています。それよりも方向性を見るべきです」(バールトン氏)。

つまり貯蓄率が1・5%か3%かといったことよりも、上がっているか下がっているかという傾向を見るのです。

GDP
国内総生産(GDP：Gross Domestic Product)とは、一定期間内に国内で産み出された付加価値の総額

貯蓄率の傾向を見ると、消費者の心理を知ることができます。貯蓄が増えてくる傾向にあれば、人々は経済に不安を感じているということです。貯蓄が減ってきていたら、人々は楽観的にお金を使っていると考えられます。

まとめ15

①発表時期……毎月末頃、米東部時間で午前8時30分に前月分のデータを発表

②データの入手先

「The Wall Street Journal」では貯蓄率のもととなる家計所得および消費の動向をつねに追跡しています。統計が発表され次第、The Wall Street Journal オンライン版のヘッドラインに速報記事が掲載されます。データだけを確認したい場合は、The Wall Street Journal オンラインの Market Data Center（www.WSJMarkets.com）にアクセスし、上部メニューから「Calendars & Economy」→「U.S. Economic Events」のリンクを選択してください。カレンダーの第4週前後に「Personal Income and Outlays」というリンクが張られています。最新の所得・消費統計、およびそこから得られる家計貯蓄率のデータは**米国商務省経済分析局***のウェブサイトでも直接確認できます（www.bea.gov/national/index.htm#personal）。過去のデータについては**セントルイス連銀***が提供している**FRED***データ

米国商務省経済分析局
米国経済分析局（BEA：Bureau of Economic Analysis）は、米国経済についての重要な統計を提供する、米国商務省の1機関

セントルイス連銀
セントルイス連邦準備銀行は、米国のミズーリ州セントルイスに本店を置く連邦準備銀行の1つ

FRED
セントルイス連邦準備銀行が無料で提供するFRED（Federal Reserved Economic Data）は、収録範囲が金融部門だけにとどまらず、GDP、財政、貿易、産業など多岐にわたる

ベースを参照してください。
③**注目ポイント**……貯蓄率の上昇（低下）
④**意味すること**……消費者が景気の先行きに不安を感じている（楽観的になっている）
⑤**投資アクション**……貯蓄率が上昇していたら、消費が落ち込む前兆。消費に左右される企業の株を避ける
⑥**リスク評価**……中
⑦**リターン評価**……$$

16 単位労働コスト

——人のコストから経済を読む

●タイミング
一致指標

●関連指標
⑪ISM製造業景況指数（81ページ）
㉞フィラデルフィア連銀景況指数（207ページ）

世の中には仕事が速く生産性の高い人もいれば、怠惰で生産性の低い人もいます。働いたことのある人なら誰でも思い当たることでしょう。このように個人の生産性には大きな差がありますが、全体としてどれだけの効率で仕事が行われているかを数値で示すことは可能です。

単位労働コストと呼ばれる指標を見ればいいのです。

単位労働コストは、企業が一定量のものをつくるのに必要な労働コストを指します。簡単にいえば、ある製品をつくるのに人件費がいくらかかったかということです。

企業が目指しているのは、単位労働コストを減らすことです。単位労働コストの低下は、業務効率の向上を意味しているからです。

つまり単位労働コストとは、業務効率と生産性を計るものさしなのです。

デューク大学教授のキャンベル・ハーヴェイ氏は、次のように述べています。

「高性能の機械を導入すると生産力がアップするので、単位労働コストの低下につながります。ただし生産性の変化は、四半期のような短期間で判断することはできません。数年単位で考える必要があります」

　3年といったような長い期間で見た場合に、単位労働コストが明らかに低下していれば、それは生産性向上の結果であると考えることができます。それと正反対の動きが、1970年代から1980年代初頭にかけて見られました（下図を参照）。

　単位労働コストが大きく上昇し、ときには年間10％を超える上昇率となっています。これは賃金インフレが起こったためです。このときは人件費が高騰し、企業は大きな痛手を被りました。

　米国の単位労働コストのデータは、労働省労働統計局によって発表されています。

　これは企業が生み出した実質付加価値を、労働コスト（賃金および福利厚生費）で割って求められたものです。労働者が同じ賃金で多くの価値を

単位労働コスト

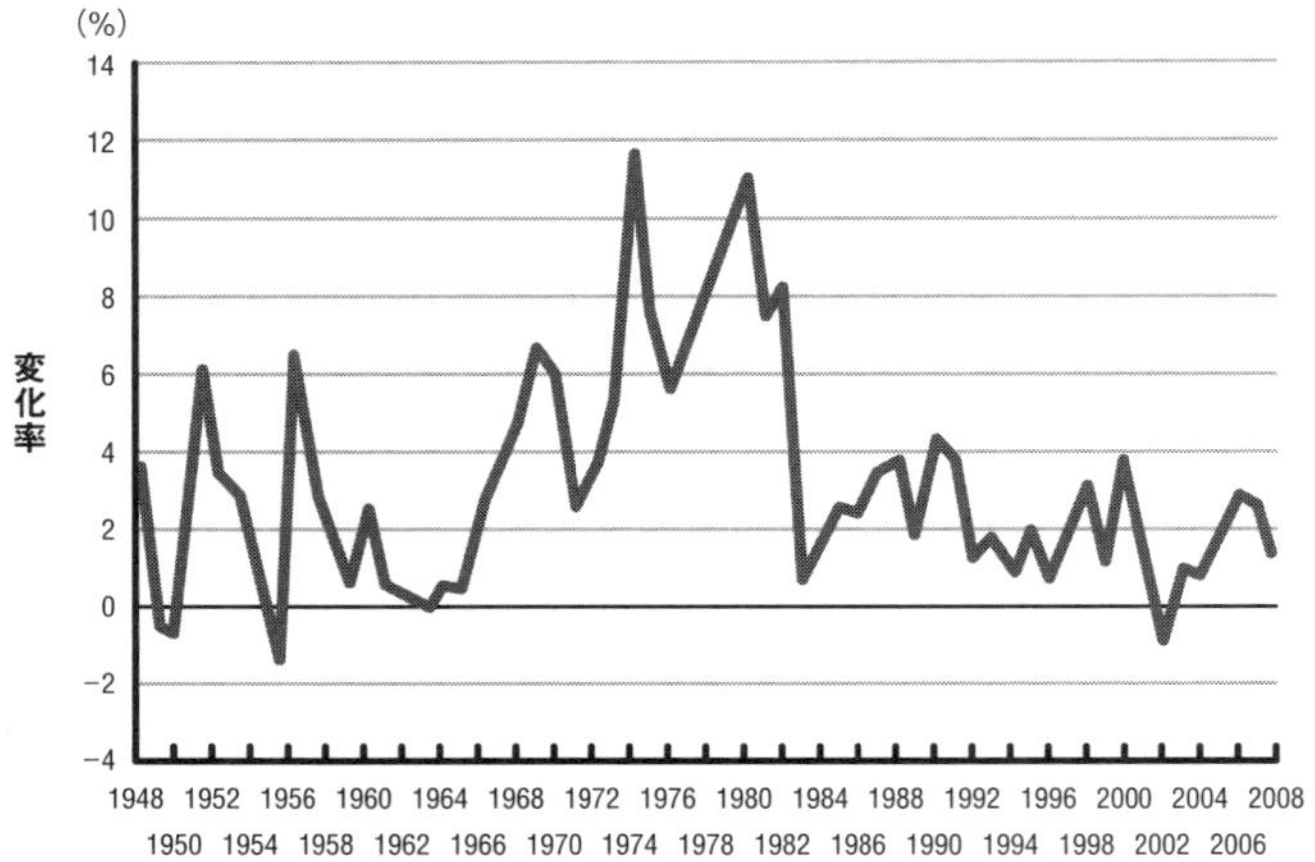

出所：米国労働省労働統計局

生み出せば、単位労働コストは下がります。つまり、企業にとって望ましい状態になるのです。

投資戦略 ほかの指標と照らし合わせて先行きを見きわめる

ハーヴェイ氏によると、単位労働コストの変化が意味するものは、景気の状況によって変わってきます。単位労働コストが同じように上がっていても、そのときの景気が良いか悪いかによって意味合いが違ってくるのです。そのため単位労働コストはそれ単体ではなく、ほかの指標と組み合わせて見る必要があります。

不景気のときに単位労働コストが上昇してきた場合、それは賃金がよくなってきたことを意味します。賃金が上がるということは、やがて商品やサービスの需要が増えてくるということです。単位労働コストの上昇が、景気回復のサインとなるのです。一方、不景気のときに単位労働コストが下がると、デフレやさらなる景気悪化の前兆であると考えられます。

逆に景気がよいときには、単位労働コストの上昇はインフレをまねく要因となります。特に原材料費が同じ水準のままで人件費だけが上がっている場合、企業は同じ利益を出し続けるために製品の価格を上げざるをえません。一方、好景気のときに労働効率アップなどで単位労働コストが低下した場合、これから景気はさらによくなってくると考えられます。

このように景気の側面によって意味合いが逆になる場合があるので、ほかの指標と照らし合わせてきちんと見きわめることが大事です。

景気がよくなっていて、単位労働コストが下がっている場合は、株など景気との連動性が高いものに投資するのがいいでしょう。特に工業関連の株は有望です。

また個別の株を好まない方は、工業株を対象とした上場投資信託という手もあります。インダストリアル・セレクト・セクターＳＰＤＲファンド（ＸＬＩ）などの上場投資信託をチェックしてみましょう。

まとめ16

①発表時期……四半期ごと。2月・5月・8月・11月が発表月となり、各月の上旬、米東部時間で午前8時30分に前四半期の速報。翌月に修正データが発表される

②データの入手先

The Wall Street Journal では労働市場の動向をつねに追跡しています。労働省の統計が発表され次第、The Wall Street Journal オンライン版のヘッドラインに速報記事が掲載されます。データだけを確認したい場合は The Wall Street Journal オンラインの Market Data Center（www.WSJMarkets.com）にアクセスし、上部メニューから「Calendars & Economy」→「U.S. Economic Events」のリンクを選択してください。発表時期に合わせて

カレンダーに「Productivity and Costs」というリンクが張られています。また、米国労働省のウェブサイトから直接確認することも可能です。www.bls.gov/bls/newsrels.htm から「Productivity and Costs」に関するニュースリリースを探してください。

③注目ポイント……単位労働コストの変化

④意味すること……景気の側面によって異なる。不況期に単位労働コストが上がっている場合は景気回復、好況期に上がっている場合はインフレの徴候。単位労働コストが下がっている場合は生産性向上あるいはさらなる景気悪化を示す

⑤投資アクション……景気悪化が読みとれる場合は安全な資産に逃げる。好景気が予測される場合はリスクを取って株を買う。ただし表面上は景気回復していても物価上昇により実質成長率が低い場合には、**インフレ連動国債***（TIPS）や金（金関連ETF）などでインフレ対策を取る

⑥リスク評価……低～高（ほかの指標と組み合わせて景気を正しく読みとるかどうかが鍵）

⑦リターン評価……$～$$$$

インフレ連動国債
元本がインフレ率によって変動する債券。インフレ率が高くなれば、それに応じて元本および利息が増える仕組みなので、インフレ対策の運用手段として有力

Part 1 個人消費

Part 2 投資支出

Part 3 政府支出

Part 4 貿易収支

Part 5 複合的指標

Part 6 インフレその他の不安要素

政府支出に関する経済指標

政府はものすごい量の買いものをします。政府支出には、消耗品・耐久財・サービス（調査費や開発費など）の購入や、軍事関連・建物・道路などへの投資が含まれます。これらは総額でGDPの15～20％に相当します。

政府支出について取り上げる指標は、財政赤字です。この指標はちょっと変わった性格を持っていて、短期的には政府の支出を増やすという意味で経済成長を促しますが、長期的に見ると経済全体に悪影響をおよぼす可能性があります。

特に政府が巨額の赤字を抱えている場合、将来の個人消費と投資支出は落ち込むと考えられます。なぜなら政府がそれだけの支出をするためには、増税や借金、あるいは紙幣の増刷が必要だからです。税金が増えれば当然、将来の消費や投資が減少します。借金も将来的には増税につながります。そして紙幣の増刷はインフレを引き起こします。インフレは目に見えにくいのですが、隠れた税金と同じです。

税金は必要悪であり、便利な生活の対価であるともいわれますが、私たちの生活を大きく歪めてしまうこともあります。たとえば世帯単位で税金がかかるようになれば各世帯は大家族になるでしょうし、新聞のページ数に対して税金がかかるようになれば、巨大な紙面の薄い新聞ができあがるでしょう。税金をいかにデザインするかで、世の中の形が決まってくるのです。

それには長い時間が必要であり、景気の動きに直接関係するわけではありません。

しかし政府支出について考えるときには、財政赤字とそれが引き起こす税制改正について、真剣な問題意識を持っておく必要があります。

17 財政赤字と債務残高
——政府の危険なお財布事情

いつでも財布の中身に余裕があれば理想的ですが、給料日前には決まって苦しくなる人も多いと思います。でもやりくりに困っているのはあなただけではありません。国だって同じです。

国には税収というかたちでお金が入ってきますが、それ以上の金額を使ってしまうこともあります。**財政赤字**と呼ばれる状態です。単純に予算が足りないのです。足りない分をどうするかというと、借りてこなくてはなりません。この借金の総額が、政府債務残高と呼ばれるものです。

本書の執筆時点で、米国政府の**債務残高**はおよそ14兆ドルに達しています。莫大な数字です。もちろん、健全な状態とはいえません。

財政赤字と債務残高が問題になってくるのは、債務が膨らむと利息の支払いが増えて、返済負担がどんどん増していくからです。これはつまり、より多くの税金が利息を支払うためだけに消えていくことを意味します。

問題はそれだけではありません。過去の事例を見ると、債務が膨らみすぎた場合に政府が取る対応は、通貨の発行量を増やすことです。通貨が増えれば借金を返すことは可能かもしれません

●**タイミング**
一致指標～先行指標

GDP
国内総生産（GDP：Gross Domestic Product）とは、一定期間内に国内で産み出された付加価値の総額

が、やがてインフレを引き起こす可能性があります。

さらにややこしいのは、財政赤字がよくないことはわかっても、財政赤字のデータを正確に解釈するのは非常に難しいという事実です。ある国について特定の年度の財政赤字額がいくらだったかを知っても、それだけではあまり意味がありません。政府の税収は景気に大きく左右されるからです。不景気のときには税収が少なく、好景気のときには大きな税収が得られます。

ですから額面を見たところで、その本当の意味合いをつかむことはできないのです。

ポイントは、単純に金額を見るのではなく、G*DPに対する比率を見ることです。

H・C・ウェインライト社でリサーチ部門のトップを務めるデヴィッド・ランソン氏はこのよ

米国債務残高のGDP比推移

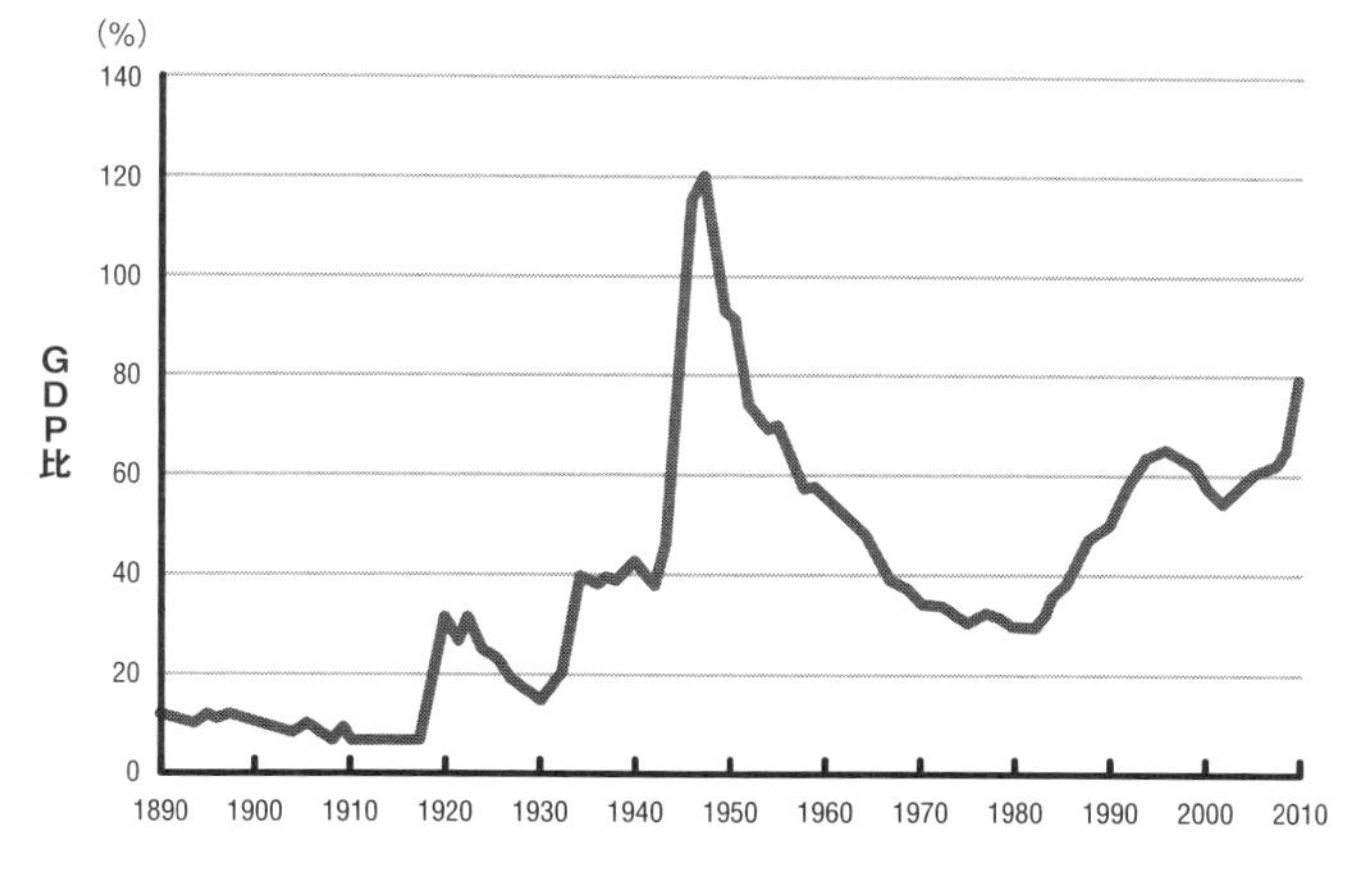

出所：米国財務省／research.stlouisfed.org

うに述べています。

「一般に、対ＧＤＰ比で３％までの赤字なら問題はないとされています。なぜならＧＤＰは平均的に年間３％程度の成長を見せるからです。政府の債務がＧＤＰと同じ程度の増加にとどまっているうちは、健全であると考えていいでしょう」

別の言い方をすれば、政府の債務残高がＧＤＰに対して一定の比率で推移しているならば、それほど心配はいらないということです。

しかし、経済成長よりも財政赤字の伸びが大きくなった場合は、注意が必要です。

投資戦略　赤字＋インフレに注意する

債務残高が多い状態はインフレの可能性を示唆しますが、景気との関連は特にありません。
一方、毎年の財政赤字額は、景気と密接に結びついています。
「赤字が多く、インフレ率も高い場合は、注意が必要です。政府がその状況から抜け出せない場合、**ハイパーインフレ***になる可能性があります」（ランソン氏）
本書の執筆時点で、米国の財政赤字はＧＤＰ比10％を超えています。今後、この数字はいったん４％程度まで落ちたあと、再び増加すると考えられています。すぐに状況が大きく改善されることは期待できそうにありません。

ハイパーインフレ
猛烈な勢いで進行するインフレーション。たとえば月間50％を超えるような物価上昇を指してハイパーインフレーションという財政赤字が持続的にＧＤＰ比３％を超えているような場合は、金などインフレに強い資産への投資を検討しましょう。一方、財政赤字がＧＤＰ比３％未満をキープしているような国では、資本が集まりやすく高い経済成長率が期待できます。最近では多くの新興国がそうした状態にあるので、新興国の株式を対象とした上場投資信託は魅力的な投資対象だといえるでしょう。

まとめ17

①発表時期……財政赤字の状況は毎月第8営業日、米東部時間で午後2時に発表。一方、債務残高はUS Debt Clock.org（http://www.usdebtclock.org/）でリアルタイムの推定値を観測できる

②データの入手先

The Wall Street Journalでは米国政府の財政状況をつねに追跡しています。米国財務省の統計が発表され次第、The Wall Street Journalオンライン版のヘッドラインに速報記事が掲載されます。米国財務省のウェブサイトで直接データを確認することも可能です。www.fms.treas.gov/mts/index.htmlに毎月のデータが掲載されています。ただし分析する際には、このデータを年次換算してＧＤＰ比を求める必要があります。過去のデータは**セントルイス連銀***が提供している**ＦＲＥＤ***データベースで閲覧可能です（research.stlouisfed.

セントルイス連銀
セントルイス連邦準備銀行は、米国のミズーリ州セントルイスに本店を置く連邦準備銀行の1つ

FRED
セントルイス連邦準備銀行が無料で提供するＦＲＥＤ（Federal Reserved Economic Data）は、収録範囲が金融部門だけにとどまらず、ＧＤＰ、財政、貿易、産業など多岐にわたる

org/fred2/series/FYFSD?cid=5)。その他にも多くのメディアで情報が取り上げられています。さらに詳細な情報が知りたい場合は、政府のウェブサイトを確認してみてください(www.whitehouse.gov/omb/budget)。

③**注目ポイント**……債務残高がGDP比で増加（減少）しているか。通常、赤字が3%を超えるとよくない状態とされる

④**意味すること**……インフレの可能性が増大（減少）

⑤**投資アクション**……通常の国債を売る（買う）。金や新興国市場の投資信託を買う（売る）

⑥**リスク評価**……高

⑦**リターン評価**……$$$

Part 1 個人消費

Part 2 投資支出

Part 3 政府支出

Part 4 貿易収支

Part 5 複合的指標

Part 6 インフレその他の不安要素

貿易収支に関する経済指標

経済は国内で完結するものではありません。国外とのやり取りに大きく影響されます。経済を理解しようと思うなら、世界に目を向ける必要があるのです。これからご紹介する6つの指標は、そうした視点を手に入れるためのものです。

輸出と輸入の金額の差を、貿易収支（純輸出）と呼びます。アイルランドのように小規模で外部に開かれた国では、貿易収支がGDPに大きく貢献しています。しかし米国の貿易収支は長年マイナス続きで、GDPを5〜10％引き下げる要因となっています。ここでいう貿易には、商品の売買だけでなく、観光やコンサルティング、銀行などのサービスも含まれます。

米国の貿易収支にもっとも大きく関わってくるのは、ドルの強さです。ドルが弱いときには輸出が増え、貿易赤字が縮小します。国外から見たときに、米国産のものが安くなるからです。また米国内から見たときには外国製の商品が割高なので、あまり買われなくなります。輸出が増えて輸入が減るわけです。ドルが強いときには、これとちょうど逆の動きが起こります。

短期的に見た場合、為替レートにもっとも大きく影響してくるのは金利です。あるいは金利の引き上げ・引き下げに対する期待といったほうが正確かもしれません。長期的に見た場合は、実体経済の変化（物価や生産性など）が為替レートに反映されてきます。

為替レートの動きを理解するためには、世界の経済大国で何が起こっているかを把握することが必要です。これは同時に、米国の主要な貿易相手国について知るということでもあります。

そのため、ここでは米国以外の指標についても説明しています。

グローバルな経済指標を知ると、世界経済の大局的な動きが見えてきます。かつては一部の国が不況にあえぎ、別の国が好況に沸くというような構図もあり得ました。しかし現在では、世界中の経済が密接につながりあっています。トーマス・フリードマンの言うような、シームレスな世界に私たちは生きているのです。

18 バルチック海運指数
——船の需要から経済を読む

バルチック海運指数（ＢＤＩ）は、その名のとおり海運に関する指標です。原料の海上輸送にかかる運賃を示したもので、バルチック・ドライ・インデックスとも呼ばれています。「ドライ」という言葉は、運ばれる貨物の性質からきています。鉄鉱石や石炭、穀物などの乾貨物（ドライカーゴ）の輸送を対象にしているからです。

バルチック海運指数は、ロンドンの***バルチック海運取引所**によって毎営業日に算出・発表されています。この指標は世界各国の20の主要水域を通る貨物船を対象に調査したもので、船を使用するための料金である用船料を表す指標です。特に対象となっているのはスポットと呼ばれる運賃で、長期契約ではなく単発で船を使うための料金を指します。

乾貨物を運ぶための船は非常に大きく、海上のダンプカーとも呼ばれています。なかにはスエズ運河やパナマ運河を通れないほど大きな船もあるそうです。このように巨大な船が世界の海を行き来するためには、南アメリカ大陸南端のホーン岬や、アフリカ大陸南端の喜望峰を回ってくる必要があります。これら大型の船は岬（ケープ）を通る船ということで、ケープ型と呼ばれて

●タイミング
先行指標

バルチック海運取引所
バルチック海運取引所は、イギリスのロンドンにある海運取引所。単にバルチック取引所とも呼ばれ、海運市況情報の提供やブローカー業務、紛争処理などを行っている

います。それよりも小さな船だと、サイズごとにそれぞれパナマックス型、スープラマックス型、ハンディサイズ型と呼ばれるものがあり、それぞれに指数が発表されています。

バルチック海運指数は、それら各種の船をあわせた総合指数となっています。

バルチック海運指数の動きを見るときの基本的なポイントは、船の需要によって数値が上下するということです。需要が増えれば、用船料は上がります。短期的に見た場合、運送に使える船の数は限られているからです。世界的に経済が活気づいて原料の需要が増えているようなときは、船の需要も増えて用船料が高くなります。

バルチック海運指数に注目する理由は、製品をつくるためのもっとも基本的な原料の動向がわかるからです。特に鉄鉱石と石炭は鉄鋼をつくるた

バルチック海運指数

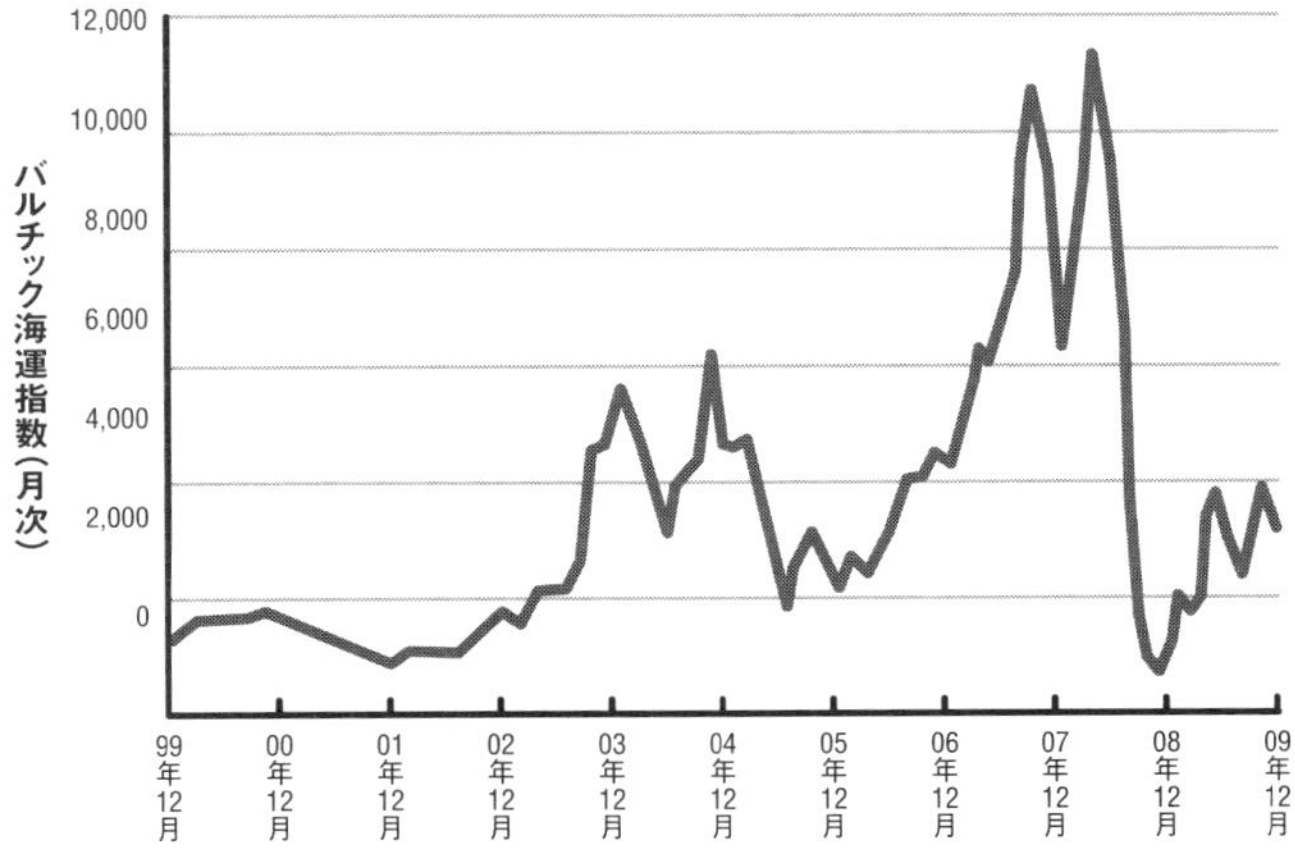

出所：ロイター

めの原料であり、建物や自動車をはじめ多くの主要な耐久財の製造に欠かせないものです。

最近では、中国もここに大きく絡んできます。ラザード・キャピタル・マーケッツで海運部門のシニアアナリストを務めるウルス・デュール氏は、次のように述べています。

「中国の鉄鉱石の在庫と中国経済の状態は要注目です。中国で鉄鉱石の在庫が少なく、経済の状態がよければ、鉄鉱石の輸入が大幅に増えてくると予想されます」

投資戦略 スポット取引の業者に注目する

バルチック海運指数の動きを見れば、一部の海運業者の株価を予測することができます。バルチック海運指数と連動して、売上げが変化しているような会社を探せばいいのです。バルチック海運指数が上がればその会社も儲かり、下がればその会社の売上げも少なくなるような会社です。

しかし、海運業者の儲けが必ずそのように動くわけではありません。一部の海運業者は固定運賃で数年間の長期契約を結ぶからです。この場合は需要が変化しても値段が変わらないため、バルチック海運指数と連動した動きはあまり見られません。

バルチック海運指数に連動して売上げが変化する会社の1つは、ニューヨークに拠点を置くバルチック・トレーディング社（ＢＡＬＴ）です。バルチック・トレーディング社は固定価格での長期契約ではなく、スポット価格で船を貸し出す方針を打ち出しています。バルチックの名にふさわしいやり方です。本書の執筆時点でバルチック・トレーディング社は無借金経営をしており、収益の多くを配当金として株主に還元しています。

ほかにスポット価格での取引を行っている海運会社には、イーグル・バルク・シッピング（EGLE）やナビオス・マリタイム・ホールディングス（NM）などがあります。

バルチック海運指数は海運業の動向だけでなく、原料価格の動きを予測するために使われることもあります。たとえばバルチック海運指数が低くなっているときは、近いうちに金属価格が下がってくることが予測されます。

しかし原料価格の値動きを予測するには、リスクがともないます。「バルチック海運指数が、原料の需要とまったく関係ない動きをすることもある」とデュール氏は言います。

たとえば特定の地域でたまたま船の数が足りなかったときは、原料の需要が特に増えていなくてもバルチック指数は跳ね上がります。船の需要と供給には、つねに場所の問題が関わってくるのです。求められている船が地球の反対側にあるときは用船料が大きく上がりますが、それは一時的な変化にすぎません。

もう1つ気をつけるべき点は、「新しくつくられた船が投入されると、バルチック海運指数が下がる場合がある」ということです。積荷の需要とは無関係に、船の数が増えると用船料が下がることになります。

まとめ18

①発表時期……毎営業日

②データの入手先

バルチック海運指数は、バルチック海運取引所のウェブサイト（www.balticexchange.com）に詳しく掲載されていますが、閲覧には有料会員登録が必要です。無料の情報源としては投資情報サイトのInvestmentTools.com（www.incestmenttools.com/futures/bdi_baltic_dry_index.htm）や、主要通信社のウェブサイトなどがあります。

③注目ポイント……バルチック海運指数の上昇（低下）

④意味すること……製造業の原料需要の増大（減少）

⑤投資アクション……海運業のうち、日々の価格変動の影響を受けやすい企業の株を買う（売る）

⑥リスク評価……中

⑦リターン評価……$$

19 ビッグマック指数
――ハンバーガーにひそむ経済理論

１９８６年に、英国エコノミスト誌の記者をしていた1人の女性がふと考えました。もしもあらゆる国でビッグマック・ハンバーガーの値段が同じだとしたら、円やポンドといった異なる通貨の価値はどのように見えてくるだろう？

このアイデアをもとに生まれたのが、**ビッグマック指数**です。ビッグマック指数の発案者であり、エコノミスト誌でシニアライターを務めるパム・ウッダル氏はこのように語っています。

「ビッグマック指数は、経済をもっとおもしろく見るための遊び心に満ちた方法なんです。読者のみなさんに大きな反響をいただいて、それから毎年発表するようになりました」

一見したところあまり重要そうには見えないこの指標ですが、実はその裏にはまじめな経済理論がひそんでいます。**購買力平価説***（ＰＰＰ）と呼ばれる理論です。購買力平価説によると、商品やサービスの取引が自由に行える市場においては、同じ商品の価格はどの国でもほぼ均一になります。ここでは、世界中のマクドナルドで買えるビッグマックをその商品とします。

たとえばフランスのビッグマック価格が３ユーロで、ニューヨークのビッグマック価格が３ド

●**タイミング**
先行指標

購買力平価説
購買力平価説（ＰＰＰ：Purchasing Power Parity Theory）とは、外国為替レートの決定要因を説明する概念の1つで、為替レートは自国通貨と外国通貨の購買力の比率によって決定されるという説

ルの場合、購買力平価説にもとづく理論的為替レートは1ドル＝1ユーロとなります。

　ビッグマックが基準としてすぐれている理由は、世界中のどこに行っても同じものが売られているからです。大きさや中身が統一されているので、細かい調整をする必要がありません。

　ある国のビッグマックの価格が米国で売られているビッグマックの価格と違っている場合、その国の通貨は、過大評価あるいは過小評価されていると考えることができま

ビッグマック指数

米ドルに対する過小評価（－）、過大評価（＋）、度合い（%）

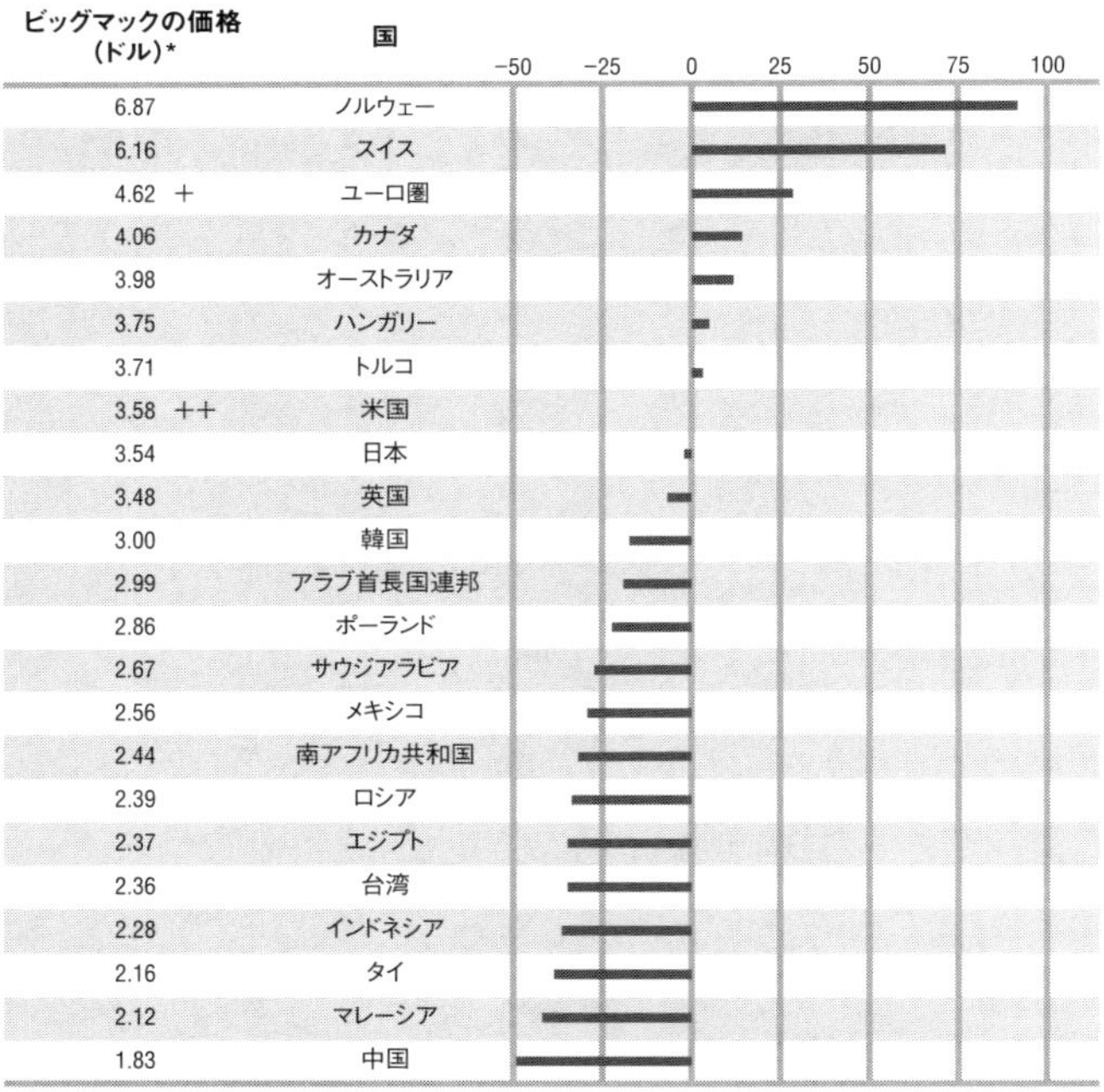

ビッグマックの価格（ドル）*		国	−50	−25	0	25	50	75	100
6.87		ノルウェー							
6.16		スイス							
4.62	+	ユーロ圏							
4.06		カナダ							
3.98		オーストラリア							
3.75		ハンガリー							
3.71		トルコ							
3.58	++	米国							
3.54		日本							
3.48		英国							
3.00		韓国							
2.99		アラブ首長国連邦							
2.86		ポーランド							
2.67		サウジアラビア							
2.56		メキシコ							
2.44		南アフリカ共和国							
2.39		ロシア							
2.37		エジプト							
2.36		台湾							
2.28		インドネシア							
2.16		タイ							
2.12		マレーシア							
1.83		中国							

* 2010年3月の為替レートによる
+ 参加国の加重平均値　++ 4都市の平均値
出所：マクドナルド／エコノミスト誌

す。たとえばニューヨークでビッグマックを買うと3ドルなのに、中国のビッグマックが50セント相当だとすると、中国の通貨はかなり過小評価されていることになります。

投資戦略 過小評価されている通貨を狙う

ビッグマック指数を使うと、外国通貨の長期的な値動きを予測することができます。

たとえば、中国元が過小評価されているかどうかという問題はよく議論になりますが、2010年度のビッグマック指数を見れば、答えは一目瞭然です。中国元は単に過小評価されているだけでなく、世界でもっとも過小評価された通貨だということがわかります。

ビッグマック指数によれば、50％近くも低く評価されているわけです。同様にメキシコ・ペソも25％程度低く評価されています。ということは、ビッグマック指数にもとづいて過小評価されている通貨を今すぐ買えばいいのでしょうか？

しかし、話はそれほど単純ではありません。ビッグマックには、保存できないという特徴があります。1週間も放置されたビッグマックを食べたいと思う人はあまりいないでしょう。

つまりビッグマックは、商品でありながらサービスに近い性格を持っているということです。マッサージ店と同じように、その場で消えていくものなのです。ビッグマックがサービスであるなら、途上国で価格が安いのはある意味当然ともいえます。途上国では人件費が安いからです。

人件費はサービス価格の大きな部分を占めているので、ニューヨークなどの人件費が高い地域と比べると、北京のビッグマックはどうしてもある程度安くなるのです。

このような性質上、通貨が完全に正しく評価されていたとしても、ビッグマック指数においては途上国の通貨が過小評価されているように見えてしまいます。

ですからこの指標を使うときには、極端に低くなっている通貨を探すのがポイントです。ほかの通貨と比べて評価が大幅に低くなっている通貨は、長期的に見ればやがて上がってくると考えられます。逆に高すぎる通貨はやがて下がっていくでしょう。

エコノミスト誌のビッグマック指数だけでは不安なら、スイス大手銀行のUBS*が出しているビッグマック指数を見てみるのもいいでしょう。UBSは「現地の人々が何時間働けばビッグマックが1つ買えるか」というところに着目しました。

少ない労働でビッグマックが買えるなら、その国の生産性は高く、結果として通貨に対する評価は上がってくると考えられます。ただしこれも完璧ではなく、人々の嗜好や価格競争など、各国の事情によって変わってくる部分はあります。

実際に通貨の取引をやってみようと思うなら、まずは通貨連動型の上場投資信託が無難です。基準通貨に対する為替レートの動きに合わせて価格が変動する上場投資信託です。

米ドルを基準にした上場投資信託には、カレンシーシェアーズ・ユーロ・トラスト（FXE）

UBS
UBS（Union Bank of Switzerland）は、スイスに本拠を置く世界有数の規模を持つ金融グループやカレンシーシェアーズ・英ポンド・トラスト（FXB）、カレンシーシェアーズ・カナダドル・トラスト（FXC）などがあります。ほかにも同様の商品はいろいろ出ています。外国為替はリスクの大きな商品なので、初心者の方は安易に直接買うよりも、上場投資信託を選んだほうがいいでしょう。また自己資産内での取引にとどめておきましょう。

まとめ19

①**発表時期**……原則として年1回、エコノミスト誌に掲載

②**データの入手先**
エコノミスト誌のオンライン版（http://www.economist.com/）で確認できます。

③**注目ポイント**……ビッグマックの価格が米国に比べて極端に低い（高い）国を探す

④**意味すること**……その国の通貨が過小評価（過大評価）されている。長期的に見てその通貨が上がる（下がる）と予測される

⑤**投資アクション**……過小評価されている通貨を買う。過大評価されている通貨を売る。上場投資信託（ETF）を使うのが無難

⑥**リスク評価**……極めて高い

⑦**リターン評価**……$$$$＋

20

経常赤字

――明らかに無理のある貿易不均衡

アメリカ人は輸入品が大好きです。輸入品なしには生きられないといっても過言ではありません。過去20年にわたって、中国産のものを中心に大量の輸入品を消費し続けてきました。

しかしその結果、世界の経済に巨大なひずみを生み出してしまいました。

外国の製品をたくさん買うこと自体は、悪いことではありません。世界の経済は貿易によって成り立っています。問題は、外国から買う金額と外国に売る金額の間に大きな差があることです。アメリカ人は外国の商品やサービスに莫大なお金を費やしていますが、ほかの諸国は米国のものをそれほど買ってくれないのです。こうした状態は数年間なら大丈夫かもしれませんが、ずっと続けられるものではありません。

こうした輸入額と輸出額の差は、「経常収支」と呼ばれる数字で正確に知ることができます。

経常収支は、貿易収支と言い換えても米国を含むたいていの国の場合は、ほぼ意味は同じです。国の経済における経常収支は、正確には貿易収支と利子所得、配当所得、海外援助の合計を指します。経済学においては**経常赤字**という言葉が使われますが、貿易による赤字のことをいっ

●タイミング
先行指標

●関連指標
㉓対米証券投資（ネット長期TＩCフロー）（147ページ）

ていると思っておけば大丈夫です。米国はもう長年、この貿易赤字の状態から抜け出せずにいます。

　では輸入のためのお金をどうしているかというと、外国からお金を借りたり、資産を売ったりしているのです。これは家庭に例えるなら、家宝を売って食費にしているようなものです。一度や二度なら仕方ありませんが、長く続けられるやり方ではありません。

　米国は長年にわたって大きな貿易赤字を抱えてきました。その結果、巨大な不均衡が生み出されています。特に問題なのは、輸入のために外国から多額の借金をしていることです。このままではやがて米ドルの下落につながり、世界の経済にも悪影響をおよぼすことになります。

　ニューヨーク大学スターンスクールの経済学教

米国経常収支（GDP比）

出所：米国商務省経済分析局　※Qは四半期を意味する

授、ポール・ワッチェル氏は次のように述べます。

「こうしたやり方を続ければ続けるほど、世界に対する負債は膨らみ、返済には長い時間がかかるようになります。そうすると、やがて疑問が持ち上がってきます。米国は本当に利息を払えるのか、借金を本気で返してくれるのか、と諸外国が心配しはじめるのです」

投資戦略 赤字が5%超えなら通貨を手放す

経常赤字を読みとるときのポイントは、国の経済全体、つまりGDP*に対する赤字額の大きさを把握することです。またある時点の赤字額だけで判断するのではなく、一定期間にわたって見ることが大事です。貿易収支は景気の局面によって大きく変動するからです。

一般に、景気が後退しているときには貿易収支が悪化し、景気が回復してくると貿易収支も改善されます。ですから特定の月のデータだけを見るのではなく、数カ月間の傾向を把握する必要があります。

ワッチェル氏は貿易収支が健全かどうかを測る目安として、「GDPの5%以内の貿易赤字なら問題ない」と説明します。5%を超えると、注意が必要です。

経済の規模が小さい国において貿易赤字が5%を超えると、通貨危機の可能性が高まってきます。小さな国の場合、貿易赤字が大きすぎると通貨が暴落することになるのです。

GDP
国内総生産（GDP：Gross Domestic Product）とは、一定期間内に国内で産み出された付加価値の総額

たとえばハンガリーの通貨が暴落した直前、ハンガリーの経常赤字はＧＤＰ比でおよそ10％になっていました。ギリシャも同様の問題を抱えていました。

一方で、コンスタントに貿易黒字を出している国は投資家たちの人気を集めるので、急速な経済成長が期待できます。新興国のなかで貿易黒字の大きい国は将来有望であり、投資対象としてかなり魅力的です。

ところで米国は新興国とは違い、貿易収支について特殊な立場にあると考えられてきました。米ドルが基軸通貨である以上、通貨危機に見舞われることなく貿易赤字を続けていけるといわれてきたのです。しかし近年では、疑問の声も大きくなっています。

このような貿易赤字をいつまで続けていけるのでしょうか？

「長くはないでしょう。あと5年か10年もすれば事態は変わってくるはずです」（ワッチェル氏）

貿易収支を遅くとも数年以内に改善しなければ、米ドルは大幅に下落するかもしれません。

まとめ20

①発表時期……四半期ごと。３月・６月・９月・12月が発表月となり、各月の中旬、米東部時間で午前８時30分に発表される

②データの入手先

The Wall Street Journal では、米国政府の経常収支をつねに追跡しています。米国商務省の統計が発表され次第、The Wall Street Journal オンライン版のヘッドラインに速報記事が掲載されます。データだけを確認したい場合は、The Wall Street Journal オンラインの Market Data Center（www.WSJMarkets.com）にアクセスし、上部メニューから「Calendars & Economy」→「U.S. Economic Events」のリンクを選択してください。発表時期に合わせてカレンダーに「Current Account」というリンクが張られています。また**セントルイス連銀***が提供している**FRED***データベースでも過去を含む詳細なデータが閲覧可能です。

③**注目ポイント**……貿易赤字がＧＤＰ比で５％を超えている（米国は例外）
④**意味すること**……通貨危機の可能性がある
⑤**投資アクション**……その国の通貨を売る
⑥**リスク評価**……極めて高い
⑦**リターン評価**……$$$$＋

セントルイス連銀
セントルイス連邦準備銀行は、米国のミズーリ州セントルイスに本店を置く連邦準備銀行の1つ

FRED
セントルイス連邦準備銀行が無料で提供するFRED（Federal Reserved Economic Data）は、収録範囲が金融部門だけにとどまらず、GDP、財政、貿易、産業など多岐にわたる

21 石油在庫
──石油が減っていれば経済は順調

アル・ゴア元副大統領やバラク・オバマ大統領の積極的な取り組みにもかかわらず、アメリカ人の石油依存は一向にやわらぐ気配を見せません。

世の中のあらゆるところで、大量の石油が消費され続けています。通勤も、暖房も、工場を動かすのも、買いものをするのも、すべて石油に頼っています。それどころか、身の周りにあふれるプラスチックはすべて石油でつくられています。

このように石油が私たちの暮らしに欠かせないものであることから、石油市場は米国経済の重要かつ鋭敏なバロメーターであると考えられています。そしてありがたいことに、エネルギー市場の情報は世の中にたくさんあふれています。特に**米国エネルギー情報局***（ＥＩＡ）が出しているデータは、エネルギー業界の最新事情を知るためのすぐれた情報源です。

ＥＩＡは、毎週水曜日に**石油在庫**統計を発表しています。これは世界中に現在利用可能な原油やガソリン、燃料油などの在庫がどれだけあるかという数値です。毎週発表されるので、石油の貯蔵量を週次ベースで比較することができます。

●**タイミング**
先行指標

***米国エネルギー情報局**
ＥＩＡ（Energy Information Administration）は、原油や天然ガスなどエネルギー関連の統計を発表している米国の政府機関

先物取引大手ＭＦグローバルのシニア・コモディティ・アナリスト、エドワード・メイア氏はこう述べています。

「石油の在庫が少ないとき、あるいは在庫がだんだん減ってきているようなときは、経済活動が上向いていると考えられます。在庫が少ないということは、さまざまな経済活動に石油が使われているということだからです。工場や家庭でエネルギーがたくさん消費され、多くの人々が自動車や飛行機や船に乗っているのです」

２００６年から２００７年にかけて、石油在庫は好況のおかげでかなり少なくなっていました。原油価格は１バレル１４７ドルに達し、過去最高記録となりました。この記録は２０１０年現在でもまだ破られていません。そしてこのように原油価格が高くなると、今度は人々がエネルギーをあ

米国原油在庫

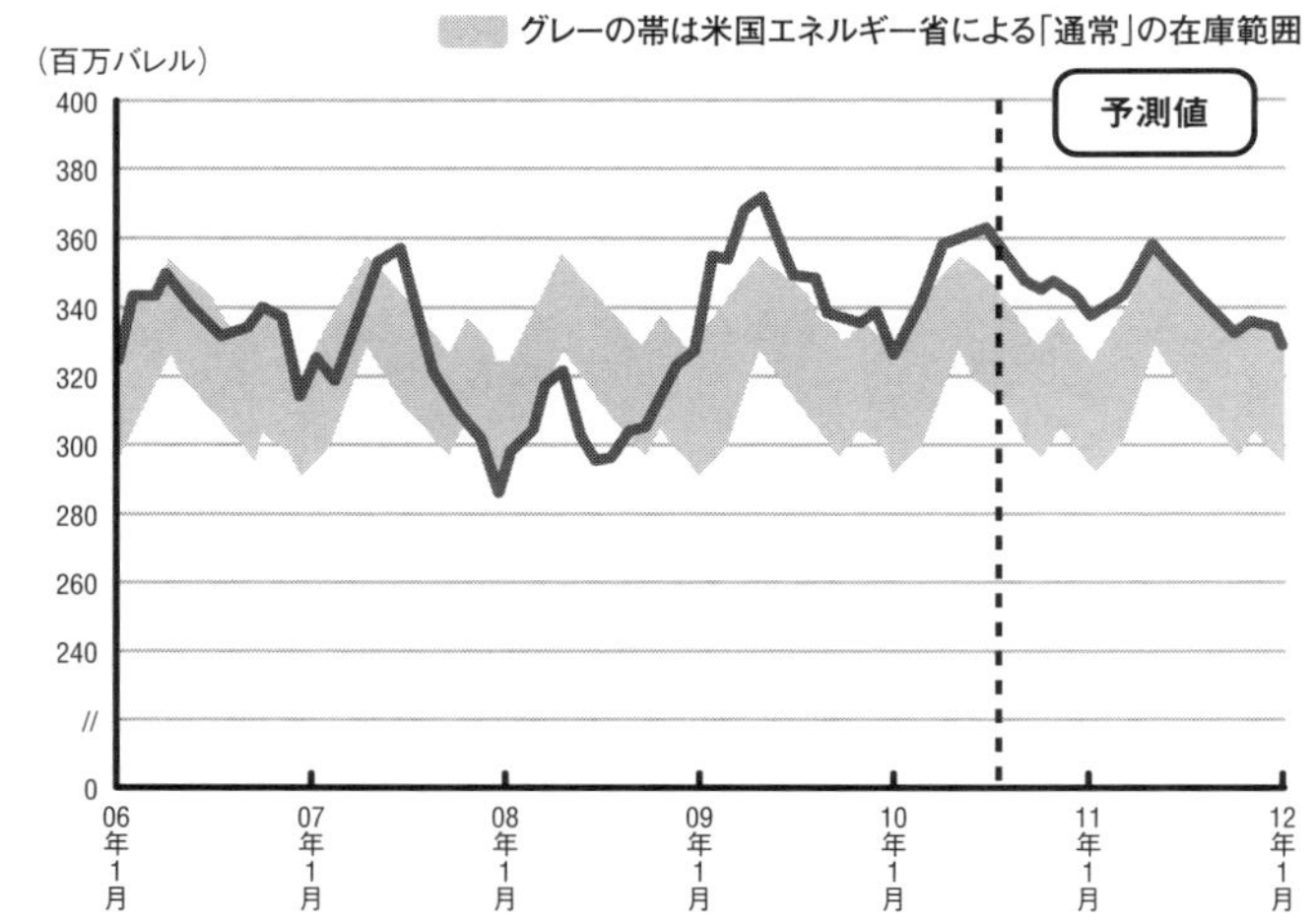

出所：EIA（米国エネルギー情報局）短期エネルギー見通し（2010年7月）

まり使わなくなるので、やがて需要がだんだん減ってくることになります。

投資戦略 変則的な値動きに注意する

石油在庫統計の数値を見るときには、戦略備蓄分を除いた原油在庫量に注目してください。戦略備蓄はいざという時のために国が確保しているもので、政府の決定なしには利用することができません。ですから戦略備蓄分を除外して考えたほうが、利用可能な石油在庫を正しく把握できます。

また、市場の期待値は石油在庫を見るうえで重要なファクターになってきます。たとえば石油在庫が大幅に減ると予想されていたのにあまり減らなかったとすると、景気は人々が思っていたよりも悪いということになります。逆に予想より大きく在庫が減った場合は、思っていたよりも景気がよくなっていることを意味します。

1つ注意しておきたいのは、コモディティ（エネルギー、金属、穀物など）特有の変則的な値動きです。金利が非常に低いときには、在庫量と価格の関係が崩れることがあるのです。石油は市場で売買されている資産であり、金利が低いときにはインフレ対策として投資家たちが石油を買おうと集まってきます。

そうすると、在庫はたっぷりあるのに価格が釣り上がるという状況になります。通常は在庫が増えると価格は下がるのですが、逆の動きになるのです。

もう1つ気をつけたいのは、原油の供給が一時的に滞るケースがあるということです。たとえば製油所で事故があったり、戦争が起こったり、労働者のストや輸送船の事故があったりすると、原油の供給量が減少します。

すると景気とは無関係に、石油在庫が少なくなります。それらは取引価格の上昇につながりますが、景気とは関係のない動きであるということを認識しておく必要があります。

まとめ21

①発表時期……毎週水曜日、米東部時間で午前10時30分

②データの入手先

The Wall Street Journal では石油在庫の動向をつねに追跡しています。米国エネルギー情報局（ＥＩＡ）の統計が発表され次第、The Wall Street Journal オンライン版のヘッドラインに速報記事が掲載されます。データだけを確認したい場合は、The Wall Street Journal オンラインの Market Data Center（www.WSJMarkets.com）にアクセスし、上部メニューから「Calendars & Economy」→「U.S. Economic Events」のリンクを選択してください。カレンダーの毎週水曜日に「EIA Petroleum Status Report」というリンクが張ら

れています。またEIAのウェブサイト（www.eia.gov）でも直接データが確認できます。

③**注目ポイント**……石油在庫の増加（減少）。ただし政府の戦略備蓄在庫を除く

④**意味すること**……石油需要がおそらく減少（増加）しており、景気が悪化（回復）している

⑤**投資アクション**……景気が悪化している場合、リスクを避けて、景気と連動しやすい株（製造業など）を売る。景気拡大時はその逆

⑥**リスク評価**……中

⑦**リターン評価**……$$

22

日銀短観
——地球上でもっとも包括的な経済指標

30代以上の人なら、バブル最盛期の頃、日本がアメリカを食いつぶす勢いだったことを覚えているのではないでしょうか。このままでは日本人がアメリカの建物を買いつくし、日本企業が米国経済を乗っ取ってしまうのではないかと、恐れられていた時期です。

結果的にはバブルが崩壊し、日本経済は大きく失速してしまいました。

日本はそれから20年も不況に苦しんできたわけですが、それでも日本は世界経済のなかにおいていまだに重要な位置を占めています。日本は現在、世界第3位の経済大国です。以前は米国に次いで世界第2位でしたが、２０１０年に巨大な市場と労働力を抱える中国によって2位の座を奪われました。

しかし実際には、依然として日本のほうが重要であるともいえるのです。なぜなら1人当たりのＧＤＰで見れば、日本は中国よりもずっと豊かだからです。日本の人々がお金を使う気になれば、世界経済はかなり大きな影響を受けるはずです。

日本の経済について理解を深めるためのもっともすぐれた方法は、**日銀短観**を見ることです。

●タイミング
先行指標

ＩＳＭ
米国供給管理協会（ＩＳＭ：Institute for Supply Management）は、企業の購売・調達・物流・生産管理などの支援を行っている１９１５年設立の米国の非営利団体日銀短観は日本銀行が四半期ごとに出している統計で、全国の大企業・中堅企業・中小企業をあわせた約1万社からアンケートを取ったものです。調査内容は現在の景気や先行きの見通しをはじめ、仕入価格や販売価格、売上げ、雇用、資金繰りや金融機関の貸出態度など、多岐にわたっています。地球上でもっとも包括的な経済指標だといってもいいでしょう。

本書でもご紹介しているＩＳＭ*の景況指数に似ていますが、はるかに大規模かつ詳細な指標です。

日銀短観のメインとなる業況判断ＤＩは、とてもシンプルな数字です。

この数字がゼロより大きければ、経済は拡大局面にあると考えられます。数字がマイナスのときは、日本経済は減速し、場合によっては不況に突

日銀短観

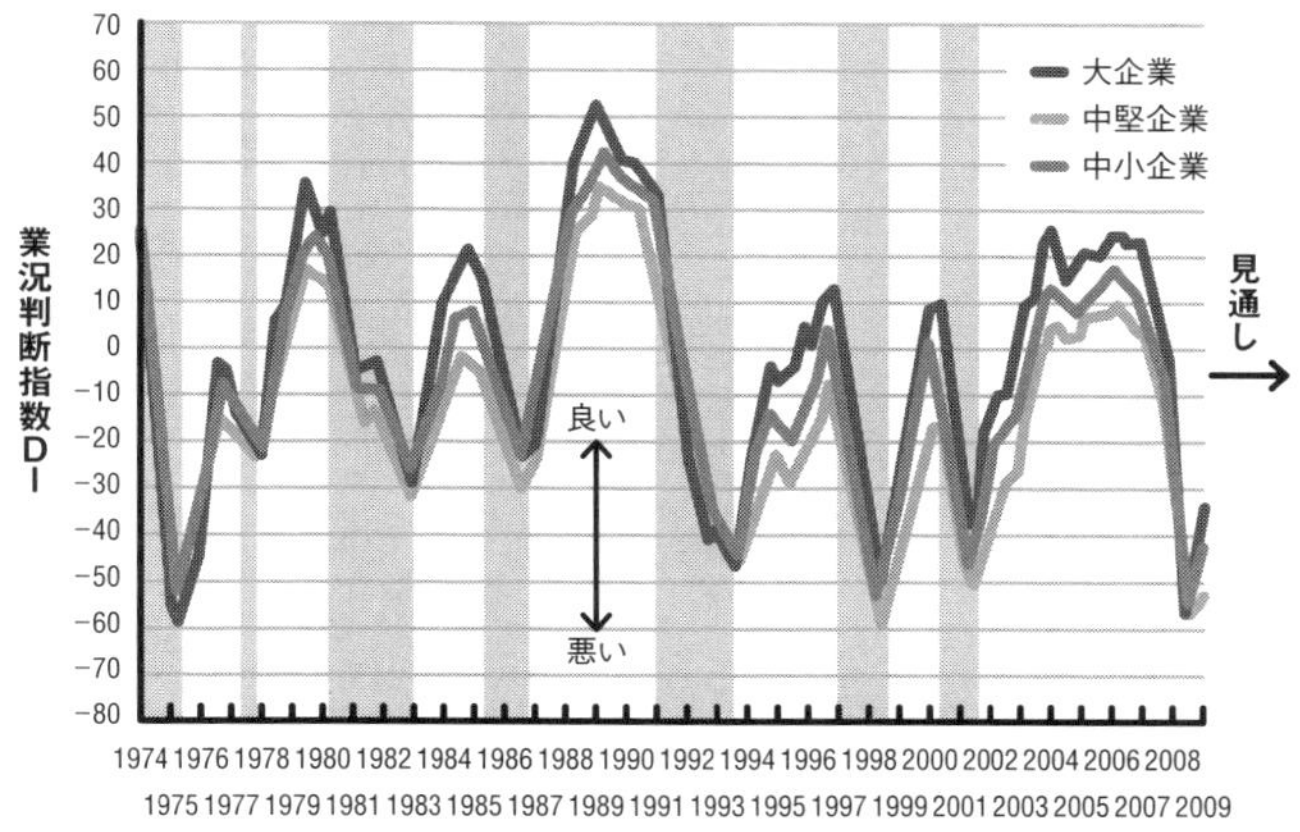

出所：日本銀行

入していると考えられます。

スイス・リーの米国チーフエコノミストを務めるカート・カール氏は、日銀短観を「とても広く、そして深い」と表現しています。

その気になれば、どんどん掘り下げて知識を得ることができるのです。

投資戦略 日本のGDPよりも日銀短観を重視する

日本企業に投資しようと思うなら、日銀短観は非常にすぐれた先行指標となってくれるでしょう。前ページの図表は日銀短観の数値をグラフにしたもので、大企業・中堅企業・中小企業の景況感がそれぞれ示されています。グレーに塗られているのは実際の不況の時期です。これを見ると、日銀短観が景気の後退と回復をいち早く予測しているのがわかります。

たとえば1990年から1994年の不況については、かなり早くから下向きの動きが現れています。しかも誤った動きがありません。

日銀短観は日本において、単なるすぐれた先行指標という以上の意味を持っています。GDP*よりも重要だといえるかもしれません。なぜなら日本政府の発表する公式データは、米国などの政府統計に比べて信用度が低いからです。

「日本のGDPはいったん発表されたあとで、驚くほど大きく修正されることがあります。これ

GDP
国内総生産（GDP：Gross Domestic Product）とは、一定期間内に国内で産み出された付加価値の総額

は日本経済を予測するうえで非常に厄介な問題です。最初にGDPが大きな伸びを見せていると思ったら、次の修正では横ばいになっていて、最終的に修正された値を見るとマイナス成長だったというようなこともあるのです」（カール氏）

つまり、景気が拡大していると発表されたのに、あとになってやっぱり景気は後退していましたと発表されるわけです。これでは戸惑うのも当然です。

日銀短観にはそのような修正はありません。

「日本経済をとても正確に反映していて、GDPよりも役に立つ」とカール氏は言います。

メインの業況判断DIを見るだけでも役立ちますが、日銀短観にはそのほかにも有用なデータがいろいろと載っています。たとえば業種別の統計では、製造業と非製造業に分かれた詳細な調査結果を見ることができます。

カール氏がもっとも好んで使うのは、製造業の業況判断DIです。特に製造業の大企業を対象にした統計はとても信頼性が高く、日本経済の様子をかなり正確に教えてくれます。これはたとえば、サービス関連の業種よりも、製造業の企業のほうが景気を感じとりやすいからです。日銀短観の各指標が日本経済の成長を示していたら、日本企業の株を検討してみましょう。

個々の企業について調べるのが難しければ、上場投資信託という手もあります。日本企業の株式を対象として運用される上場投資信託には、iシェアーズ・MSCI・ジャパン・インデックス・ファンド（EWJ）などがあります。

まとめ22

①発表時期……4月初旬・7月初旬・10月初旬・12月中旬の年4回。日本時間で午前8時50分に発表

②データの入手先

日本銀行のウェブサイトで直接確認できます（www.boj.or.jp/statistics/tk/index.htm/）。また関連する情報として、経済産業省のウェブサイト（www.meti.go.jp）から鉱工業指数などの詳しい統計を閲覧できます。

③注目ポイント……景況感が上向き（下向き）になっている

④意味すること……日本の景気がよくなる（悪くなる）

⑤投資アクション……日本の株を買う（売る）

⑥リスク評価……高（米国から見た場合の為替リスク、および不景気続きの状況のため）

⑦リターン評価……$$$

23 対米証券投資（ネット長期TICフロー）

——アメリカ人は外国からの借金で生活している

アメリカ人はお金を使うのが大好きです。これは消費者に限った話ではなく、政府についても同じです。お金をたくさん使うことによって、今の米国が成り立っているといっても過言ではありません。しかし正直なところ、それを可能にしているのは外国の力なのです。諸外国が米国に対してお金を貸してくれなければ、このようなお金の使い方をすることはできません。

もしも諸外国が米国にお金を貸してくれなくなったら、我々国民がお金を借りるのにも大きな利子がかかってきます。住宅ローン、車のローン、クレジットカード払いなど、さまざまな場面で利息の支払いが苦しくなってきます。あるいは輸出を増やすために米ドルの価値が大きく下がり、私たちの大好きな中国製品や原油を手に入れることが難しくなるかもしれません。

諸外国がどれくらい米国にお金を貸したがっているのかを示す指標があります。米国財務省が発表している、**対米証券投資**（ネット長期TICフロー）です。

バージニア大学ダーデン経営大学院教授のフランク・ウォーノック氏によると、対米証券投資は「米国への資本流入と流出をわかりやすく切り取ったスナップショット」だそうです。

●タイミング
先行指標

●関連指標
⑰財政赤字と債務残高（114ページ）
⑳経常赤字（132ページ）

ウォーノック氏は自ら対米証券投資指標の改良に関わっており、財務省がより有益なデータを発表できるように尽力してきました。

対米証券投資を見ると、米国の国境を越えて流入・流出した資本の量だけでなく、どこからどのようなかたちで流入・流出したのかを詳しく知ることができます。

具体的には国境をまたぐ株式や債券の売買、また国外の銀行に対する貸し出しや借り入れ、返済についてのデータが含まれます（ただし、工場の設立や閉鎖といった直接投資のデータは含まれません）。

この指標は米国経済にとって重要な意味を持っています。簡単にいうと、諸外国がたくさん米国の債券を買ってくれたほうが、米国民みんなの暮らしがよくなるのです。なぜなら私たちのローンやクレジットカードにかかってくる利息は、債券の需要と供給によって決まってくるからです。

なかでも投資家たちの注目を集めるのは、国外の投資家に対する米国債の売れ行きです。米国債は無リスク資産とみなされているので、一般的な債券よりも金利が低く抑えられています。

もしも米国債に対する需要が停滞し続けた場合、国債が値下がりして金利が上昇し、そのほかの全般的な金利上昇を引き起こすのはほぼ確実です。

今世紀に入ってから、海外の投資家たちは米国の財政状況に大きな懸念を抱いています。

米国政府はドル建てでお金を借り入れ、ドルを意のままに刷ることができます。これはたとえばギリシャなどとは大きく状況が異なります。ですから実際の返済能力は、（少なくとも今のところは）特に問題ではありません。

投資家たちが心配しているのは、将来的な米ドルの強さです。米ドルの購買力は、特に海外においては簡単に急落してしまう危険性があります。

長期的な為替レートを予測するときは、「国際社会が米国の債券を見放そうとしていないか、ドル建ての資産から手を引こうとしていないか」というのが大きなポイントとなってきます。

米国長期証券の純購入額（一部の国・地域のみ抜粋）

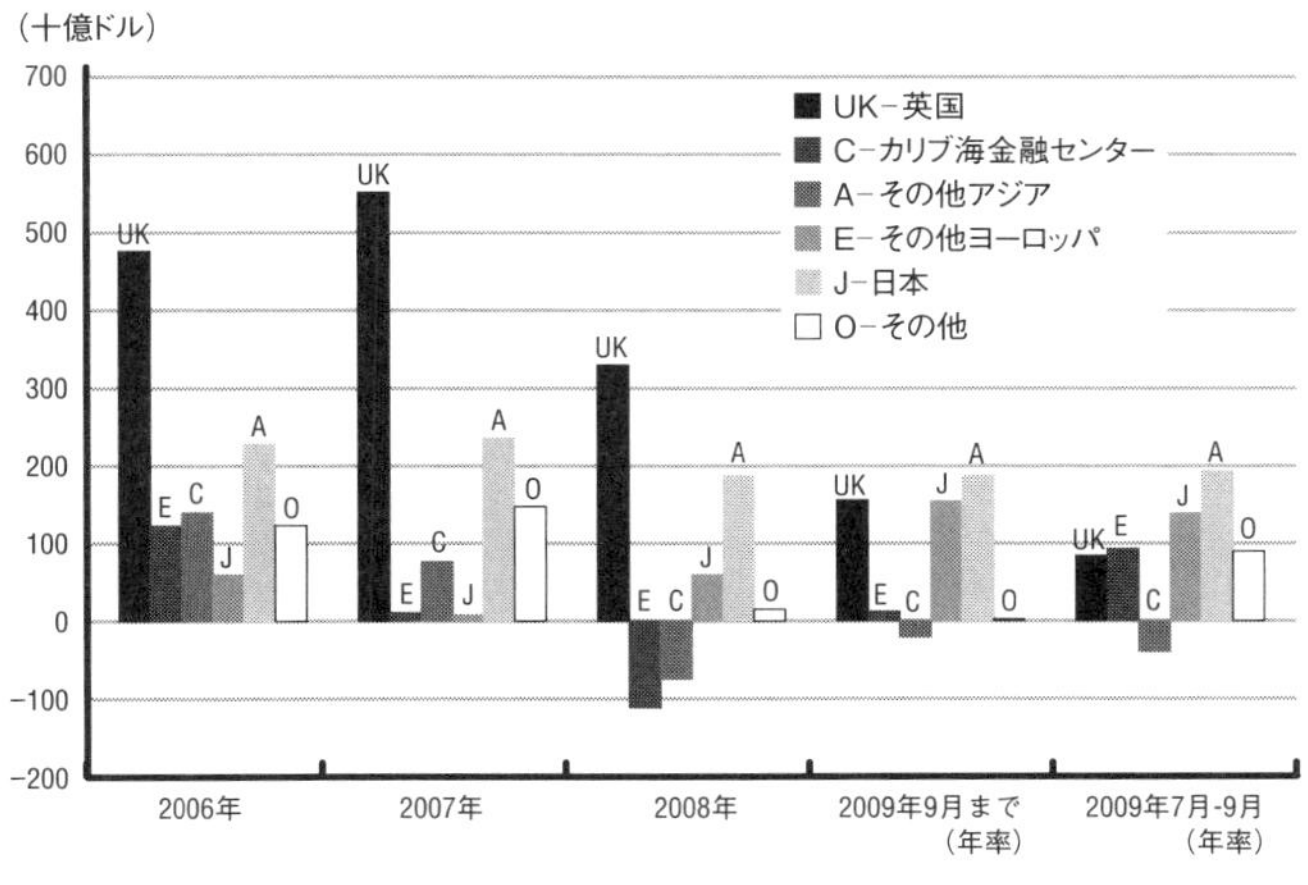

出所：米国財務省

投資戦略　情報の遅れに注意する

ウォーノック氏によると、たとえば2004年から2005年にかけての対米証券投資を見れば、当時の一見不可解な米国金利の動きにも説明がつきます。さまざまな経済指標が金利の上昇を示唆していたにもかかわらず、どうしてあれほどの低金利が続いたのでしょう?

理由は簡単です。外国人が米国債を大量に買っていたからです。そのため米国債の価格は上がり、金利は低く抑えられたのです。

「対米証券投資は、ほかのどんな指標よりも的確にこの低金利現象を捉えていたといえるでしょう」（ウォーノック氏）

対米証券投資を見るときのポイントは、現在のデータだけでなく、過去と比較して見ることです。ドル建て債券の需要が順調に伸びているか、それとも停滞しているかを長期的視点で判断します。もしも需要が停滞していれば、金利は上昇し、米国経済は減速してくると考えられます。

対米証券投資には、いくつかの欠点もあります。もっとも大きな欠点は、情報が遅いということです。毎月発表されてはいますが、そのデータは平均で6週間ほど前のものになります。

これでは、まるでバックミラーだけを見ながら運転するようなものですので、くれぐれも注意してください。

まとめ23

①**発表時期**……毎月中旬、米東部時間で午前9時に、前々月のデータを発表

②**データの入手先**

The Wall Street Journal オンラインの Market Data Center（www.WSJMarkets.com）にアクセスし、上部メニューから「Calendars & Economy」→「U.S. Economic Events」のリンクを選択してください。カレンダーの毎月中旬頃に「Treasury International Capital」というリンクが張られています。また米国財務省のウェブサイト（treas.gov/tic/）で直接データを確認することもできます。

③**注目ポイント**……米国の債券に対する国外からの需要増加（減少）

④**意味すること**……金利が低下（上昇）してくる

⑤**投資アクション**……ほかの指標も確認したうえで、金利が下がりそうなら債券を買う。金利が上がりそうなら債券を売る

⑥**リスク評価**……中

⑦**リターン評価**……$$

Part 5 複合的指標

複合的な経済指標

多くの経済指標は、ＧＤＰの構成要素（個人消費、投資支出、政府支出、貿易収支）の1つではなく、複数の要素にまたがるものとなっています。経済が複雑にからみあったものである以上、それを観測するためのデータも複合的にならざるをえません。

たとえば個人消費は、税金をリンクとして政府支出と密接につながっています。私たちがたくさん買いものをすると、それを売る側の利益が増え、多くの税金を納めることになるからです。

また銀行が企業に融資を行うと、企業は設備投資を行い（投資支出の増加）、新しい機械を動かす人員を雇うことにつながります。職を得た人々はより多くのものを買い（個人消費の増加）、より多くの税金を払うことになります（政府支出への寄与）。

これからご紹介する16の指標は、そのように密接につながりあった経済の姿を映し出すものとなっています。

24 ベージュブック（地区連銀経済報告）

――政策論議のたたき台となる重要資料

ベージュブックとは、**連邦準備制度理事会**[*]（ＦＲＢ）が発表している経済報告書のことです。ベージュブックという名前の由来は、報告書の表紙の色がベージュだからです。名前は安易ですが、中身は非常におもしろい内容となっています。

経済指標といえば数字が並んでいるのが普通ですが、ベージュブックには文字が並んでいます。米国経済に関する読み物を集めたような形です。意外かもしれませんが、ＦＲＢは人間の言葉を話すこともできるのです。

この報告書は米国を12の地区に分割し、それぞれの地区の状況をレポートするかたちになっています（地区の分けかたについては、次ページの図表を参照）。そして最終報告書には、米国全体を対象とした総括がまとめられています。

ベージュブックのいちばんの見どころは、それぞれの地区の状況が具体的に述べられている部分です。エコノミストたちが好むような細部にわたる情報を、直接読むことができるのです。ただしそれは同時に、この指標を解釈するのが簡単ではないということでもあります。

●**タイミング**
一致指標

連邦準備制度理事会
連邦準備制度理事会（ＦＲＢ：Federal Reserve Board）は、連邦準備制度の統括機関で、中央銀行に相当する

ベージュブックは年に8回発表され、インターネット上で誰でも無料で読むことができます。金融政策決定会合である**連邦公開市場委員会***（FOMC）での議論のたたき台となるもので、会合が開かれる約2週間前に公開されます。

ブルームバーグ社のエコノミスト、ジョー・ブルスエラ氏はこのように述べています。

「政策決定に関わる人間が読んでいる資料ですから、彼らの経済に対する見解を読みとるのに役立ちます。発表のタイミングが早いので、今後の政策を予測するうえで重要な指標となります」

特に注目すべきは、FOMCで決定される金利政策です。金利の引き上げや引き下げを事前に予測することができれば、投資判断にも大いに役立ちます。また、何かまずいことが起こりそうなときにも、事前に察知しやすくなります。

連邦準備制度の12地区

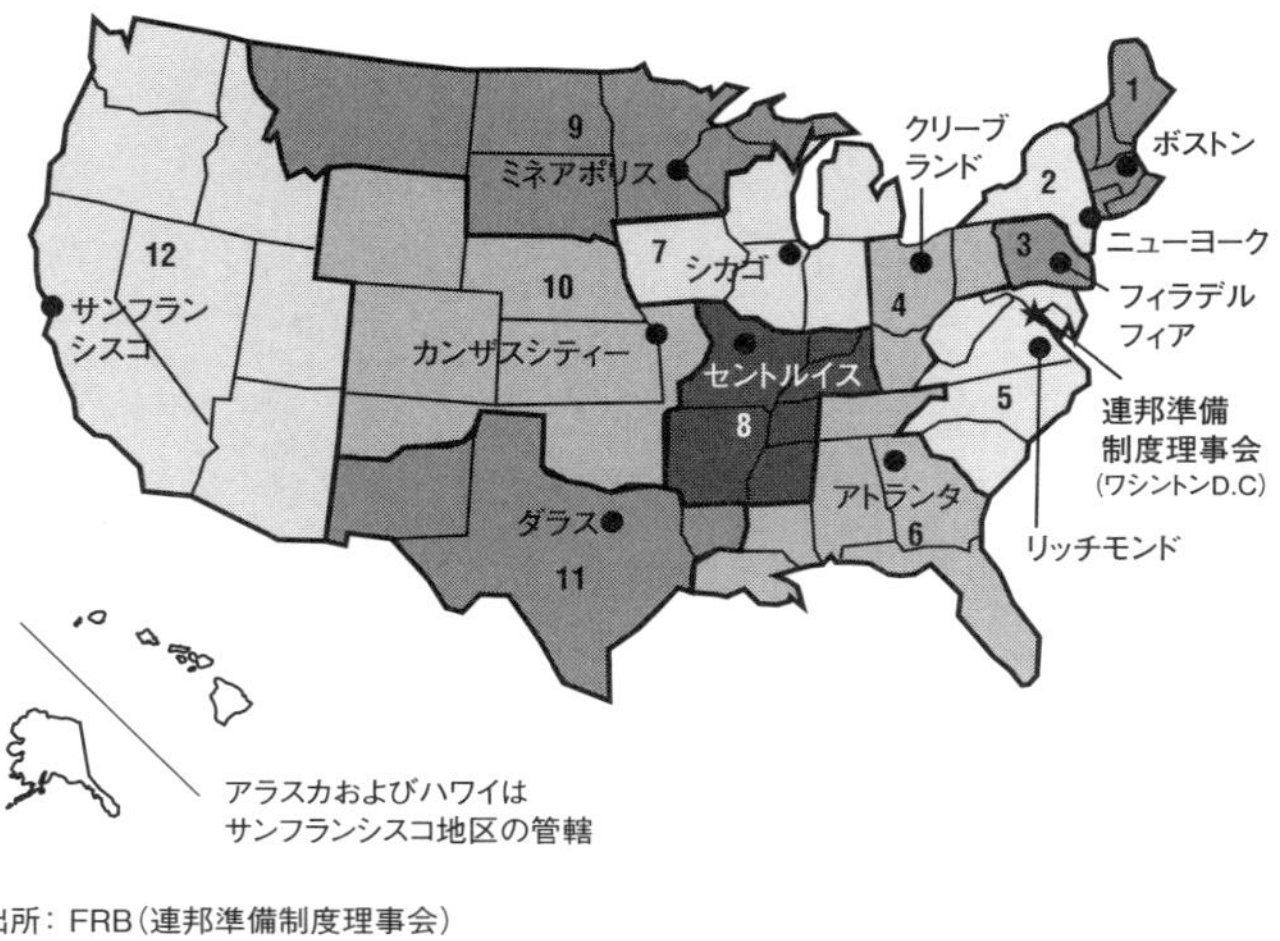

出所：FRB（連邦準備制度理事会）

ベージュブックのほかに、ブルーブックとグリーンブックと呼ばれる資料もありますが、これらはFOMCが開かれる時点では非公開となっています。専門家でない限り、これらを気にする必要はありません。私たちの目的は景気を先読みすることですから、タイムリーに手に入る情報が何よりも大事なのです。

投資戦略 その地区で盛んな産業に注目する

一般的な数値指標と同じく、ベージュブックも投資戦略を決めるための有用な判断材料となります。たとえば2006年11月のサンフランシスコ地区レポートは、次のようになっています。

「全体的に信用の質は高く、返済状況も順調である。だが一部情報筋からは住宅建築業者に対する融資の延滞が報告されており、銀行がこれらの融資に対する警戒レベルを引き上げているという声もある」

この報告には、やがて米国を襲う金融危機の影がはっきりと映し出されています。もちろんあとになっていうのは簡単なのですが、目ざとい人間なら当時、この報告を読んで不穏な動きを感じとったはずです。そしてたとえば、住宅関連株や**不動産担保証券***（モーゲージ）を回避すると

連邦公開市場委員会
連邦公開市場委員会（FOMC：Federal Open Market Committee）とは、政策金利であるFF金利（172ページ）の誘導水準など米国の金融政策を決定する委員会

不動産担保証券
不動産担保証券（MBS：Mortgage-backed securities）とは、住宅や商業用不動産といった不動産担保融資を裏づけとして発行された証券化商品。モーゲージともいう

いう動きが可能になります。

あのような金融危機はめったに起こるものではないので、ベージュブックの使い方としては例外的かもしれません。しかしベージュブックにはほかにも、投資家にとって有用な情報がたくさん含まれています。

ブルスエラ氏によると、「景気の軟化は、債券投資家にとっては強気のサイン」です。ベージュブックが景気の減速や低迷を示しているときには、ＦＲＢが短期金利の引き下げを行う可能性が出てきます。金利が下がると債券価格は上がるので、債券投資家にとってはよいニュースとなるのです。

景気が上向きの場合、ちょうど逆の動きが出てきます。ベージュブックが景気回復を示している場合、金利の引き上げが予測されます。金利が高くなると債券価格が下がるので、このようなときには債券を避けるのが賢明です。

またベージュブックは、製造業やテクノロジーといった業界別の動向を読み解くための手がかりにもなります。なぜなら地域によって、特定の産業が栄えていることが多いからです。

たとえばＩＴ業界の動向を見るなら、サンフランシスコ地区のレポートを読むのがいちばんです。サンフランシスコの南に位置するシリコンバレーには、世界に名だたるＩＴ企業が集まっているからです。この地区のレポートがＩＴ企業の好調を示しているなら、ＩＴ関連株は上がってくると判断できます。たとえば、ＩＴ関連株を対象としたプロシェアーズ・ウルトラ・テクノロジー（ＲＯＭ）などの上場投資信託が狙いめです。

ただしベージュブックはあくまでもレポートというかたちなので、ほかの数値指標とあわせて判断したほうが確実です。

まとめ24

①発表時期……連邦公開市場委員会（ＦＯＭＣ）開催の約2週間前、水曜日の午後2時（米東部時間）に発表。ＦＯＭＣの日程についてはwww.federalreserve.gov/fomc/を参照

②データの入手先

The Wall Street Journalではベージュブックの公開とともに記者が内容を精読し、内容のまとめをスピーディに掲載しています。記事を閲覧するにはThe Wall Street Journalオンライン版（wsj.com）のヘッドラインをチェックしてください。またはMarket Data Center（www.WSJMarkets.com）にアクセスし、「Calendars & Economy」→「U.S. Economic Events」のリンクを選択してください。発表時期に合わせてカレンダーに「Beige Book」というリンクが張られています。またFRBのウェブサイトで、直接データを確認することも可能です（www.federalreserve.gov/FOMC/Beigebook/）。

③**注目ポイント**……経済全般および特定の分野について、レポートが言及している手がかりに注目

④**意味すること**……匿名の担当者が地元経済界から聴取した生の情報のなかに、レポートに記載すべきと判断した重要な動きが存在する

⑤**投資アクション**……情報の内容により判断。たとえば景気悪化が示唆されているなら、国債を買う

⑥**リスク評価**……状況による

⑦**リターン評価**……アクションによる

25 クラック・スプレッド
――石油精製業者の利ざやを示す指標

●タイミング
先行指標

●関連指標
㉚ＬＩＢＯＲ（ロンドン銀行間取引金利）（188ページ）

なんだか難しそうな名前の**クラック・スプレッド**ですが、知っておいて損はありません。この指標は、ガソリン価格に関するかなりおいしい情報なのです。

クラック・スプレッドは、石油精製業者の収益性を示す指標です。原油を精製してガソリンや灯油にすることで、どれだけの利益が得られるかを表しています。

クラック・スプレッドの値が大きいときには、精製業者の利益は大きくなります。クラック・スプレッドが小さいときには、あまり利益が出なくなります。

この値がマイナスになると、石油を精製しても利益どころか損失になります。そうすると、世の中からガソリンが消えてしまうかもしれません（消える心配をする前に、ほかの経済指標を見る時間はたっぷりありますが）。

クラック・スプレッドの「クラック（crack）」とは、原油を精製する作業のことを意味します。原油からガソリンやディーゼル燃料、灯油などをつくることを、俗に「クラックする」と呼んでいます。一方の「スプレッド」は価格差という意味です。

つまり、原油価格と石油製品価格の差を表す言葉なのですが、とりわけ重要なのは石油製品のなかでもガソリンのクラック・スプレッドです。なぜなら私たちの経済の大部分は、ガソリンによって成り立っているからです。

クラック・スプレッドが広がったり縮まったりするのは、原油価格とガソリン価格が別々の動きをするからです。なぜ、原油価格とガソリン価格は連動しないのでしょうか。

ドイツ銀行のエネルギー担当チーフエコノミスト、アダム・シーミンスキ氏は次のように説明します。

「原油市場とガソリン市場は、それぞれ違うできごとの影響を受けています。たとえば石油精製会社が事故で操業できなくなった場合、ガソリン価格は上がるでしょうが、原油価格は影響を受けま

クラック・スプレッド

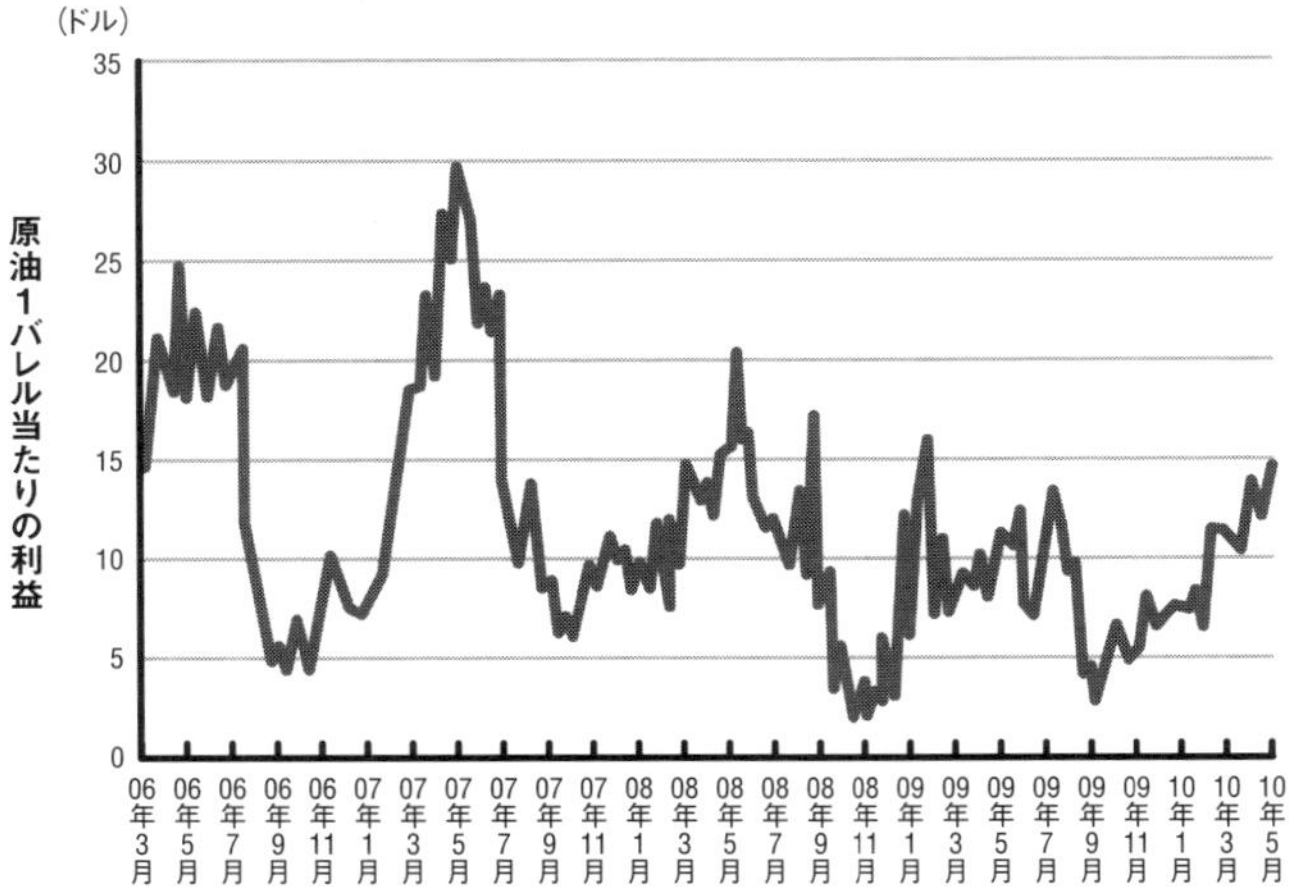

出所：ドイツ銀行

せん」

同様に、たとえば**石油輸出国機構***（OPEC）は、原油価格に対する強い影響力を持っていますが、それがすぐにガソリン価格に影響することはありません。

投資戦略 原油需要を予測して精製業者を狙う

クラック・スプレッドについてまず知っておきたいポイントは、季節によって変動するということです。春から夏にはガソリンの需要が大きく、秋と冬には灯油の需要が大きくなります。

さらに、年1回の設備メンテナンスの時期（冬の終わりに行われるのが通例）には、ガソリンの精製を行う業者が少なくなるので、クラック・スプレッドの拡大が期待されます。つまり、他社がメンテナンスをしている間に、少数の精製業者は高い値段でガソリンを売ることができるのです。

また多くの専門家は、米国内の石油精製量の合計がピーク時の需要に対して不足していると考えています。

これらのことを念頭に置いたうえで、クラック・スプレッドをもとに化石燃料の需要と供給を予測してみましょう。

クラック・スプレッドが小さいとき、石油精製業者の利益は少なくなります（クラック・スプ

石油輸出国機構
石油輸出国機構（OPEC：Organization of the Petroleum Exporting Countries）は、石油産出国の利益を守るため、イラン、イラク、クウェート、サウジアラビア、ベネズエラの5カ国の原加盟で1960年9月に設立された産油国の組織。本部はオーストリアのウィーン

レッドがマイナスになることはほとんどありませんが、精製コストの高い業者ではマイナスでなくても採算がとれなくなることはあります）。

このようなときには、精製業者は生産量を低く抑えて様子を見ます。やがて原油の需要が減って原油価格が下がり、ガソリンの在庫が減ってガソリン価格が上がってくるのをじっと待つのです。逆にクラック・スプレッドが大きいときには、安く買って高く売ることができるので、チャンスを逃さないうちにたくさんのガソリンをつくろうとします。すると原油の需要が増え、同時にガソリンや灯油の在庫も増えていきます。

シーミンスキ氏によると、クラック・スプレッドで儲けるコツは「精製事業に深く関わっている業者を探しだすこと」だそうです。

たとえば、石油精製大手のバレロ・エナジー社（ＶＬＯ）が代表的です。クラック・スプレッドが大きいとき、バレロ社は大きな利益を得ることができます。クラック・スプレッドが小さいときには、バレロ社の利益も小さくなります。

ただし、すべての石油関連業者でこのような動きが見られるわけではありません。精製事業の位置づけが小さい会社もあるからです。したがって、精製業者の株を買う前に、その会社の事業をしっかりとリサーチすることが大切です。

もう１つ気をつけておきたいのは、クラック・スプレッドは物事の一面しか教えてくれないということです。原油の需要は予測できますが、原油の供給についての手がかりにはなりません。ガソリンの供給は予測できますが、ガソリンの需要を知ることはできません。

ですから、ほかの指標と組み合わせて見るのが効果的です。

たとえば、**バルチック海運取引所***が出しているバルチック原油タンカー指数（Baltic Dirty Tanker Index）を見ると、原油の供給と石油製品の需要を予測することができます。こうして全体像を把握しておけば、石油マーケットで儲けることも容易になりますし、景気の動きもはっきりと見えるようになります。

まとめ25

①発表時期……随時

②データの入手先

エネルギー価格データは、The Wall Street Journal の Data Center で確認できます。www.WSJMarkets.com にアクセスし、上部メニューから「Commodities & Futures」を選択し、「COMPLETE COMMODITIES & FUTURES DATA」→「Energy」以下の「Petroleum」をクリックしてください。一覧表から原油価格（Crude Light Oil）とガソリン価格（RBOB Gas）および灯油価格（Heating Oil）を確認するところまでが下準備です。

バルチック海運取引所
バルチック海運取引所は、イギリスのロンドンにある海運取引所。単にバルチック取引所とも呼ばれ、海運市況情報の提供やブローカー業務、紛争処理などを行っているクラック・スプレッドを計算するためには、少し数値を調整する必要があります。原油価格は**バレル***、ガソリンおよび灯油価格はガロン当たりの価格で表示されているため、1バレルを42ガロンとして単位を合わせてください。また精製時にはガソリンと灯油が両方つくられるため、ガソリンと灯油の比率を考慮する必要があります。伝統的に用いられるのは原油：3、ガソリン：2、灯油：1という比率です。つまりこれらを考慮した計算式は（(42×2×ガソリン価格)＋(42×1×灯油価格)－(3×原油価格)）÷3となります。CMEグループのウェブサイトには専用の計算フォームが用意されているので、そちらを利用するのもいいでしょう（www.cmegroup.com/tools-information/calc_crack.html）。時間のない方には、クラック・スプレッドの推移データを定期的に提供してくれる有料情報サイトもあります。

③注目ポイント……クラック・スプレッドの拡大（縮小）
④意味すること……石油精製業者の利益が大きい（小さい）
⑤投資アクション……バレロ・エナジー社など精製事業に主軸を置く企業の株を買う（売る）
⑥リスク評価……高
⑦リターン評価……$$$

バレル
1バレルは、約159リットルで、42ガロン

26 CAO（信用力オシレーター）

――お金は世界をまわさない？

●タイミング
先行指標

●関連指数
㉚LIBOR（ロンドン銀行間取引金利）（188ページ）

ミュージカル映画『キャバレー』はすばらしい名作です。なかでも「お金が世界を回してる（Money, Money）」という歌は印象的です。しかし正確にいうと、世界をまわしているのはお金ではありません。現代のビジネスおよび経済の世界をまわしているのは、クレジット、つまり信用です。お金そのものではなく、お金を借りる力なのです。

２００８年の大規模な信用収縮は、私たちの経済がいかに信用で動いているかということをまざまざと見せつけました。経済のダメージはとどまるところを知らず、やがて世界的な金融危機へとつながっていきました。

この金融危機が私たちに何らかの教訓を残したとすれば、それは「お金の貸し借りの流れが滞ると、ビジネスの世界は身動きがとれなくなり、経済が止まってしまう」ということです。

企業や個人に対する融資が増えれば、それだけ経済活動は活発になり、景気拡大につながります。逆にお金を借りるのが難しくなれば、企業活動に支障が出て、景気は低迷します。

フィラデルフィアの投資銀行ジャニー・モンゴメリー・スコットの優秀な債券アナリストたち

は、早くからそのことに気づいていました。2007年に彼らは、世の中の信用度合いを数値で表すことに成功し、それを**信用力オシレーター**（Credit Availability Oscillator）と名づけました。英語の頭文字をとって、**CAO**と呼ばれています。

CAOの開発に深く関わってきたジャニー・モンゴメリー・スコットのチーフ債券ストラテジスト、ガイ・リーバス氏は、現代の経済がいかに信用の上に成り立っているかをひしひしと感じていました。

「借り入れ能力は個人消費を左右する決定的な要素です」とリーバス氏は言います。

彼は2007年当時、住宅ローンに大きな懸念を抱いていました。

「もしも**住宅ローンの借り換え***ができなくなったら、消費は大きく落ち込むのではないか？」そう考えたのが、CAOをつくるきっかけでした。

CAOの算出ロジックは企業秘密とされていますが、さまざまな定量的データおよび定性的データが使われているそうです。それらのデータをもとに、お金の借りやすさが計算されるのです。

たとえば定性的データの1つは、四半期ごとに行われる各種ローンの借りやすさの調査です。こうした四半期データと、日々の定量的データを組み合わせることで、精密なCAOを割り出していきます。

住宅ローンの借り換え
住宅価格が上昇していた時期の米国では、住宅を担保に高額融資を受ける「増加借り換え」が一般的だった

ロンドン銀行間取引金利
ロンドン銀行間取引金利（LIBOR：London Inter-Bank Offered Rate）は、指定された複数の有力銀行から報告された午前11時時点の資金の出し手側のレートを、英国銀行協会（BBA）が集計し毎営業日発表している

定量的データには、債券の取引価格などが含まれます。特に自動車ローンに関わる債券や、信用度の低い人を対象にしたローン、いわゆるサブプライムローンの債券が重視されます。

また、**ロンドン銀行間取引金利***（ＬＩＢＯＲ）にも注目していきます。これは銀行同士の貸し借りにかかる金利のことで、金融機関の信用力を測る重要な指標です。

ＣＡＯは２００７年につくられたばかりの指標ですが、時系列で推移を見られるように、過去にさかのぼったデータも提供されています。

CAO（信用力オシレーター）

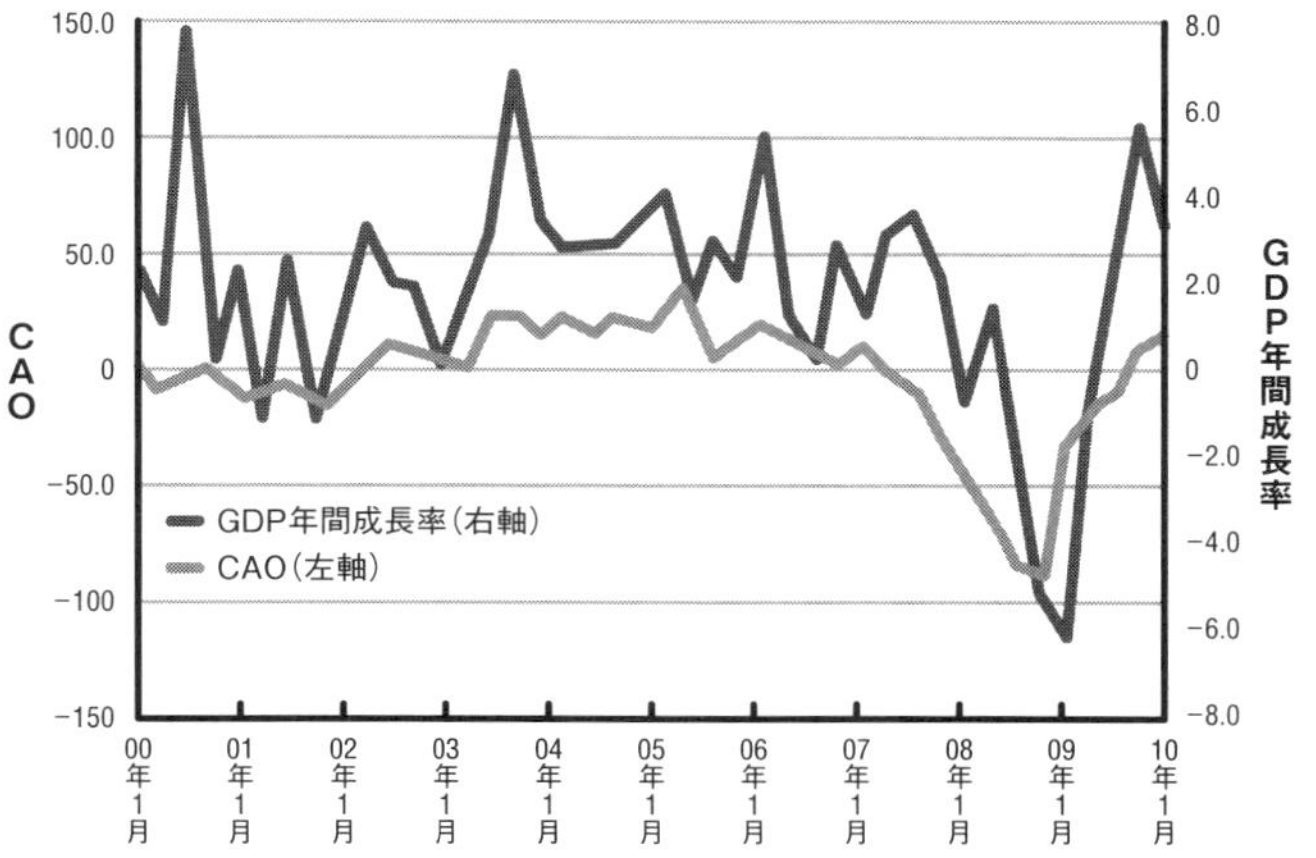

出所：ジャニー・モンゴメリー・スコット

投資戦略　CAOが異常に高くなったら投資を現金に移す

ＣＡＯはとても読みやすい経済指標です。ＣＡＯの値がゼロのときは、信用力が普通のレベルにあることを表します。ローンを組むのが困難でもなければ、それほど簡単でもない状態です。ＣＡＯの値がプラスのときには、信用力が増してお金が借りやすくなっています。

たとえば、２０００年代半ばにはＣＡＯが20や30にまで上昇しましたが、２００６年後半には一気に落ち込み、２００２年以来初めてのマイナスを記録しました。

「これは貸し出しの条件が急激に厳しくなったことを示しています」とガイ・リーバス氏は説明します。

「それが何をもたらすかは明白です。融資が受けられなければ企業は利益を出すことが難しくなり、製品の需要は減り、経済成長が阻害されます。ＣＡＯがマイナスになると、経済は減速するのです」

ＣＡＯを見るときには、特定の時点のデータだけでなく、２～３四半期の中期的なデータをあわせて見ることで、より深い洞察が得られます。リーバス氏は、ＣＡＯに使われる内部データを大量に見ているので、全体的な傾向に沿った数値と、例外的な動きをしている数値を見分けることもできるそうです。

なおＣＡＯが異常に高くなっているときは、資産バブルの可能性があります。このような動きが見えたら、借入金の比率を減らし、債券などの投資をキャッシュに移したほうがいいでしょう。

まとめ26

①**発表時期**……ジャニー・モンゴメリー・スコットのレポート刊行時

②**データの入手先**

ＣＡＯは投資銀行ジャニー・モンゴメリー・スコットの顧客に対して提供されるデータですが、顧客でなくても情報を入手することは可能です。大手の銀行に関する調査結果はウェブ上に出てきている場合も多いので、まずは検索してみてください。また、データに顕著な動きがあった場合は、新聞などのメディアに取り上げられることもあるのでチェックしておきましょう。

③**注目ポイント**……ＣＡＯの上昇（低下）

④**意味すること**……借り入れが容易に（困難に）なっており、近いうちに景気が拡大（縮小）する

⑤**投資アクション**……リスクの高い株にチャレンジしてみる（安全な資産に逃げる）

⑥**リスク評価**……中

⑦**リターン評価**……$$

27 FF金利
——景気を自在にあやつるコントローラー

自動車を運転するとき、アクセルを踏めば加速し、ブレーキを踏めば減速します。それと同じように、米国の中央銀行にあたる**連邦準備制度理事会***（ＦＲＢ）は、**ＦＦ金利**（フェデラル・ファンド金利）を使って、経済のスピードをコントロールしています。

ＦＦ金利とは、銀行同士が短期でお金の貸し借りをするときに適用される金利のことです。

ＦＲＢがＦＦ金利を引き上げれば景気は減速し、引き下げれば景気は加速します。

もちろん経済を動かすには、自動車を運転するよりも少々複雑な手順が必要です。ＦＲＢは定期的に金融政策決定のための**連邦公開市場委員会***（ＦＯＭＣ）を開催し、そこで金利の目標値を決定します。ＦＦ金利が重要なのは、他のさまざまな金利に直接影響するからです。**変動金利型*住宅ローン**（ＡＲＭ）やクレジットカードの利率、銀行預金の利息などにも影響してきます。

三菱東京ＵＦＪ銀行（ニューヨーク）のエコノミスト、エレン・ゼントナー氏は次のように語っています。

「ＦＯＭＣが金利を変更すると、銀行が業務を行うためのコストが変わってきます。銀行のコス

●タイミング
先行指標

●関連指標
㉚ＬＩＢＯＲ（ロンドン銀行間取引金利）（１８８ページ）
㊴イールドカーブ（利回り曲線）（２３２ページ）
㊺クレジット・スプレッド（２６５ページ）
㊻ＴＥＤスプレッド（２７１ページ）

連邦準備制度理事会
連邦準備制度理事会（ＦＲＢ：Federal Reserve Board）は、連邦準備制度の統括機関で、中央銀行に相当する

ト増は、そのまま顧客の負担を増やすことになります」

つまりＦＦ金利が上がると、ローンやクレジットカードの債務にかかるコストが増えてくるのです。すると人々が商品やサービスを買うのに使えるお金が減ってしまいます。

その結果、景気は減速していきます。ＦＯＭＣの金利引き上げはかなり小さな上げ幅で行われることが多いのですが、それでも一部の人にとっては深刻な打撃となります。

「ラクダの背に大量の藁を積んでいけば、どんなに１本１本の藁《わら》が軽くても、ラクダはいつか必ず重みに押しつぶされます。ＦＦ金利のわずかな上昇は、いわばラクダの背をくじく最後の１本の藁となるのです」（ゼントナー氏）

同様に、ＦＦ金利の引き下げは、クレジット

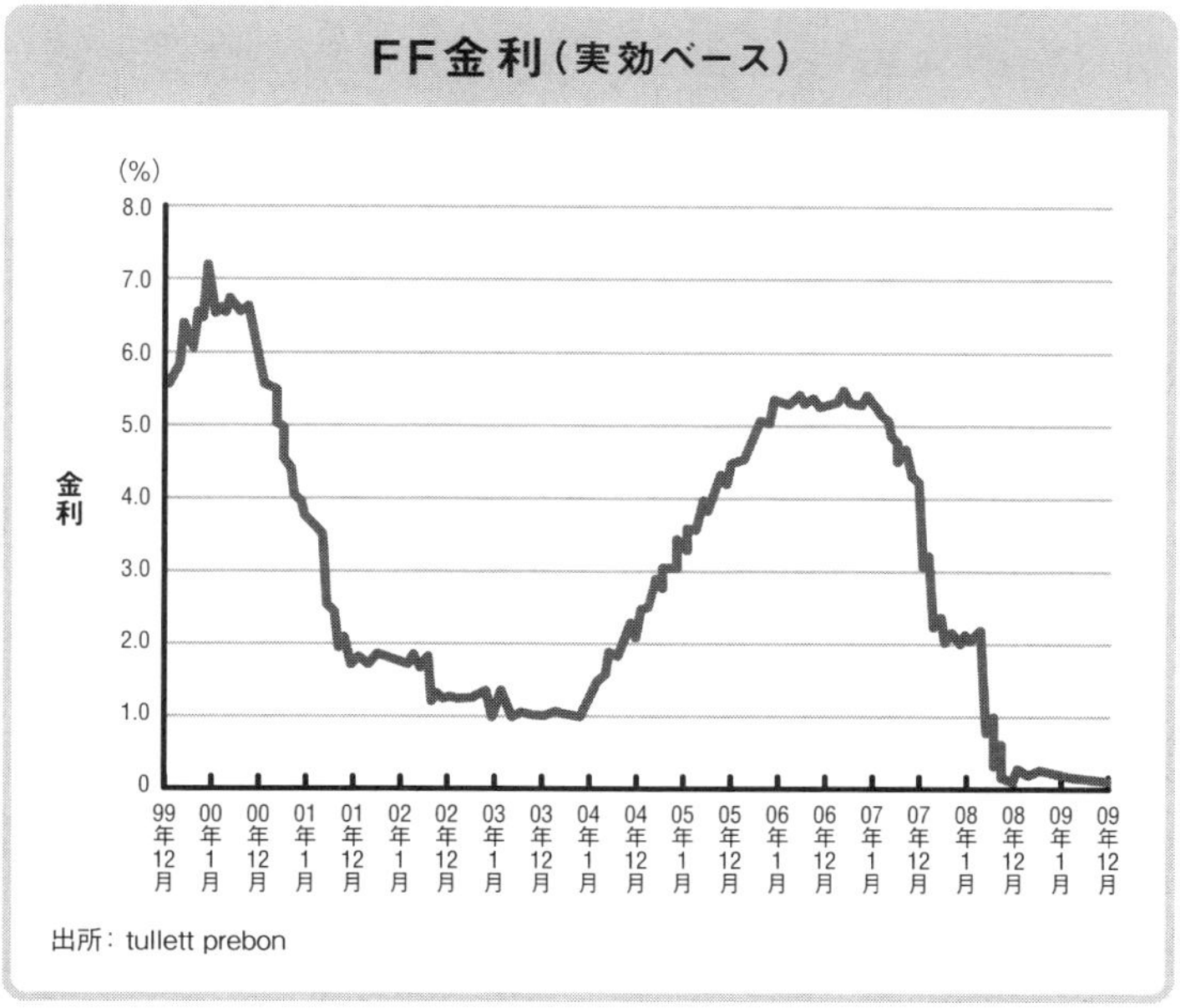

出所：tullett prebon

カード債務に苦しむ人々にとって、天からの恵みのようなものです。ＦＦ金利が下がれば、何もしなくても月々の返済額が減ってくれるのです。

投資戦略　金利低下なら景気拡大にそなえる

ＦＦ金利は、非常に注目度の高い指標です。ＦＯＭＣが金利を変更しようとしているときは、銀行の業務が中断されることもあるほどです。

株や債券の価格は、金利の影響を受けて変動します。ＦＦ金利が低いときには、債券の価格が上がります。株価も低金利によって上昇する傾向があります。金利が下がるということは、お金を借りるコストが安くなる、つまり企業が銀行に支払う負担が少なくなります。そのぶん企業は利益を確保できるわけです。そのため、失業率や製造業の業績が悪化しているようなときに、債券や株の価格はむしろ高くなることがあるのです。ＦＦ金利の引き下げ、あるいは少なくとも据え置きされるだろうという期待が強まってくるためです。

ＦＦ金利を予測することは簡単ではありませんが、戦後の不況期を振り返ってみると、必ず回復前にＦＦ金利の大幅な引き下げがあったことがわかります。

ただし、金利引き下げの決定が間に合わず、深刻な不況をまねいてしまった場合もあります。前ページのグラフに示されている２００８年から２００９年のデータがその一例です。

連邦公開市場委員会
連邦公開市場委員会（FOMC：Federal Open Market Committee）とは、米国の金融政策の方針を決定する委員会

変動金利型住宅ローン
住宅ローンの返済中に、経済情勢の変化に連動して金利が変わる方式の住宅融資

まとめ27

①**発表時期**……連邦公開市場委員会（ＦＯＭＣ）開催日の午後2時15分（米東部時間）。ＦＯＭＣの日程については www.federalreserve.gov/fomc/ を参照

②**データの入手先**

The Wall Street Journal オンラインの Market Data Center（www.WSJMarkets.com）にアクセスし、上部メニューから「Bonds, Rates & Credit Markets」を選択してください。移動先ページ内の「Consumer Money Rates」欄の表にある「Federal-funds rate target」がＦＦ金利を表します。金利に変更があったときは、各報道機関がいっせいに報道するので情報は簡単に入ってきます。また**セントルイス連銀***が提供している**ＦＲＥＤ***データベースは、ＦＦ金利を過去にさかのぼって調べるのに便利です。

③**注目ポイント**……ＦＦ金利の上昇（低下）

④**意味すること**……近い将来に景気が減速（加速）してくる

⑤**投資アクション**……製造業などの株を売る（買う）。景気に左右されにくい業界の株を買う（売る）

⑥**リスク評価**……低

⑦**リターン評価**……$

セントルイス連銀
セントルイス連邦準備銀行は、米国のミズーリ州セントルイスに本店を置く連邦準備銀行の1つ

FRED
セントルイス連邦準備銀行が無料で提供するFRED（Federal Reserved Economic Data）は、収録範囲が金融部門だけにとどまらず、GDP、財政、貿易、産業など多岐にわたる

28

出生率
——ベッドルームから見えてくる消費トレンド

●タイミング
先行指標

セックスが世界をまわしている、というのは言いすぎかもしれませんが、しかしかなり正確な事実です。なぜかというと、セックスの結果は往々にして子どもの誕生となり、その後何十年にもわたる消費パターンを形づくっていくことになるからです。

一定の年齢層に属する人々は、それぞれ似通った行動パターンをとる傾向があります。たとえば、多くのアメリカ人は20代後半で結婚し、子どもをつくります。そして同じ時期に、家を買うケースも多く見られます。やがて子どもが大きくなって家を離れると、親たちは老後に向けて貯蓄をはじめます。

しかしそれぞれの年齢層に属する人々の数は、時代によって大きく異なります。戦後まもなくアメリカではベビーブームが起こり、子どもの数が膨れ上がりました。彼らはやがて大人になり、その圧倒的な数の力で20世紀後半から21世紀にかけてのさまざまなトレンドをつくり出していったのです。

「ベビーブーム世代は家族をつくり、貯蓄をはじめ、そして今まさに引退のときを迎えようとしている」と、『最悪期まであと2年！　次なる大恐慌』の著者、ハリー・S・デント・ジュニア氏は言います。デント氏は**出生率**の推移を研究していますが、戦後ベビーブームの直後に生まれた世代が驚くほど数が少ないことに注目しています。

世代によって人口が大きく違うということは、すなわち経済のどのエリアにお金を使うかという傾向が、時代によって変わってくることを意味します。たとえばベビーブーム世代の消費行動は、今後ヘルスケア（医療・健康関連）に向かっていきます。

世代としての消費パターンという考え方を身につければ、この先の消費傾向がどこへいくのかを予測することが可能になるのです。

出生率についてもう1つ興味深いのは、国が経済的に豊かになるにつれて出生率が低下するとい

米国出生率

出所：Historical Statistics and Health

う事実です。裕福な国の女性は、あまり子どもを産まない傾向にあります。その理由として、豊かな国では子どもを持つことによる経済的メリットの低いことが指摘されています。

貧しい国では、子どもは貴重な労働力となります。また老後の生活を考えると、何人も子どもがいたほうが、いざというときに面倒を見てくれるだろうという安心感があります。

しかし、豊かな国では事情が違ってきます。児童労働は法律で制限されていますし、老後のセーフティーネットも政府によって多かれ少なかれ保障されているからです。

このように、経済的に豊かになると家族は小さくなり、そしてより多くのお金が自動車や住宅に費やされるようになります。

投資戦略 ベビーブーマーの高齢化が生みだした穴に注目する

出生率は投資家にとって大きな意味を持っています。特に資産配分を考えるときには重要なファクターになります。たとえば人口の推移がヘルスケア産業に有利に働くなら、ヘルスケア関連の株を組み込んでみるべきかもしれません。

人口の推移が業界を動かすのは、世代によって出費の対象が違ってくるからです。多くの人は年をとるにつれて、ヘルスケア関連の出費が多くなります。これは自然なことで、ベビーブーム世代も例外ではありません。

しかし、ほかの世代と違うのは、ベビーブーム世代は圧倒的に数が多いという事実です。彼らがヘルスケアにお金を使うようになれば、ヘルスケア業界はそのニーズに追いつくために、他の業界よりも急ピッチで成長することになるのです。

そうすると、ヘルスケア業界の株価は全体的に上がってくることが予想されます。ですから、ヘルスケア株に多くの資産を配分することは、理にかなっているといえるのです。

ただし、株価の動きにはほかの多くの要素が絡んでくるので、購入する前にしっかりと調査することを忘れないでください。

またデント氏は、ベビーブーム世代が米国の貯蓄率を引き上げていると指摘します。

理由は簡単です。定年が近づくにつれて、人は貯蓄して老後に備えようとするからです。

これは昔から変わらない傾向です。ベビーブーム世代の親たちも同じことをやってきました。もしも世代間の人口に差がなかったら、経済は特に影響を受けないはずです。人口比率が同じであれば、ベビーブーマーの貯金が増えたとしても、その下の世代の消費によって相殺されるからです。

しかし、現実にはベビーブーム世代の人口のほうが圧倒的に多いので、その下の世代がいくらがんばって消費しても、ベビーブーマーの消費が消えた穴を埋めあわせることはできません。

こうした貯蓄率の上昇は米国経済に悪影響をおよぼす、というのがデント氏の主張です。

彼は、今後10年ほどの間は貯蓄率が増えて消費が落ち込み、株式市場は停滞するだろうと見ています。しかし私は、この点については違う見方をしています。本書のほかの章でも説明したように、貯蓄が増えるということは、投資に使えるお金が増えるということでもあります。全体として見れば、貯蓄と投資は同じであるというのが経済学の伝統的な考え方です。

たしかに投資されたお金は、消費された場合と同じように動くわけではありません。しかし、どこかに動いていくはずです。

ポイントは、「投資されたお金がどこに流れていくのか」を見きわめることです。

そのためには、他の経済指標にも目を向ける必要があります。たとえば耐久財受注額（65ページ）を見て、設備投資が増えているかどうかをチェックしておきましょう。

まとめ28

①発表時期……国により異なる。リアルタイム性は低いので、現時点で入手可能な最新データを参照のこと

②データの入手先

１９９８年頃までの米国の出生率については、Historical Statistics and Health 誌などで確認できます。最近のデータについては、国立健康統計センターのウェブサイト（http://

www.cdc.gov/nchs/）を参照してください。また米国以外のデータについては、NationMaster.com のウェブサイト（www.nationmaster.com/graph/peo_bir_rat-people-birth-rate）にまとめられています。なお、本文にご登場いただいたハリー・S・デント・ジュニア氏の著作、"The Great Depression Ahead: How to Prosper in the Crash Following the Greatest Boom in History"（邦訳『最悪期まであと2年！ 次なる大恐慌―人口トレンドが教える消費崩壊のシナリオ』（ダイヤモンド社、２０１０年）の中でも、出生率のことが詳しく論じられています。すべて鵜呑みにする必要はありませんが、出生率と投資戦略についておもしろい視点が得られると思います。

③注目ポイント……人口統計、特に出生率の変化

④意味すること……将来的な需要の増加・減少。また教育やヘルスケアなど特定分野の需要の変化

⑤投資アクション……購買力のあるベビーブーム世代が高齢化している場合、ヘルスケア産業の株が有望。人口の多い世代が大学進学を控えている場合、教育関連の株が有望

⑥リスク評価……高

⑦リターン評価……$$$

29

1人当たりGDP
——GDPが大きいのに暮らしは貧しい国

●タイミング
一致指標

GDP
国内総生産（GDP：Gross Domestic Product）とは、一定期間内に国内で産み出された付加価値の総額

私たちは以前と比べて裕福になっているのでしょうか、それとも貧しくなっているのでしょうか？

それを知るためのすぐれた指標が、**1人当たりGDP**です。

1人当たりGDPは、「その国の平均的な人間がどれくらいの価値を稼いだか、または生み出したか」を測る指標です。1人当たりGDPの値が高ければ高いほど、その国は平均的に豊かであるといえます。この指標はなぜか言及されることが少ないのですが、本来ならもっと注目されるべきです。

考えてみてください。2010年、中国のGDPが初めて日本のGDPを追い抜き、中国経済はアメリカに次いで世界第2位の座を勝ち取りました。ということは、中国人のほうが日本人よりも裕福だといえるのでしょうか？

とんでもない。中国は国内総生産でいえば日本よりわずかに上ですが、その価値の総額を日本よりもはるかに多い人数で分けあわなくてはならないのです。

米国中央情報局*（ＣＩＡ）が発表している公式推定値によると、２００９年の中国および日本の経済規模はどちらも約5兆ドルでした。しかし、日本の人口が1億３０００万人であるのに対し、中国の人口はおよそ10倍の13億人です。すなわち、中国の１人当たりＧＤＰは日本のおよそ10分の１であるということになります。

ＰＮＣファイナンシャル・サービシズ・グループのシニアエコノミスト、ロバート・ダイ氏はこのように述べています。

「医者が患者の胸に聴診器を当てるのと同じように、エコノミストは１人当たりＧＤＰを見ることで経済の健康状態を判断します。１人当たりＧＤＰの高い国は、経済が成熟していると考えられます」

１人当たりＧＤＰは国民の生活水準を知るために欠かせない指標です。一般に、１人当たりＧＤＰが高い国では、人々の生活水準も高い傾向にあります。

しかし、単純にそうとも言いきれません。

「所得の分配に注意しなくてはいけない」とダイ氏は指摘します。生み出された価値は、平均的な収入を得る多くの国民に広く分配されているでしょうか。それとも一握りのエリートが巨額の富を手に入れ、大多数の人々は貧しさにあえいでいるのでしょうか。

分配の状況によって、事情はずいぶん違ってきます。

米国中央情報局
米国中央情報局（CIA：Central Intelligence Agency）は、対外諜報活動を行う米国の情報機関の1つ所得の分配がどれくらい平等に行われているかを知るための指標が、**ジニ係数**[*]です。

ジニ係数が0のとき、すべての国民は完全に等しい所得を得ています。ジニ係数が1のときは、誰か1人が所得を独り占めして、他の人はまったく何も手に入れていないことになります。

もちろん0や1という極端な状態は、現実には起こりません。あのサダム・フセインのイラクでさえ、ジニ係数が1という状態にはなりませんでした。

ジニ係数が0・15から0・45の間であれば、その国はかなり平等な状態にあります。実際にそのような国は多く存在しています。

ジニ係数を低く保つことは、政治的安定とビジネスの健全な成長のためにも重要な課題であるといえます。

1人当たりGDP

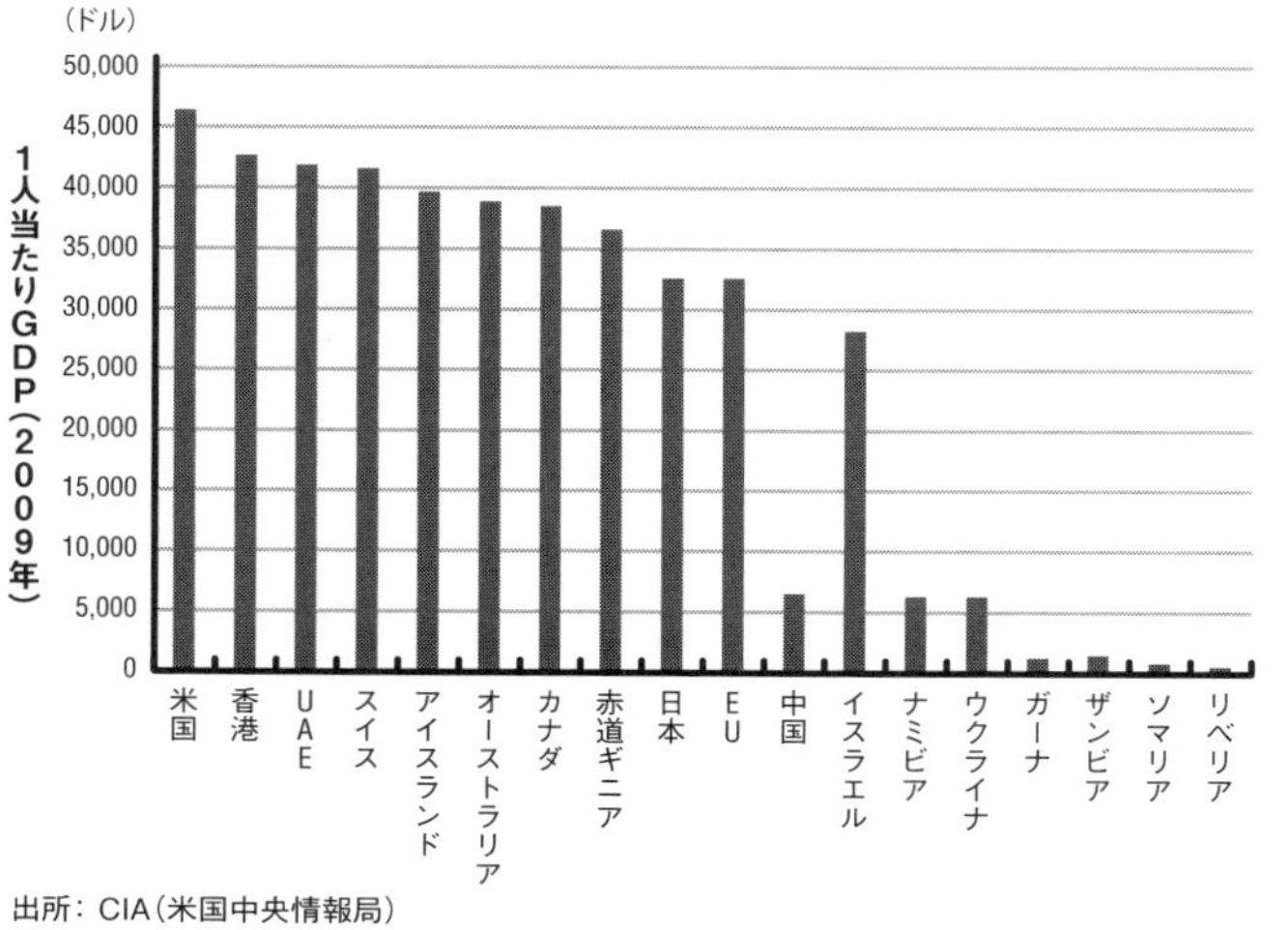

出所：CIA(米国中央情報局)

投資戦略 法体系の罠に注意する

国が豊かになるにつれて、人々は生活必需品以外のものを買い求めるようになります。「1日に1ドルしか使えない生活では、食料を買うので精いっぱいです。しかし豊かになってくると、贅沢品にお金を使うようになります」（ロバート・ダイ氏）

はじめは贅沢品といっても靴や洋服、電球のようなものかもしれません。でもそこから発展がはじまるのです。1つ、また1つと、便利なものや快適なものが増えていきます。

そうして豊かになっていく国では、拡大していく消費文化のなかでたくさんの新たな製品が求められてくるでしょう。

しかしここにも、注意しなくてはならない罠があります。

その国の法体系です。ビジネスに関する法体系がきちんと整った国のほうが、しっかりと財産権が守られ、汚職も少なくなる傾向にあります。

1人当たりGDPの下位に位置する国では、たいてい付加価値の低い農業および工業がメインとなっています。そこからのし上がるためには、付加価値の高いビジネスに転向する必要があります。政府の方針として新たな産業の育成に力を入れているような国は、急成長を遂げる可能性があるので注目しておきましょう。1970年代のチリや、1960年代から90年代にかけての韓国などが、その好例です。

ジニ係数
社会における所得分配の平等・不平等を測る指標。0から1までの数字で示され、0に近づくほど平等、1に近づくほど不平等で格差が大きいことを意味する

法体系が整っていて経済成長のスピードが速い国は、投資家にとって非常に魅力的なターゲットとなります。ただし大きな報酬には、大きなリスクが付きものです。いわゆる新興国の市場に直接投資するのはリスクが大きすぎるかもしれません。

その代わり、新興国に現地法人を置いている大手企業を選ぶという手があります。まずは米国に拠点を置いた多国籍企業からはじめてみるといいでしょう。

まとめ29

①発表時期……米国GDPの速報は1月・4月・7月・10月の各最終週に発表。発表時刻は午前8時30分（米東部時間）。1カ月後と2カ月後に改定値が発表されるので、毎月月末に何らかの発表があることになる

②データの入手先

The Wall Street Journal ではGDP関連データをつねに追跡しています。GDP統計が発表され次第、The Wall Street Journal オンライン版のヘッドラインに速報記事が掲載されます。また、MeasuringWorth のウェブサイトにも米国および英国のGDP推移がまとめられています。そのほかの国については、NationMaster.com や米国中央情報局（CIA）（www.cia.gov）の World Factbook を参照してください。**経済協力開発機構***（OECD）

経済協力開発機構
経済協力開発機構（OECD：Organization for Economic Co-operation and Development）は、ヨーロッパ諸国を中心に日・米を含め30カ国の先進国が加盟する国際機関。本部はフランスのパリに置かれている

（www.oecd.org）や、世界銀行*（www.worldbank.org）のウェブサイトにも世界各国のGDPが詳しく掲載されています。

③注目ポイント……「1人当たり実質GDPの伸びが大きい」「収入格差が小さい、または縮小しつつある」「公平なビジネスを可能にする法制度がある」

④意味すること……急速な経済成長が見込まれる

⑤投資アクション……成長が見込まれる新興国に進出している多国籍企業の株を買う。リスクを取るなら現地企業の株も選択肢の1つ

⑥リスク評価……中～極めて高い

⑦リターン評価……$$～$$$$

世界銀行
世界銀行（WB：World Bank）は、各国の中央政府または同政府から債務保証を受けた機関に対し、融資を行う国際機関

30 LIBOR（ロンドン銀行間取引金利）
——経済の血液はうまく流れているか

銀行でお金を借りるのに苦労した経験はあるでしょうか。そんなとき、銀行はなぜこんなにも人を信用しないのかとイライラすることがあります。でもそのようなあつかいを受けているのは、あなただけではありません。銀行同士だって、おたがいを信用できないでいるのです。

銀行同士の信用力（あるいは信用力の欠如）を測るには、銀行が無担保で短期資金を貸し借りする際の金利を見ます。無担保の貸し借りは、借り手の誠意と信用によってのみ成り立つので、信用力を測るためのよい基準となるのです。

このような条件下における銀行間取引の金利は、**LIBOR**（ロンドン銀行間取引金利）によって知ることができます。LIBORはロンドン市場における銀行間取引の平均金利（資金の出し手側のレート）のことで、**英国銀行協会***（BBA）によって毎日発表されています。

CMCマーケッツのチーフ外国為替ストラテジスト、アシュラフ・ライディ氏によると、LIBORの上昇は「資金のアベイラビリティーが低下し、金融システム全体に負荷がかかっている状態」を指します。

●タイミング
先行指標

●関連指標
㉖CAO（信用力オシレーター）（167ページ）
㊻TEDスプレッド（271ページ）

英国銀行協会
英国銀行協会（BBA：British Bankers' Association）は、英国の銀行・金融サービス業の業界団体。BBAと略称するわかりやすくいうと、ＬＩＢＯＲが高いときは、銀行間のお金の流れが滞るということです。
「ＬＩＢＯＲは毎日、ロンドン時間で午前11時きっかりに再設定されます。これは銀行間の資金の流れに対する心臓の拍動のようなものだといえます」（ライディ氏）

ＬＩＢＯＲは10の異なる通貨に対して発表されます。対象となっているのはユーロ、米ドル、豪ドル、カナダドル、ニュージーランドドル、英ポンド、スイスフラン、日本円、デンマーク・クローネ、スウェーデン・クローナです。

また、貸し出し期間別にも発表されており、１日限りの翌日物から長いものでは12カ月物まで、さまざまに分類されています。要するに、たくさんの数字が並んでいるわけです。

ＬＩＢＯＲが正式に発表されるようになったの

3カ月米ドルLIBOR

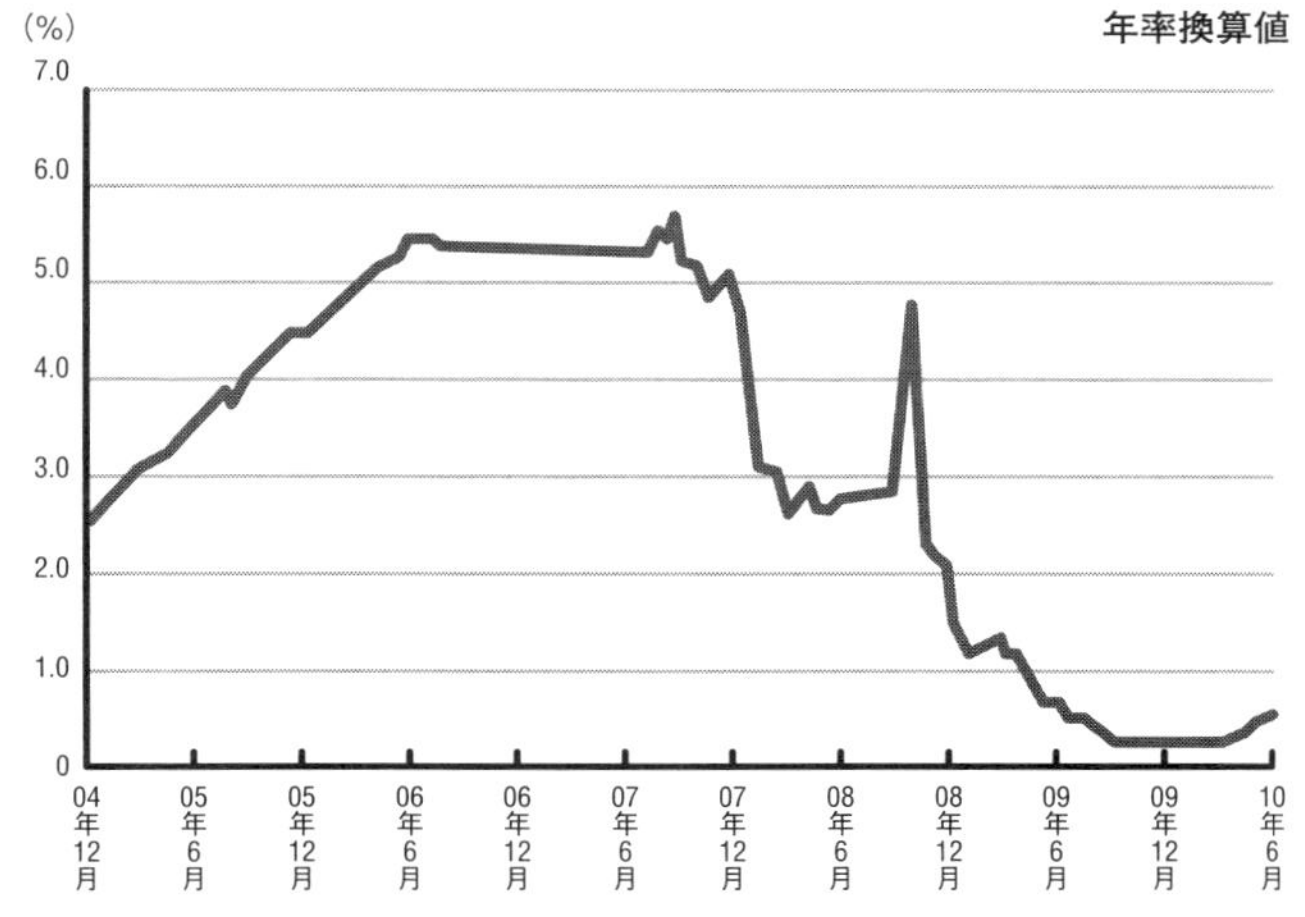

出所：トムソン・ロイター

は1986年のことで、英国銀行協会が金利の標準化のためにはじめたものでした。ちょうど**金利スワップ***という**デリバティブ***商品が登場しはじめた頃で、いわば必要に迫られるかたちだったといえます。

ＬＩＢＯＲは、銀行間の信頼度を表すだけではありません。それよりもはるかに重大な意味合いを持っています。ＬＩＢＯＲを基準として、世の中の変動金利ローンの利率が決まってくるからです。個人や企業に対するさまざまなローン、たとえば変動金利型住宅ローンなどもここに含まれます。住宅ローンの支払いは、多くの人にとって月々のもっとも大きな負担です。

それだけＬＩＢＯＲは、私たちの生活にとって重要な意味を持っているといえます。住宅ローンの返済額が増えれば、そのぶん家計は苦しくなり、ものを買う余裕がなくなります。最悪の場合、ローンが返済できなくなってしまいます。

それがどのような不幸をもたらすかは、容易にご想像いただけるでしょう。

投資戦略　急上昇なら安全な現金に逃げる

たいていの場合、ＬＩＢＯＲは通常の金利と同じような動きをします。

つまり、不景気のときには下がり、好景気のときには上がります。これは単純な話で、景気がよいときは、個人も企業もどんどんお金を借りようとするので、その需要に押し上げられるかた

金利スワップ
金利スワップ（Interest Rate Swap）は、同一通貨間で、異なる種類の金利（たとえば変動金利と固定金利）を交換する取引。金利変動リスクを回避するため利用されることが多い

デリバティブ
デリバティブとは、伝統的な金融取引（借入、預金、債券売買、外国為替、株式売買等）や、実物商品・債権取引の相場変動によるリスクを回避するために開発された金融商品

ちで金利も上がってくるのです。逆に景気が悪いときには、みんなお金を借りようとしないので、金利もだんだん下がってきます。

ＬＩＢＯＲが興味深い動きを見せるのは、金融危機のようなケースです。

２００８年の大不況に先んじて、ＬＩＢＯＲは大きく下落しました。ここまでは想定の範囲内です。しかしその年の秋、金融危機のまっただ中に、ＬＩＢＯＲは急上昇を見せたのです。いわゆる信用危機が起こった時期です。ランディ氏によると、この金利上昇は１９９８年に起こったケースと同じく、金融システムの流動性低下を示しています。さらにこうした金利の急上昇には、リスクプレミアムの意味合いもあります。リスクプレミアムとは、リスクの大きさに応じて上乗せされる金利のことで、要するにハイリスク・ハイリターンの論理です。貸し手側のリスクが大きくなると、それだけリターンとしての金利も大きくなっていくのです。

やがて金融危機のパニックがピークを過ぎ、市場が落ちついてくると、ＬＩＢＯＲは再び低下しました。金融システムが平常に戻ったことの表れです。

まとめ30

①発表時期……毎日

②データの入手先

The Wall Street Journal オンラインの Market Data Center（www.WSJMarkets.com）にアクセスし、上部メニューから「Bonds, Rates & Credit Markets」を選択してください。移動先ページ内の「Consumer Money Rates」欄の表で最新のＬＩＢＯＲが確認できます。また英国銀行協会（ＢＢＡ）はＬＩＢＯＲ情報専用のウェブサイトを運営しており（www.bbalibor.com）、さまざまな通貨のＬＩＢＯＲデータを過去にさかのぼってダウンロードすることが可能です。Twitter アカウント（@BBALIBOR）でも最新のＬＩＢＯＲ情報を提供しています（ＢＢＡは情報を個人利用に限るとしていますので、営利目的の利用には注意してください）。また Economagic.com のウェブサイト（www.economagic.com/libor.htm）でもＬＩＢＯＲを確認することが可能です。

③注目ポイント……ＬＩＢＯＲ金利の上昇（低下）

④意味すること……景気が上向き（下向き）になっている。あるいは不透明感によりリスクプレミアムが大きくなっている

⑤投資アクション……景気に連動した動きであると考えられる場合は、それに応じてリスクの取り方を調整する。信用危機で上昇している場合は現金に逃げる

⑥リスク評価……中

⑦リターン評価……＄＄

31 マネーサプライ（M2）

――マネーはどこへ消える？

●タイミング
先行指標

●関連指標
㊺クレジット・スプレッド（265ページ）

マネーサプライ（M2）とは、お金の供給量のことです。世の中全体に、現在どれだけのお金があるかを示す指標です。

自分がいくら持っているかはすぐに把握できますが、国全体のお金の量となるとそう簡単にはいきません。これは「マネー（お金）」という言葉のあいまいさにも起因しています。

マネーには硬貨やお札だけでなく、銀行の口座残高も含まれるからです。

ややこしいことに、銀行ではないのに銀行口座と同じような役割の口座もあれば、銀行口座ではあるけれどもここでは除外しなくてはならない口座というものもあるのです。

そこで考えだされたのが、複数の異なる基準によるマネーサプライの測り方です。マネーサプライにはM０からM３まであり、M０は非常に狭い定義、M３はかなり広い定義のマネーを指します。

M２はそこそこ広いマネーの供給量を測る基準で、紙幣や硬貨のほかに当座預金や普通預金が含まれます。といってもすべての預金口座が含まれるわけではなく、残高が10万ドル未満のものに限られます。また銀行預金以外に、短期証券投資信託のようなものもマネーに含めて考えます。

　米国の中央銀行にあたる**連邦準備制度理事会***（ＦＲＢ）は、このＭ２の大きさをある程度自由に操ることができます。何もないところからお金をつくり出し、またそこにあるお金を無に帰することもできるからです。これは米国債や類似の金融商品を買ったり売ったりすることによって可能になります。ＦＲＢが国債を売ると、世の中にあったお金がＦＲＢに入ってきて、マネーサプライは減少します。ＦＲＢが国債を買うと、ＦＲＢの持っていたお金が世の中に出ていくので、Ｍ２を含めたマネーサプライは増加します。

　景気を促進したいとき、ＦＲＢは意図的にＭ２を増やしていきます。逆に景気を抑制したいときには、Ｍ２の量を減らします。

マネーサプライM2

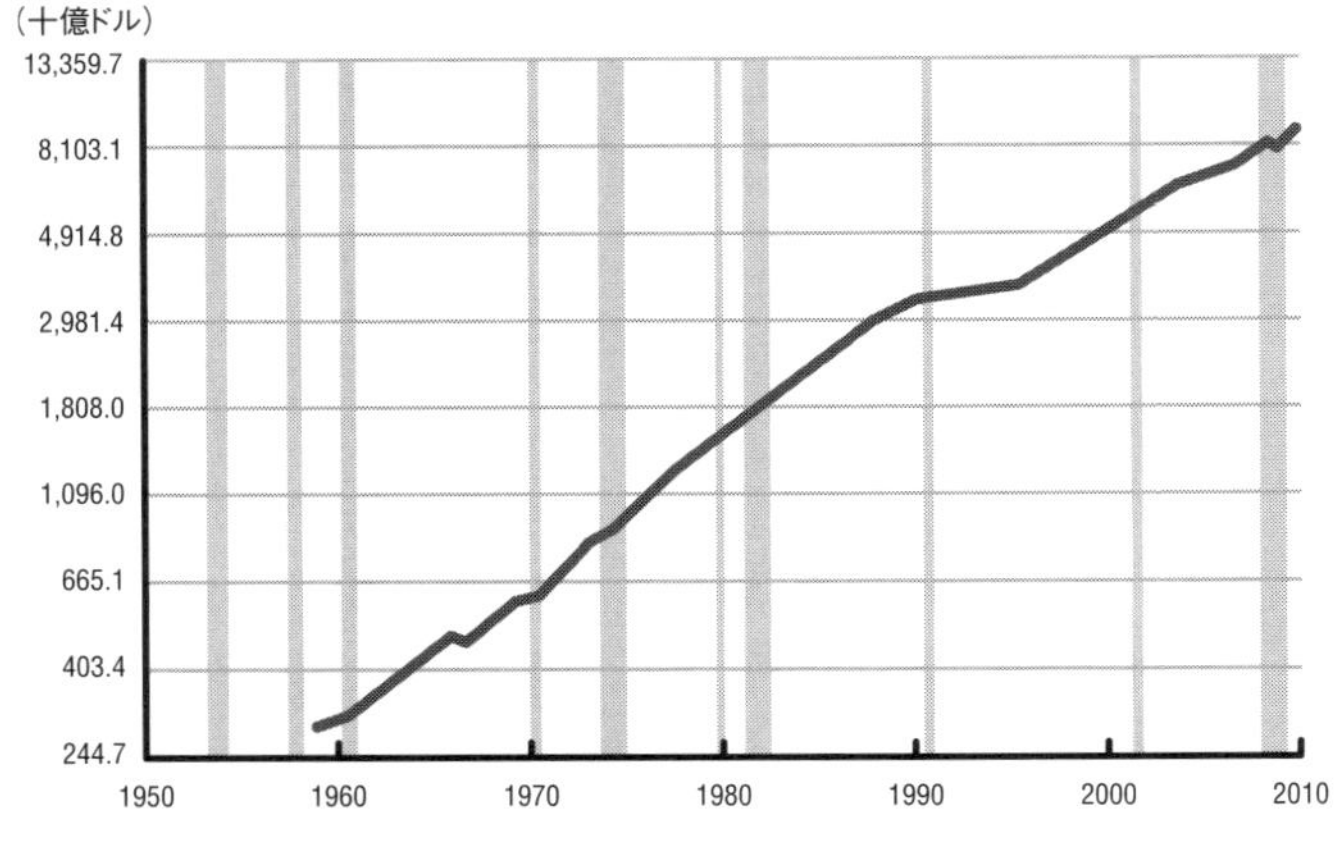

グレーの影は米国の不況期を表す

出所：FRB（連邦準備制度理事会）

ただし、マネーサプライを動かすことができるのは、ＦＲＢだけではありません。バンク・オブ・アメリカやウェルズ・ファーゴなどの民間金融機関も、マネーを生み出したり消したりすることができるのです。

これは融資を行って、預金者の口座残高を増やすことで可能になります。

景気がよいときには、銀行はどんどん気前よくお金を貸し出します。景気が悪くなってくると、貸し出しの条件は厳しくなってきます。アメリカのことわざにあるように、「銀行は晴れているときには傘を貸してくれるが、雨が降りだすと傘を取り上げる」のです。

投資戦略 お金の流れのスピードに注意する

Ｍ２を見れば、景気が回復に向かうのか停滞に向かうのかを予測することができます。ちょっとした知識は必要ですが、慎重に読み解けばＧＤＰが発表されるよりも前に経済の状態を把握することができるのです。うまくいけば誰もが気づく前に、先手を打つことが可能です。

基本的な見方としては、Ｍ２の伸び率が高いときは景気が拡大し、伸び率が低いときは景気が縮小します。たとえば、２００１年の３月から11月にかけて米国の景気は悪化しましたが、データによると１９９９年にＭ２の伸びが大きく停滞しました。２０００年の伸び率は１９９７年から１９９９年の平均よりも下にとどまっています。

連邦準備制度理事会
連邦準備制度理事会（ＦＲＢ：Federal Reserve Board）は、連邦準備制度の統括機関で、中央銀行に相当する

そして2001年、まだ不況を脱していないうちに、M2は早くも上昇していきました。

投資家にとってこの情報は非常に有益です。この先の景気についてかなり早期に予測することができるからです。景気回復を前もって予測できれば、回復期に儲かるような投資先にいち早く投資することが可能です。たとえば成長株や中小企業の株が回復初期に上がってくることが知られています。

ただしM2の動きは絶対ではありません。MKMパートナーズのリサーチ部長を務めるマイケル・ダルダ氏は、2010年の報告書の中で、「広義のマネーサプライの伸び率は、名目需要（GDP）の不完全な代用品にすぎない」と述べています。

なぜかというと、お金が世の中を動きまわるスピード（貨幣流通速度）が一定ではないからです。一般に、お金の動きが速いほうが、経済は活発になります。動きの遅いお金が増えても、経済に対してあまり大きなインパクトを持たないのです。たとえば1990年代初頭や1937年（大恐慌の第二波）には貨幣流通速度が低下し、M2の伸びが経済の実情を反映しきれなかったとダルダ氏は指摘します。

しかし、1960年から1989年にかけてのM2とGDPの関係がきわめて密接であったことも事実です。このあたりを見きわめる目安としては、国債の金利と社債の金利の差（クレジット・スプレッドと呼ばれる）が比較的小さいときには、お金の流通速度が速いと考えておけばいいでしょう。

まとめ31

①発表時期……毎週木曜日の午後4時30分（米東部時間）に2週間前のデータを発表

②データの入手先

The Wall Street Journal オンラインの Market Data Center（www.WSJMarkets.com）にアクセスし、上部メニューから「Calendars & Economy」→「U.S. Economic Events」のリンクを選択してください。カレンダーの木曜日の欄に「Money Supply」というリンクがあります。FRBのウェブサイトや**セントルイス連銀***の**FRED***データベースにも、マネーサプライの情報が掲載されています。

③注目ポイント……M2の増加（減少）

④意味すること……景気が上向き（下向き）になっている

⑤投資アクション……景気との連動性が高い株などの資産を買う（景気悪化に備えて現金などの当座の資産に逃げる）

⑥リスク評価……中

⑦リターン評価……$$

セントルイス連銀
セントルイス連邦準備銀行は、米国のミズーリ州セントルイスに本店を置く連邦準備銀行の1つ

FRED
セントルイス連邦準備銀行が無料で提供するFRED（Federal Reserved Economic Data）は、収録範囲が金融部門だけにとどまらず、GDP、財政、貿易、産業など多岐にわたる

32

新築住宅販売件数
——完成前に売れるので先行性が抜群

自分の家を持つことは、アメリカ人なら誰もがあこがれる夢です。しかし、さらに上を望む人もいます。誰も住んだことのない、まっさらな新築の家を手に入れたいという夢です。

新築住宅の売上げは中古住宅ほど多くはありませんが、近い将来の経済活動を知るための優秀な先行指標となります。ワイス・リサーチの不動産アナリスト、マイク・ラーソン氏はこのように述べます。

「新築住宅の売上げは住宅市場全体の15～20%を占めます。２０１０年には不動産バブル崩壊の影響で5%にまで落ち込みましたが、徐々にまた通常の数字に戻ってくると考えています」

新築住宅販売件数が先行指標としてすぐれている理由は、家が完成する前に売買が成立するからです。中古住宅の販売件数は、その家に住むことができるようになった段階で数に入ってきますが、新築住宅の場合は、契約書にサインした時点ですでに販売件数としてカウントされます。

その月にたくさんの新築住宅が売れた場合、家の建設に関わる業種がうるおってくることにな

●タイミング
先行指標

●関連指標
④中古住宅販売件数（42ページ）
⑨住宅建築許可件数と住宅着工件数（70ページ）

GDP
国内総生産（GDP：Gross Domestic Product）とは、一定期間内に国内で産み出された付加価値の総額

ります。作業員が雇われ、木材や屋根材、電気配線など多くの材料が発注されます。それらの材料は工場で製造され、運送業者によって運ばれ、保管業者の倉庫で待機することになります。

そうしたすべての活動が、GDP*の増加につながります。そのため新築住宅の売上げが増加すると、そのあとの経済の伸びが期待できるのです。

逆に新築住宅の販売件数が減っている場合、経済は悪化していくと考えられます。

また家を買う場合は、たいていローンを組むことになります。ローンを組むためには、この先しばらく返済を続けていくための確実な収入源が必要となります。

ですから中古住宅も含めて、住宅販売の伸びは一般に雇用の安定と深く関連しています。

新築住宅販売件数

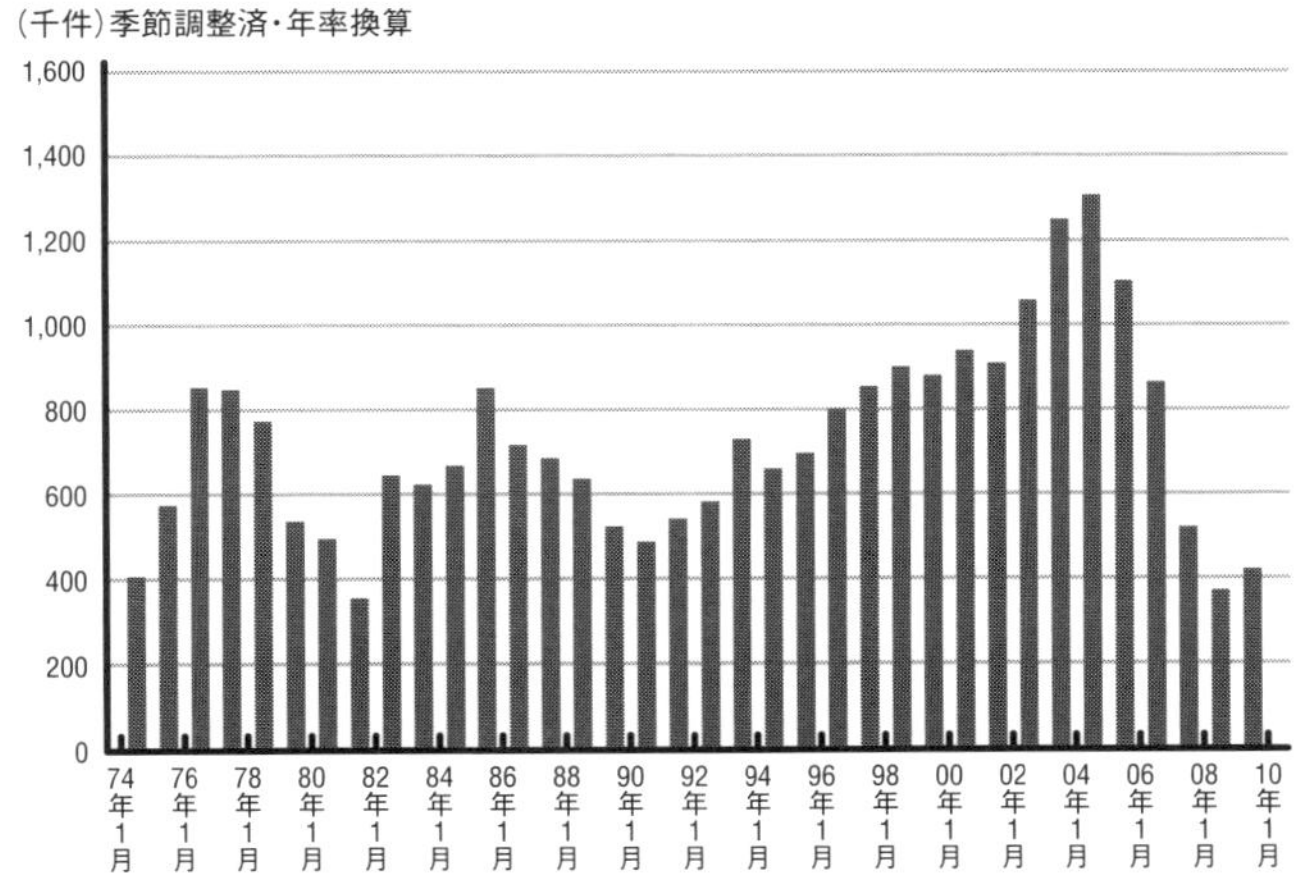

出所：米国商務省国勢調査局

投資戦略

家具や木材などの周辺産業に注目する

前ページの図表を見ると、新築住宅販売件数の伸びが景気の拡大を予言する様子が明らかに見てとれます。より注意深く見ると、不況がやってくる少し前に販売件数の伸びが鈍化し、景気が回復してくる前に販売件数が上向きになっているのがわかると思います。

さらにこの指標から、住宅市場の先行きについて予測することも可能です。

住宅市場にとって望ましいのは、価格が手ごろで、在庫が少なく、ローンの金利が低い状態です。そのような条件がそろえば、住宅の売上げがどんどん伸びていきます。

米国商務省国勢調査局が毎月発表している新築住宅販売件数の統計を見れば、住宅販売の状況について詳細なデータを知ることができます。

たとえば住宅価格の平均値と中央値、価格帯別の販売状況、また売り出し中の住宅在庫と、現在のペースで売れた場合にそれらの在庫がなくなるまでの月数（供給月数）、さらに地区別の住宅販売件数まで提供されています。ラーソン氏によると、南部と西部の住宅データが特に重要な意味を持っています。

これらのデータを総合すれば、それぞれの住宅建築業者についてパフォーマンスを予測することも可能です。地域と価格帯から、住宅業者のなかでもどこが伸びてくるかを判断することができるのです。これは投資先を選ぶうえでかなり有益な情報です。

あるいは個別の住宅建築業者の株ではなく、上場投資信託を買うという手もあります。

たとえば、ＳＰＤＲ Ｓ＆Ｐホームビルダーズ ＥＴＦ（ＸＨＢ）がそうした住宅建築業者の株式を対象としています。

「新築住宅販売の伸びは建築業者だけでなく、家具のメーカーや水道関連の業者など広い範囲に影響してきます。またウェアーハウザー社のような原木を供給する会社にも注目してみるといいでしょう」（ラーソン氏）

まとめ32

①発表時期……毎月25日頃、午前10時（米東部時間）に前月分のデータを発表

②データの入手先

The Wall Street Journal では住宅市場の動向をつねに追跡しています。情報が発表され次第、The Wall Street Journal オンライン版のヘッドラインに速報記事が掲載されます。データだけを確認したい場合は、The Wall Street Journal オンラインの Market Data Center（www.WSJMarkets.com）にアクセスし、上部メニューから「Calendars & Economy」→「U.S. Economic Events」のリンクを選択してください。カレンダーの25日前後に「New Home Sales」というリンクがあります。また米国商務省国勢調査局のウェブサ

イト（www.census.gov/newhomesales）にも、情報が掲載されています。

③注目ポイント……新築住宅販売件数の増加（減少）

④意味すること……景気が上向き（下向き）になっている

⑤投資アクション……住宅建築業者の株、または住宅建築関連の上場投資信託を買う（売る）

⑥リスク評価……中〜高

⑦リターン評価……$$〜$$$

33 フィラデルフィア連銀ADS業況指数
──分析の手間が省ける便利な指標

フィラデルフィアという地名は、古代ギリシャ語の「兄弟愛」という言葉からきています。その愛のおかげなのか、フィラデルフィアは投資家にとってうれしい情報を気前よく分け与えてくれます。

米国の連邦準備銀行の1つである**フィラデルフィア連銀***は、さまざまな統計情報を発表していますが、なかでも優秀なのが**ADS業況指数**（Aruoba-Diebold-Scotti Business Conditions Index）と呼ばれるデータです。これはフィラデルフィア連銀が数々の経済データを集めて混ぜ合わせ、しっかりと練られた最新の経済情報として毎週発表しているものです。

これを見れば、個々のデータを追う手間も省けます。

ADSの算出に使われるデータには、生産性や失業に関する指数、工業生産、給付金を除いた個人所得、製造業および商業の売上げ、それにGDP成長率が含まれます。

フィラデルフィア連銀のリアルタイムデータアナリスト、キース・シル氏によると、ADSの意義は「一見ばらばらに見えるデータを集めて統計的に意味のある形を与えること」です。

●タイミング
一致指標

●関連指標
㉞フィラデルフィア連銀景況指数（207ページ）
㊳週間景気先行指数（WLI）（227ページ）

フィラデルフィア連銀
フィラデルフィア連邦準備銀行は、米国の連邦準備銀行の1つ

フィラデルフィア連銀の精鋭スタッフは、集めてきたデータをフィルターにかけて、それぞれのデータの影響力が均一になるように加工します。ADSに使われるデータには、年に4回だけ発表されるGDPのようなインパクトの大きいデータもあれば、毎週発表される失業保険給付申請のような細かいデータもあります。これらをうまく調整し、特定のデータが全体を引きずることのないように調整するのです。

フィラデルフィア連銀が出しているほかの指標と比べて、ADSは全米を対象とした広範囲の統計であるというのが大きな特徴です（たとえば次項でも取り上げているフィラデルフィア連銀景況指数は、フィラデルフィア連銀の管轄内にある3つの州だけが対象となっています）。

また、ADSは週1回以上のペースで発表され

フィラデルフィア連銀ADS業況指数

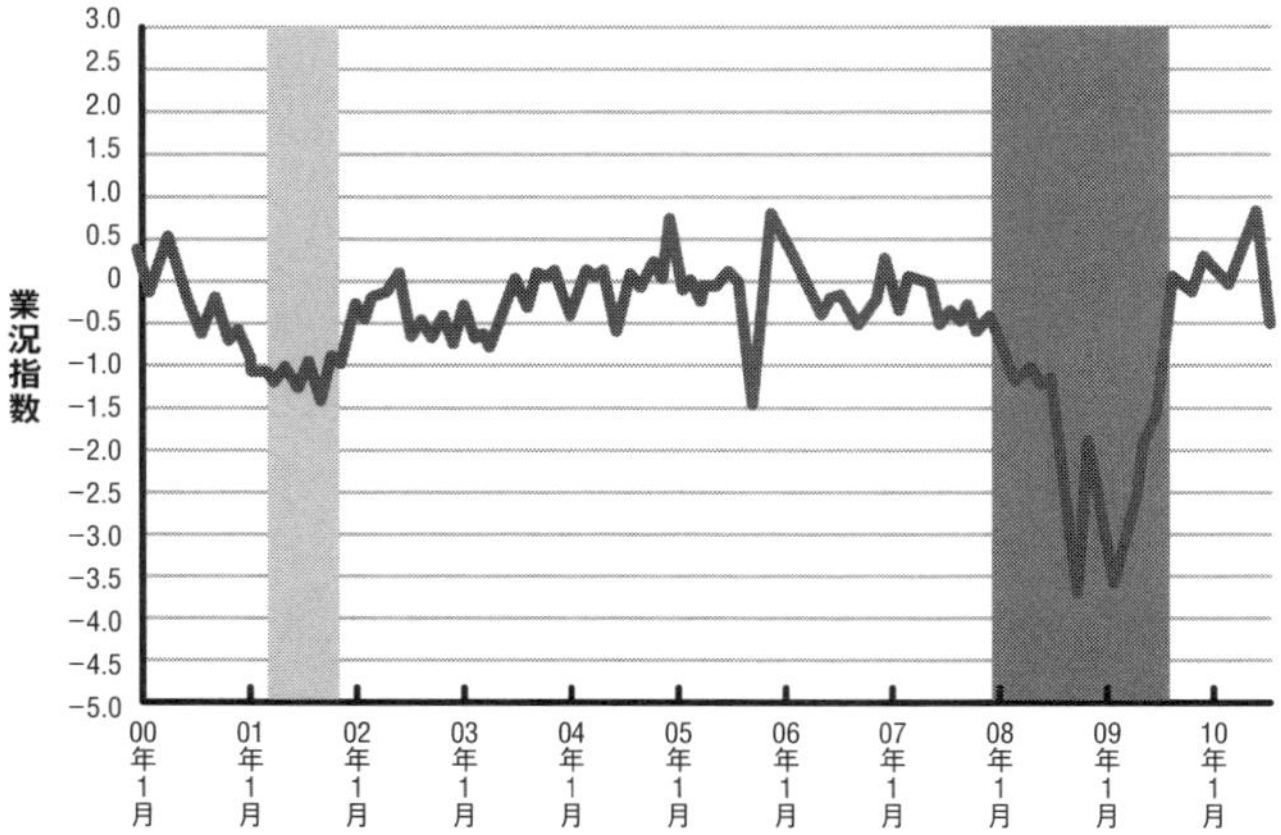

出所：フィラデルフィア連銀

ているので、リアルタイム性が非常に高いのもうれしい点です。ＧＤＰのように発表まで何カ月も待たなくてはならない指標に比べると、これは大きな利点だといえるでしょう。

投資戦略 過去の似たようなデータの動きに注目する

ＡＤＳの読み方はシンプルです。０を平均値として、数値がプラスならば景気がよく、マイナスならば景気は悪いと考えられます。

さらに進んだ使い方としては、過去の特定の時点と比較する方法があります。たとえばＡＤＳがマイナス３・０を指していれば、それは１９９０〜91年や２００１年の不況のときよりも状況が悪いということになります。これらの二度の不況のときは、マイナス２・０を下回ることはありませんでした。

ただしＡＤＳの数値は、定期的に修正されるので注意が必要です。一貫性を保つために、ゼロの基準を見直すのです。つまり、古いバージョンのデータは定期的に破棄され、新しい基準で計算されたデータに置き換えられるので、つねに最新バージョンを見ておかなくてはなりません。

シル氏によると、ＡＤＳのもっとも上手な活用法は、「過去の似たようなデータの動きに注目する」ことです。ＡＤＳは１９６０年にまでさかのぼることができるので、過去の似たような動きを見つけて、それをもとに動きを予測することが可能です。

またＡＤＳは初心者にも親切で、不況の時期がひと目でわかるように色付けされた時系列グラフも提供されています。不況への突入時期と脱出時期の数値の動きを、直感的に把握することができて便利です。

まとめ33

①**発表時期**……随時

②**データの入手先**

フィラデルフィア連銀が最新のＡＤＳ業況指数情報を無料で提供しています（www.phil.frb.org/research-and-data/real-time-center）。データはＡＤＳを構成する各情報の変更にともなって随時更新されます。

③**注目ポイント**……ＡＤＳ指数の上昇（低下）

④**意味すること**……景気が上向き（下向き）になっている

⑤**投資アクション**……株や**ハイイールド債***、**ジャンク債***などの高リスク資産を買う（売る）

⑥**リスク評価**……中

⑦**リターン評価**……$$

ハイイールド債
信用格付けが低く、高利回りの債券のこと。投機的格付債、ジャンク債（ジャンクボンド）と呼ばれるものとほぼ同義

ジャンク債
ジャンク債（Junk Bonds）とは、信用格付け会社により投資不適格の格付けを与えられた発行体により発行された債券のこと。ジャンクボンド、投機的債券、ハイイールド債などとも呼ばれる

34 フィラデルフィア連銀景況指数
──見かけは地味、でもフタを開けてみると充実

地味なカップに入った、未開封のアイスクリームを想像してください。特に期待しないでフタを開けてみると、中には大好きなピーカンナッツやキャラメルシロップ、それにこれまで味わったことのないような素敵なトッピングがいっぱいにちりばめられています。

フィラデルフィア連銀景況指数は、そのような性格の経済指標です。経済の隅から隅まで知りたい欲ばりな人にとって、フィラデルフィア連銀景況指数は非常に魅力的な情報源です。アメリカの経済指標のなかで、もっとも日銀短観に近い細やかさを備えているといえるでしょう。

一見したところ、フィラデルフィア連銀景況指数は実に平凡そうに見えます。

地域限定の製造業に対する調査で、調査対象はペンシルバニア州東部、ニュージャージー州南部、デラウエア州だけです。しかし、だからといってこの指標を軽く見ると後悔することになります。

フィラデルフィア連銀景況指数のよいところは、まずそのシンプルさにあります。

●タイミング
先行指標

●関連指数
㉝フィラデルフィア連銀ADS業況指数（203ページ）

この指標の総合指数である景況指数は、対象地域の製造業者が景気をどう捉えているかを表した数値で、具体的には「商売は全般的にどの程度うまくいっているか」という問いに対する答えとなっています。

さらに、6カ月先の見通しについても、同様の質問が投げかけられます。数値は0が標準になっていて、0より大きければ好景気、0より小さければ不景気を表します。

さらにこの指標の見どころは、総合の景況指数を支える詳細な下位指数です。

新規受注・出荷・受注残・出荷遅延・在庫・仕入価格・販売価格・従業員数・労働時間・設備投資の各要素について、それぞれ指数が発表されます。

ウェルズ・ファーゴ証券のエコノミスト、ティ

フィラデルフィア連銀景況指数

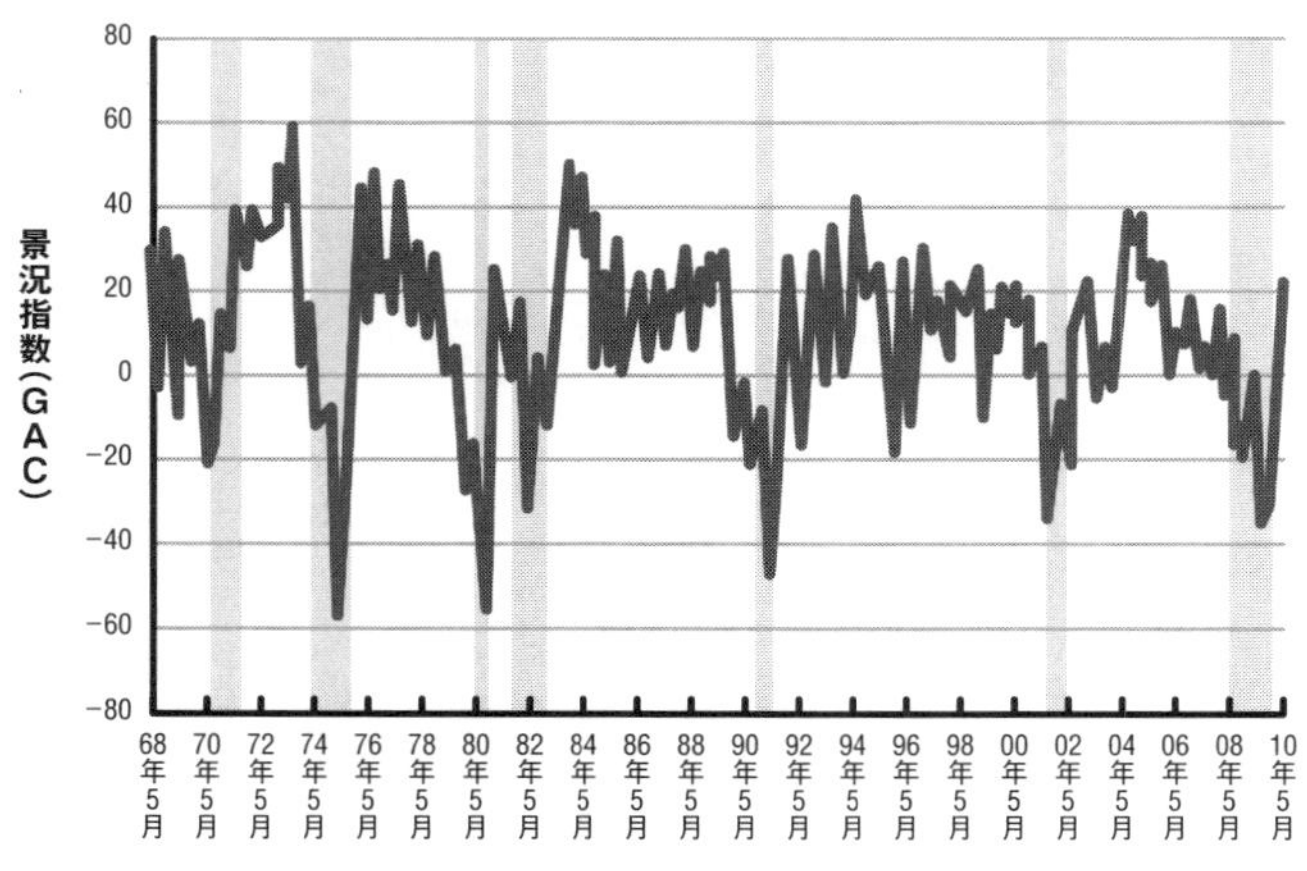

出所：フィラデルフィア連銀

ム・クインラン氏はこれらの指数について、「景気の側面によって見るべきポイントが変わってくる」と言います。

たとえば景気回復の初期には、労働時間に注目します。新規雇用の増加に先がけて、労働時間の増加が現れてくるからです。雇用主側の論理としては、「人を雇ってもいいが、その前にまず今いる人員を時間いっぱい働かせなくては」ということです。

したがって、労働時間がコンスタントに増えてきているようなら、この先雇用が増えて景気が回復してくることが容易に予測されます。

投資戦略 景況感の方向性に注意する

景況指数が0より大きいかどうかは重要ですが、前回の調査から上がっているか下がっているかということにも注意する必要があります。

たとえば景況指数が、26（とても良い）から3（わずかに良い）に下がったとすると、景気の先行きに不安が広がっていると考えられます。逆に、マイナス30（とても悪い）からマイナス5（わずかに悪い）に上がった場合、おそらく景気は回復の兆しを見せています。

またこの指標を見るときのテクニックは、それぞれの下位指数を見て、特定の指数が変化したときにどのような株が上がってくるかを考えることです。

「たとえば新規受注を見るときは、まず前回の新規受注指数より上がっているかどうかに注目します。もし上がっていたら、設備投資指数が同様に上がっているかどうかをチェックします。そして後日あらためて製造業受注高と設備投資額を確認します。それらの数値が上がっていれば、通常その地方の製造業は収益が伸びていると考えられます」

ただし、フィラデルフィア連銀景況指数が製造業の好調を示していたら、ほかの指標を確認することも大事です。なぜならこの指数は人々の景況感を調査しただけであって、実績による確実なデータではないからです。特に6カ月先の見通しについては、精度がそこまで高くないことを念頭に置いておく必要があります。

しかし一方で、人々の意識が景気をつくっていくのも事実です。景況感が悪いときに経済が活発になることはありません。

まとめ34

①発表時期……毎月第3木曜日、米東部時間で正午に発表

②データの入手先

The Wall Street Journal オンラインの Market Data Center（www.WSJMarkets.com）にアクセスし、上部メニューから「Calendars & Economy」→「U.S. Economic Events」のリ

ンクを選択してください。カレンダーの第3木曜日に「Philadelphia Fed」というリンクがあります。またフィラデルフィア連銀のウェブサイトで直接データを確認することも可能です。www.phil.frb.org/research-and-data/regional-economy/business-outlook-survey に、毎月のデータが掲載されています。

③注目ポイント……景況指数の上昇（低下）

④意味すること……景気が上向き（下向き）になっている

⑤投資アクション……株や**ハイイールド債***などの高リスク資産を買う（売る）。国債などの安全資産を売る（買う）。よりリスクの高い方法としては、業種別などの下位指数に注目して特定の業種の株を買う

⑥リスク評価……中～高

⑦リターン評価……$$～$$$

ハイイールド債
信用格付けが低く、高利回りの債券のこと。投機的格付債、ジャンク債（ジャンクボンド）と呼ばれるものとほぼ同義

35

実質金利
——言葉よりも雄弁に政策を語る指標

連邦準備制度理事会[*]（ＦＲＢ）の政策姿勢を解読しようとする試みは、とても困難で実りの少ない作業として知られています。ＦＲＢの理事やメンバーの発言は謎を深めるばかりで、経済学が「陰気な科学」と呼ばれるのは、彼らのせいではないかと思えてくるほどです。

しかしうまくやれば、そのような苦労なしにＦＲＢの方向性を理解することが可能です。**実質金利**と呼ばれる数字を見ればいいのです。実質金利はシンプルでありながら、とても多くのことを私たちに教えてくれます。ジャニー・モンゴメリー・スコットのチーフ債券ストラテジストを務めるガイ・リーバス氏は、実質金利について「金融政策が緩和に向かっているか引き締めに向かっているかを的確に教えてくれる」と説明します。

実質金利とは、名目金利（表面金利）からインフレによる目減り分を引いた金利のことです。インフレになると通貨の価値は下がるので、そのぶんを調整するのです。

たとえば、いま国債を買ったとして、その元本と金利が戻ってきたときにどれだけのものが買えるのかを考えてみます。もしもそのお金を今使ってしまったほうが多くのものを買えるとした

●**タイミング**
先行指標

連邦準備制度理事会
連邦準備制度理事会（ＦＲＢ：Federal Reserve Board）は、連邦準備制度の統括機関で、中央銀行に相当する

ら、それは実質金利がマイナスであるということになります。逆に今使うよりも国債の元本＋金利で将来たくさんのものを買えるとしたら、それは実質金利がプラスであるということです。

この実質金利を知ると、ＦＲＢの政策がはっきりと見えてきます。

実質金利がマイナスであれば金融緩和路線、プラスであれば引き締め路線です。

金融緩和政策は、経済の活性化につながります。逆に金融引き締め政策は、経済成長を抑制する効果があります。実質金利が低いときは、個人も企業もどんどんお金を借りるので、消費や投資が活発になります。逆に実質金利が高くなると、みんなお金を借りなくなり、消費や投資が停滞してしまうのです。

実質金利

出所：ジャニー・モンゴメリー・スコット／research.stlouisfed.org

投資戦略　実質金利がマイナスならコモディティを狙う

一般に好景気のときは実質金利が上がり、不景気のときは実質金利が下がります。景気がよければ借り入れの需要が高まり、景気が悪ければ借り入れの需要が減ってくるからです。また景気が回復に転換するタイミングでは、実質金利が下がる傾向にあります。名目金利はそのままで、インフレ期待が高まるからです。

経済の歴史を振り返ってみると、中央銀行が名目金利を引き下げたにもかかわらず景気が低迷を続ける例が何度かありました。米国では２００８〜09年の不況のときがそうでしたし、日本においてはバブル崩壊以降ずっと低金利でありながら景気停滞が続いています。

実質金利を見れば、その理由がわかります。人々は、この先デフレになることを予想しているのです。デフレになって物価が下がれば、実質金利は上がります。名目金利がいくら低くても、インフレ率を考慮した実質金利が高すぎると、景気回復には至らないということです。

実質金利はまた、投資判断にも役立つ情報を教えてくれます。

「理論的には、実質金利がマイナスのときには、どんなものに投資しても利益が出ることになります。ただし現実には、短期的な市場のボラティリティ（変動性）によって、利益が打ち消されることもあります」（リーバス氏）

実質金利がマイナスのときには、エネルギーや原料などのコモディティ、特に工業原料として使われる金属が利益を生みます。ただしリーバス氏は株式のリスクを回避する意味で、「金属は有望だが、金属をあつかう企業への投資はおすすめしない」と言います。

実質金利が高いときには、債券市場が有望になってきます。ただし、米国の実質金利は長い間、低い状態が続いており、当面そのような状態になることは期待できないかもしれません。

1つ覚えておきたいのは、実質金利の計算方法にはいくつもの種類があるということです。これはインフレ率の解釈が一定でないためです。リーバス氏が好むのは、個人消費支出価格指数（PCE価格指数）です。この指数はGDPの算出にも使われているもので、人々の消費傾向の変化を加味したインフレ指標となっています。「同様の指標として消費者物価指数（CPI）もありますが、こちらは消費者が1年前と同じものを買い続けることを前提とした数値です。しかし、それでは現実にそぐわない場合があります。たとえばカマンベールチーズの値段が上がったら、他のチーズを買えばいいわけですから」（リーバス氏）

まとめ35

①発表時期……毎日（金利やインフレ率のデータに変化があったとき）

②データの入手先

実質金利は名目金利からインフレ分を差し引いた数値です。インフレ指標にはCPIやP

PI（生産者物価指数）、PCE価格指数などが利用できます。インフレ指数を確認するには、The Wall Street Journal オンラインの Market Data Center（www.WSJMarkets.com）にアクセスし、「Calendars & Economy」から「U.S. Economic Events」を選択してください。名目金利は同サイトの「Bonds, Rates & Credit Markets」のページから確認できます。**セントルイス連銀***の**FRED***データベースでも情報が入手できます。FREDには**インフレ連動国債***（TIPS）に関するデータも掲載されているので、あわせて参照するといいでしょう。TIPSは通常時にはインフレ期待を表すダイレクトな指標として利用できます。ただし2008～09年の信用危機のような状況下では、TIPSが下がりすぎてインフレ期待を正しく反映できない場合があります。

③**注目ポイント**……実質金利の上昇（低下）

④**意味すること**……近い将来に景気が落ち込む（上向く）

⑤**投資アクション**……実質金利がマイナスであれば、エネルギーや原料などの実物資産を買う（ただし短期的な価格変動には注意）。実質金利がプラスのときには、名目金利が下がると予想されるので債券を買う

⑥**リスク評価**……中～高

⑦**リターン評価**……$$～$$$

セントルイス連銀
セントルイス連邦準備銀行は、米国のミズーリ州セントルイスに本店を置く連邦準備銀行の1つ

FRED
セントルイス連邦準備銀行が無料で提供するFRED（Federal Reserved Economic Data）は、収録範囲が金融部門だけにとどまらず、GDP、財政、貿易、産業など多岐にわたる

インフレ連動国債
インフレ連動国債とは、一般に元本がインフレ率によって変動する債券

36 空売り残高
——市場の悲観論者が教えてくれるもの

●タイミング
先行指標

企業の株価が下がることを期待するのは、アメリカ人らしくない態度かもしれません。株価が上がり、経済が成長していくことをこそ、我々は望むべきなのですから。

しかし、そうした悲観的な取引から学ぶべきことも多々あります。株の値下がりを利用して儲ける取引、いわゆる空売りです。

空売りとは、自分では保有していない株式を売る行為のことです。株を借りてきて売却し、再び買い戻して返却します。返却期限までに株価が下がっていれば、その価格差が自分の利益になります。高く売って安く買う、その差額で儲けるわけです。

ある時点で空売りされている特定の会社の株式の量を、**空売り残高**と呼びます。

空売り残高は厳密には経済指標というよりも投資指標ですが、両者は密接にからみ合っているため、本書の指標の1つに含めています。そもそも本書の目的は有用な指標について知り、それを活用することですから、この指標を含めるのは理にかなっているはずです。

世の中には、空売りを悪者扱いする風潮があります。

たしかに企業としては、自社の株が空売りされるのはうれしくないでしょう。また政府が空売りに規制をかける場合もあります。２００８年の金融危機の際には、銀行株など一部の株式について空売りが一時禁止されました。

　何かと評判のよくない空売りですが、空売りについての情報は一般投資家にとっても非常に有益です。空売り残高を逆指標として使うことができるからです。単純にいうと、空売りされている株が多ければ、株価は上がってくるだろうと考えることができます。

　空売りされている株式の数は、潜在的な買いの多さを表しているのです。なぜかというと、空売りされている株は、空売りされたままではいられないからです。

　株を借りて空売りしたら、必ず買い戻して返却

Saksの空売り残高

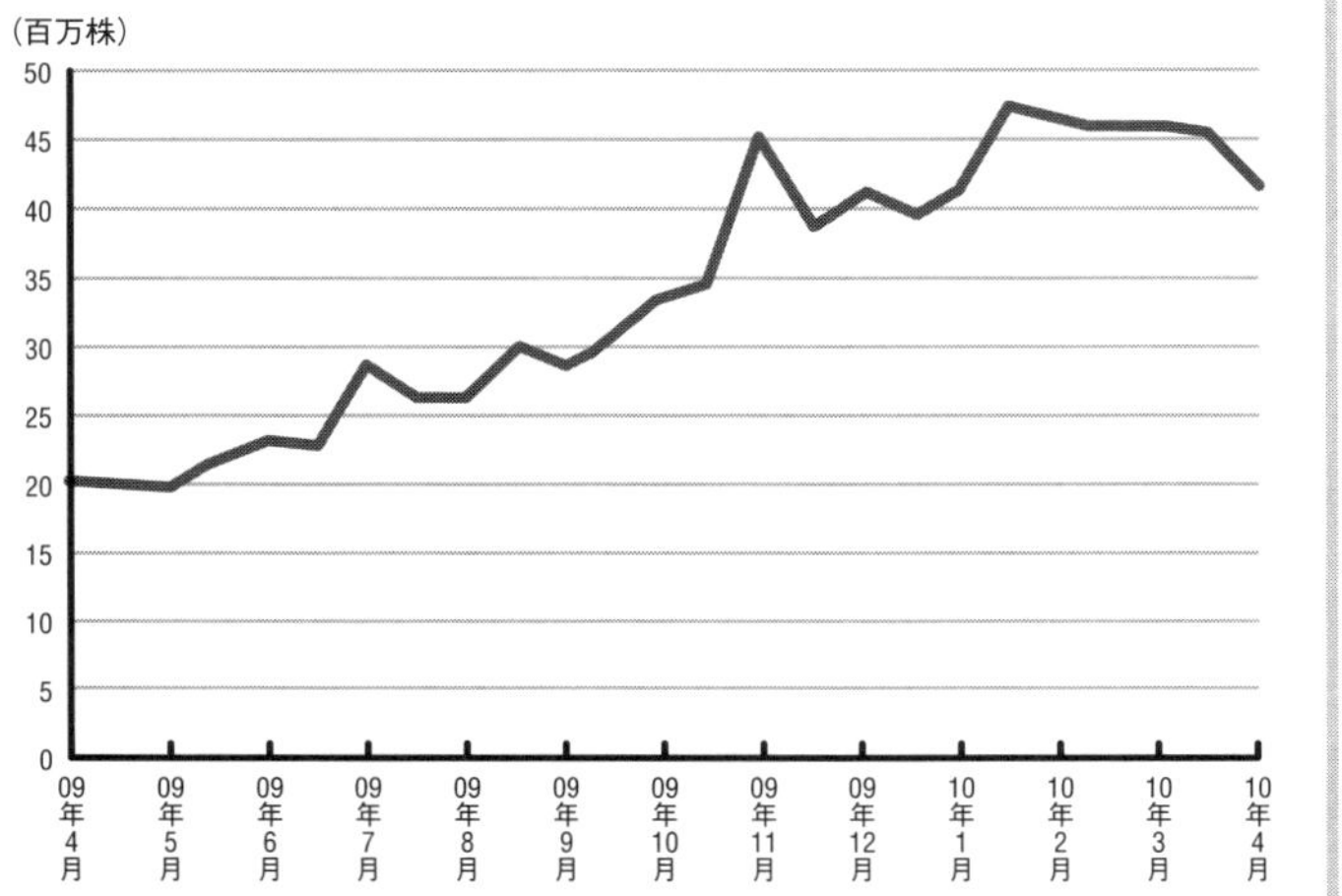

出所：Daily Finance

しなくてはなりません。さらに株を借りた相手に対して、利息の支払いと配当の支払いをする必要があります。また株価が予想に反して上がったような場合は、損失が出たときのための担保が要求されます。

こうしたやり取りのなかで、担保が納められなくなった空売り投資家は高値になった株を買い戻して返却する羽目になります。そして高値での買い戻しは、株価をさらに引き上げる要因になります。このようにして、空売りは株価の上昇につながっていくのです。

投資戦略 空売り投資家の失敗を利用する

これまで株価は平均的には上昇の方向に動いてきました。ですから何も考えずに空売りすると、損をする確率のほうが高いといえます。

空売りで成功するためには、特定の株が下がるだろうという具体的な根拠を見つけなくてはなりません。たとえば2008年時点のリーマン・ブラザーズのような株を見つけられれば、大儲けできるわけです。しかし空売り投資家は、往々にして失敗します。そうした失敗を利用して、うまく利益を出すにはどうしたらいいでしょうか?

WJBキャピタル・グループのアナリスト、アドルフォ・ルエダ氏によると、「空売り残高が多い企業のなかで、経営状態がよく、株価評価の高い企業を見つける」のがポイントです。

そうした企業は、空売り投資家がファンダメンタルズを読み違えていると考えられるからです。

ある株式の空売り残高が多いかどうかを判断するためには、現在の空売りポジションがおよそ何日でカバーされるか（買い戻されるか）に注目します。

これは**空売り比率***と呼ばれ、「空売り残高÷直近の平均出来高」で求めることができます。

たとえば空売り比率が2だとすると、2日間で取引されている量の株式を買えば、すべての空売りポジションを買い戻せることになります。

テクニカル・アナリストであるルエダ氏は、株価のチャートを見て投資判断を行いますが、補強要素としてこの空売り比率を利用しています。

チャートで強気の傾向を見つけたら空売り比率をチェックし、空売り比率が多ければその銘柄の購入を検討するのです。もちろんテクニカル分析だけでなく、財務諸表を見て投資判断を行っている場合も、同様に空売り比率を参考にすることができます。

ただしSPDR S&P500のような、メジャーな株価指数に連動するタイプの上場投資信託については、空売り比率を当てにしすぎないほうが賢明です。

それらの上場投資信託は、機関投資家によってヘッジに利用されることがあるからです。彼らは指数が下がることを期待しているとは限らず、ただの投資テクニックとして空売りを行っているので、惑わされないように注意する必要があります。

空売り比率
空売りされたまま、買い戻されていない株数の比率のこと

まとめ36

①**発表時期**……毎営業日

②**データの入手先**

The Wall Street Journal オンラインの Market Data Center（www.WSJMarkets.com）にアクセスし、上部メニューから「U.S. Stocks」を選択してください。移動先ページ内の「Quarterly/Monthly Snapshots」から主要企業の空売り残高を確認できます。また**ニューヨーク証券取引所***（NYSE）や**NASDAQ***などの証券取引所も、空売り情報を公開しています。DailyFinance.com や shortsqueeze.com も空売り残高および比率などの情報を提供しています。

③**注目ポイント**……ファンダメンタルズが強い企業、またはテクニカル面で良好な企業の空売り残高が増えている

④**意味すること**……空売り投資家がミスをしている

⑤**投資アクション**……その企業の株を買い、空売り投資家の買い戻しによる値上がりを待つ

⑥**リスク評価**……極めて高い

⑦**リターン評価**……$$$$

ニューヨーク証券取引所
ニューヨーク証券取引所（NYSE：New York Stock Exchange）は、米国ニューヨークにある世界最大の証券取引所

NASDAQ
NASDAQ（National Association of Securities Dealers Automated Quotations）は、1971年に全米証券業協会（NASDA）が開設した、米国にある世界最大の新興企業（ベンチャー）向け株式市場

37

ラッセル2000指数
――経済の海に浮かぶ小さなボート

アメリカ人の多くは中小企業で働いています。中小企業は米国の雇用を支える底力です。しかし同時に、中小企業は大企業に比べると心もとない存在です。

巨大な軍艦のそばに小さなボートが浮かんでいるところを想像してください。軍艦はどっしりと落ちついていますが、小さなボートはちょっとした波でも右へ左へと揺り動かされます。中小企業は、経済の大海原に浮かぶ小さなボートのようなものなのです。

投資家にとって、中小企業は大企業よりもリスキーな投資対象です。ですから中小企業に対する投資姿勢を見れば、リスクに対する市場のムードを知ることができます。

ラッセル2000指数は、そうした中小企業の株価を表す指数です。

市場で取引されている株のうち、時価総額が小さい2000銘柄を対象としています。この指数は、小型株を対象とした投資信託のパフォーマンスを評価する基準としても、広く使われています。

時価総額とは、「その会社の価値はどれくらいか」を示す数字です。現在の株価で計算した場

●タイミング
先行指標

●関連指標
㊺クレジット・スプレッド（265ページ）

S&P500
（Standard & Poor's 500 Stock Index）は、米国の投資情報会社スタンダード・アンド・プアーズ社が算出している米国の代表的な株価指数。ニューヨーク証券取引所、アメリカン証券取引所、NASDAQに上場している銘柄から代表的な500銘柄の株価をもとに算出される

合の、発行済み株式の合計金額で表されます。

一般に時価総額が10億ドル未満の企業の株は、「小型株」と呼ばれています。ラッセル２０００指数の場合、対象企業の時価総額は平均で４億ドル程度です。ゼネラル・エレクトリック社の時価総額がおよそ１７００億ドルであることを考えると、本当にちっぽけな数字です。

このような小さな企業の株から、何が学べるのでしょうか。

フュージョンＩＱの最高経営責任者で『Bailout Nation（救済国家）』の著者でもあるバリー・リソルツ氏はこう言います。

「もしも、S&P500*のような主要指数が伸び悩んでいるときに小型株が伸びてきていたら、リスク選好ムードが高まってきていると考えられます」

ラッセル2000指数

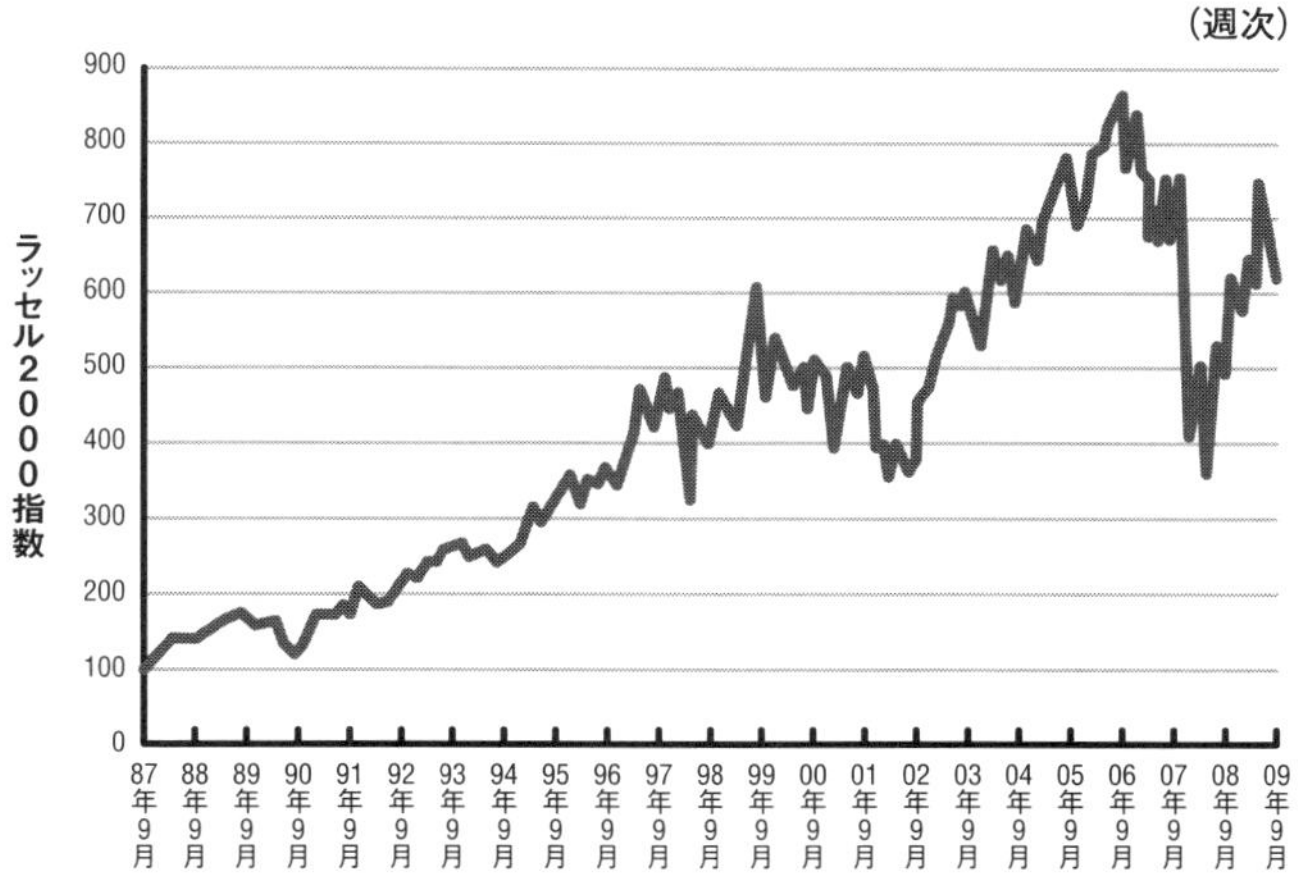

出所：Yahoo! Finance

リスクを好むムードが高まってきたら、それは景気拡大の予兆です。

実際に企業がどういった動きをしているかを確認してみましょう。設備投資が増えているようなら、中小企業の確実な伸びが期待できます。

小さな企業は大企業に比べて、景気の影響を大きく受けます。そのため景気回復時には、小型株のほうが大きく値上がりすることになります。

投資戦略 株価指数は先入観を排除して見る

どのような指数についてもいえることですが、市場はときに気まぐれな動きをします。

マクロ経済学の祖といわれるケインズが、そのことをうまく言い表しています。

「投資家に支払い能力がある限り、市場の不合理は収まることがない」

ですから間違った結論に飛びつかないよう、細心の注意が必要です。

たとえば、2009年末から2010年初頭にかけて、ラッセル2000指数は急激に跳ね上がりました。これはリスクを好む風潮の表れとも考えられますが、それまでが不当に低すぎたので反発しただけという見方もあります。

一般に、ある程度の期間下がり続けた株は、反発して跳ね上がる傾向があります。「テクニカル反発」とか「デッド・キャット・バウンス」と呼ばれる現象です。そうした現象は、経済の実態や投資家の期待とは関係なく起こる場合があります。

リソルツ氏に言わせると、株価指数は「ロールシャッハテストのようなもの」です。インクの染みに何を読みとるかは、人によって大きく違います。時にはそこに存在しないものが見えてしまうこともあります。

人は自分の見たいものを見てしまうのです。

ですから株価指数を見るときは、先入観を持たないように十分注意しましょう。「こうなっているはずだ」という期待を指数で証明しようなどとは考えないことです。

間違った読み方をしないために、自分に対してこのように問いかけてみましょう。

「これ以外の解釈が可能なのではないか？　ほかのデータも同じことを示しているだろうか？」

こうした批判的な思考は、ラッセル２０００指数だけでなく、どんな指標を読むときにも役立ちます。

実際にラッセル２０００に含まれる小型株に投資しようと思うなら、いちばん手っ取り早いのはｉシェアーズ・ラッセル２０００インデックス・ファンドＥＴＦを買うことです。

これはラッセル２０００指数に連動するタイプの上場投資信託です。

まとめ37

①発表時期……随時

②データの入手先

The Wall Street Journal オンラインの Market Data Center（www.WSJMarkets.com）にアクセスし、上部メニューから「U.S. Stocks」を選択してください。移動先ページ内の「Other U.S. Indexes」からラッセル２０００指数を確認できます。Yahoo! Finance などの投資情報サイトからも確認できます。また詳細については、ラッセル・インベストメントのウェブサイト（www.Russell.com）に掲載されています。

③注目ポイント……ラッセル２０００指数の上昇（低下）

④意味すること……景気への期待により、リスク選好ムードが高まっている（低下している）

⑤投資アクション……テクニカル反発ではなく景況感の変化による上昇（下降）であると判断できたら、ラッセルＥＴＦを買う（売る）

⑥リスク評価……高

⑦リターン評価……$$$

38 週次景気先行指数（WLI）
――8カ月先を読むストイックな先行指標

こんな難題が出されたとしましょう。

「経済の未来を知るための、できるだけ正確な基準をつくってほしい。それも1カ月先ではなく、8カ月先までは見えないとだめだ。それから何かあったときに対応する時間が必要なので、なるべくタイムリーに情報を出してくれ」

景気循環調査研究所*（ＥＣＲＩ）の研究者たちが１９８０年代に取り組んだのが、まさにこのような課題でした。ＥＣＲＩのメンバーは日々、景気の動きとその要因を研究し続けています。そんなエキスパートである彼らが完成させたのが、**週次景気先行指数**（ＷＬＩ）です。

かつて１９６０年代に**コンファレンスボード***の景気先行指数（ＬＥＩ）がつくられました。景気の先行指標として評価の高い指数です。

ＥＣＲＩのマネージング・ディレクター、ラクシュマン・アチュサン氏によれば、ＷＬＩは「ＬＥＩの思想を引き継ぐかたちで開発された指標」です。

ＷＬＩの算出に用いられる材料は、通貨供給量やＪｏＣ－ＥＣＲＩ工業価格指数をはじめ、住

●**タイミング**
先行指標

●**関連指標**
⑬ＪｏＣ-ＥＣＲＩ工業価格指数（90ページ）

景気循環調査研究所
景気循環調査研究所（ECRI：Economic Cycle Research Institute）は、景気循環を専門的に研究している米国の研究機関

宅販売関連の指標や雇用関連指標、株価、債券価格など多岐にわたっています。

ＥＣＲＩの研究者たちは、単にＬＥＩを真似たわけではありません。いくつかの改良を加えて、オリジナルを超えるものに仕上げています。改良点の１つは、そのタイムリーさです。

ＬＥＩは月１回しか発表されませんが、ＷＬＩは毎週発表されます。さらに、ＷＬＩを構成する各指標は、１つを除いてどれも一度発表されたら修正されることがありません。

「材料となる指標の修正は、予想が当たらなかった場合の安易な逃げ道になってしまいます。我々はそういう言い訳をいっさい排除することにしたのです」（アチュサン氏）

週次景気先行指数（WLI）

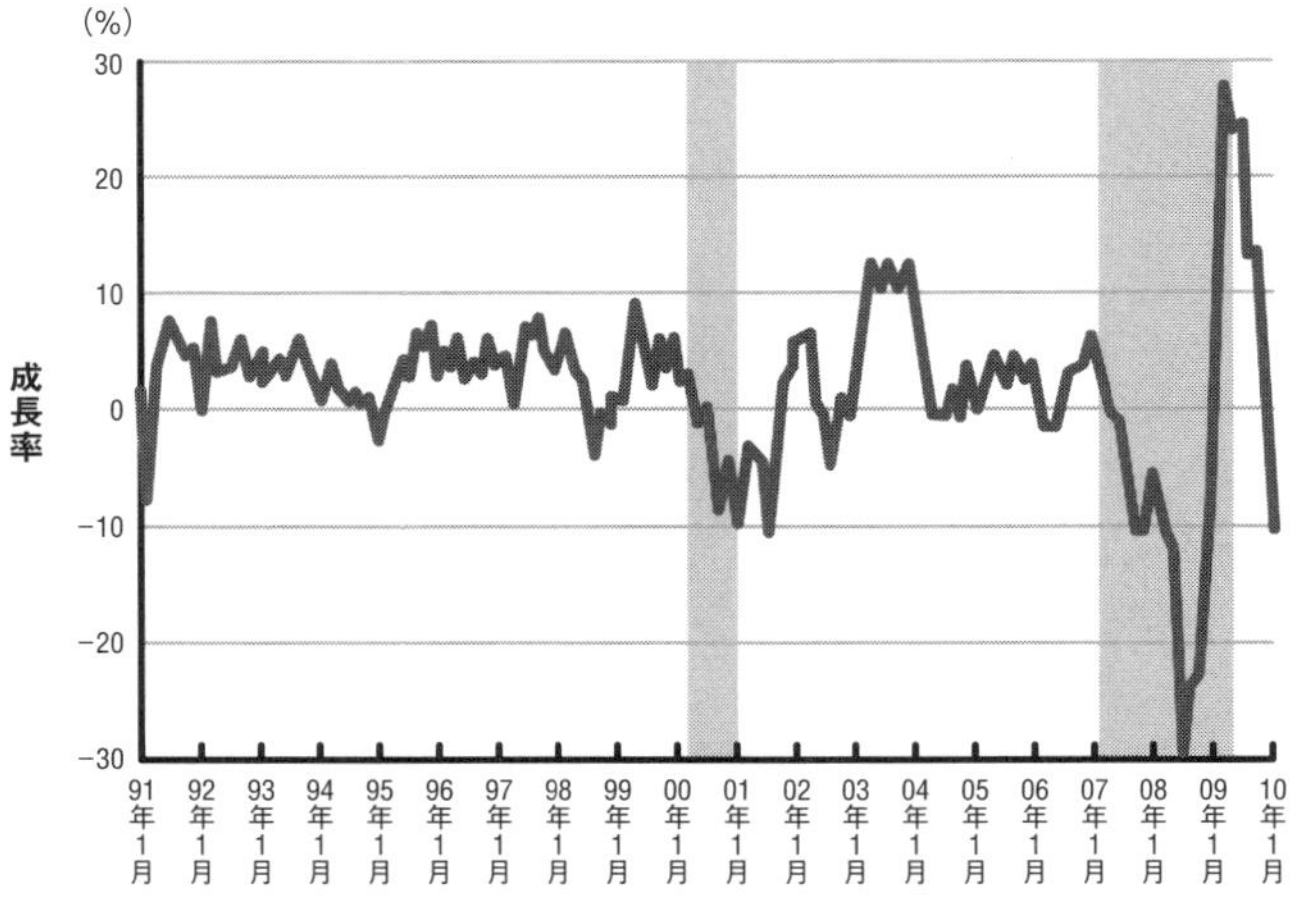

出所：ECRI（景気循環調査研究所）

投資戦略 「3つのP」を満たすかどうかに注目する

エコノミストの景気予測でいちばん困るのが、「この点ではこうかもしれないが、しかしこちらの指標はこれを表しており……」といったタイプの物言いです。

あいまいで何が言いたいのかわからず、実際に結論があるのかどうかさえ謎です。

ECRIの研究者たちは、そのようなあいまいさを嫌います。言いたいことをはっきりと主張する、断定的なエコノミストなのです。

WLIそのものは数値なので、いかようにも解釈できます。正しくない読み方をすると、判断を誤ることになります。

アチュサン氏によると、そうした間違いが起こるのは「指標を読むための厳格なルール」が守られていないからだと言います。

ECRIの研究者たちはWLIとあわせて、それが何を意味するかというレポートを提供しています。そしてそのレポートは、景気悪化と回復をつねに的確に予測してきました。

厳格なルールに従っているからです。

JoC－ECRI工業価格指数の節でもご紹介したように、ECRIは「3つのP」というアプローチで指数の動きを解釈します。ある指数に何か意味のありそうな動きが見つかったら、その動きが「顕著で（Pronounced)」、「持続的で（Persistent)」、「広範囲にわたっている

コンファレンスボード
全米産業審議委員会という米国の民間調査機関。アンケート調査で現在と半年後の将来の景況感、雇用状況、所得、自動車や住宅の購入計画などの項目について、楽観か悲観かで回答された結果を指数化し、発表している

(Pervasive)」かどうかを確認するのです。

3つのPのうち1つでも欠けていたら、その動きは意味がないものとして切り捨てます。特に「広範囲」という基準は、多くの専門家も見落としがちなところです。

たとえば1987年、株式市場の暴落に合わせてWLIの値も大きく下がりました。しかしこれは、広範囲な動きではありませんでした。株価以外の要素は、特に不況を示すような動きをしていなかったからです。市場ではかなり不安の声が高まっていましたが、ECRIは冷静にこう断言しました。

「不況に向かっているとはいえない」

もしもWLIの値が3つのPを満たすような動きをしていたら、景気の悪化(あるいは回復)が7~8カ月先にやってくると自信を持って判断できます。

「WLIはきわめて理性的な指標です。世間がどんなムードに染まっていようとも、けっして流されることはありません」(アチュサン氏)

注意点として、WLIは経済全体を広く予想するための指標であり、JoC-ECRI工業価格指数のように一分野に特化したものではありません。たとえば製造業の先行きが知りたいなら、WLIを見るよりもJoC-ECRI工業価格指数を見たほうが、おそらく的確な予想が得られるでしょう。

まとめ38

①発表時期……毎週

②データの入手先

毎週の最新データをすぐに入手したい場合は、ＥＣＲＩの有料会員になる必要があります。無料でデータを入手したい場合は、www.businesscycle.com/resources/ に掲載されるのを待つか、各種メディアの掲載情報を探してみてください。

③注目ポイント……ＷＬＩの着実な上昇（下降）傾向

④意味すること……景気が上向き（下向き）になっている

⑤投資アクション……ＷＬＩが下がっていれば、リスクの高い資産を売り、債券やディフェンシブ株などの安全な資産に移行する。ＷＬＩが上がっていれば、リスクの高い資産を買う

⑥リスク評価……中

⑦リターン評価……$$

39 イールドカーブ（利回り曲線）
――利回りの違いが1年後の景気を予言する

国債市場の動向を追うのは、経済の専門家にとってさえ、ペンキが乾くのを観察するような退屈きわまりない仕事です。

しかし、それをやり遂げるだけの忍耐力を持ちあわせているならば、それだけ大きな利益が見込めるエリアでもあります。

では国債の何を、どのようにして見ればいいのかというと、短期国債と中長期国債の利回りの差を見ます。短期国債はＴビルとも呼ばれ、３カ月などの短い期間で満期を迎えるものを指します。中長期国債はＴノートとも呼ばれるもので、10年などの比較的長期にわたって保有するものを指します。

このような、満期までの期間が異なる債券の利回りの差を視覚化したものが、**イールドカーブ（利回り曲線）**です。縦軸に利回り、横軸に期間をとって、残存期間の違いによる利回りの変化をグラフで表します。これは景気拡大などのターニングポイントを知るうえで、非常に有用な手がかりとなります。

●タイミング
先行指標

全米経済研究所
全米経済研究所（ＮＢＥＲ：National Bureau of Economic Research）は、１９２０年創立の非営利の民間研究組織。景気の転換点を判定することで有名

通常は長期の債券のほうが利回りがよい場合が多く、イールドカーブは右上がりの曲線になります。

一方、イールドカーブが右下がりになっている場合、つまり3カ月の短期国債に比べて、10年物の長期国債の利回りのほうが小さいときは、1年後に景気が後退する可能性が劇的に上がります。長期に比べて短期の利回りのほうが大きければ大きいほど、景気後退の可能性はそれだけ高まっていきます。

パシフィック・インベストメント・マネジメント（PIMCO）のストラテジスト、アンソニー・クレセンツィ氏は、イールドカーブを「かなり信頼できる指標」と評価しています。

1995年に、**全米経済研究所***（NBER）のアーテュロ・エストレラ氏とフレデリック・ミ

イールドカーブによる景気予測

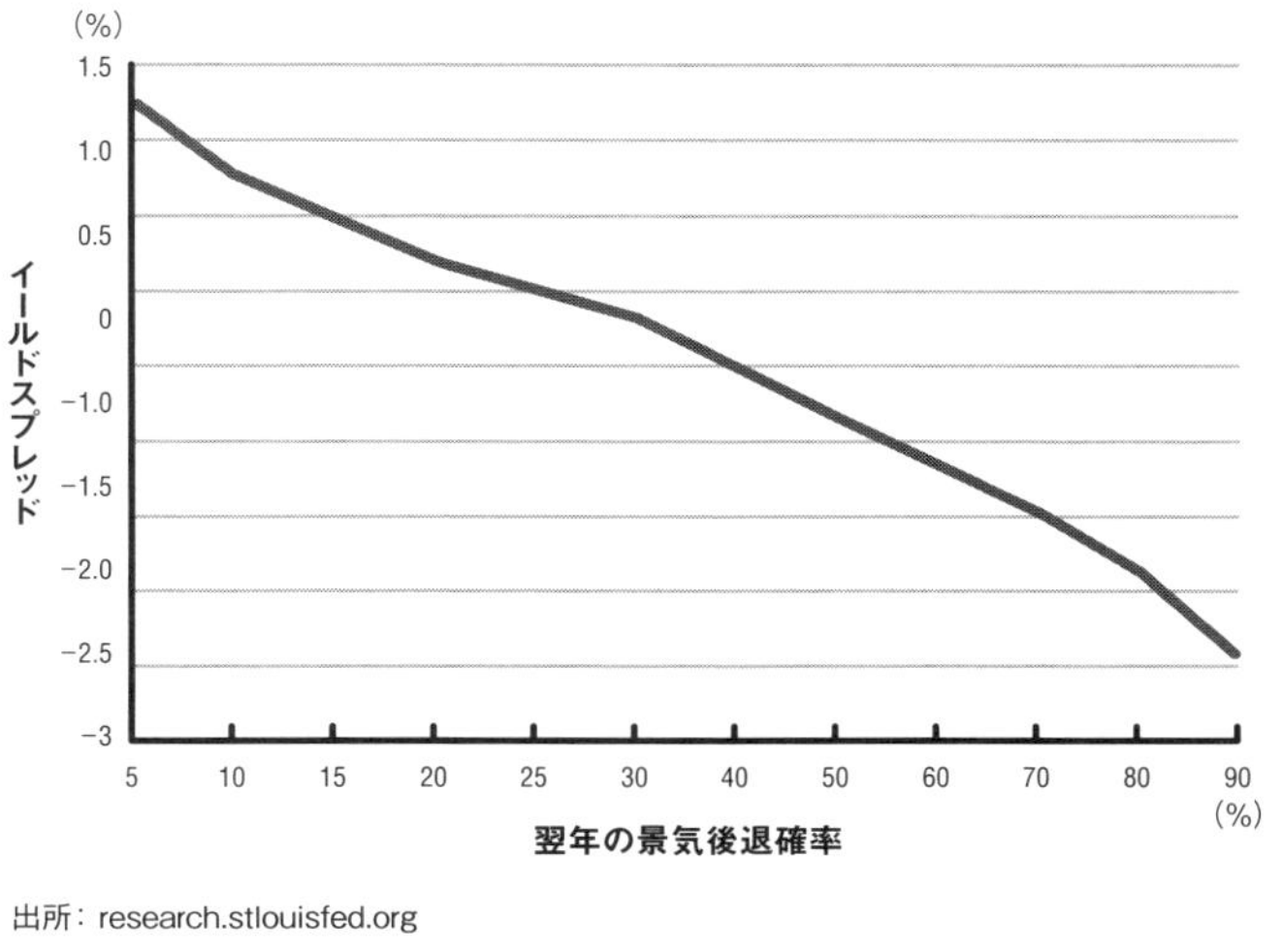

出所：research.stlouisfed.org

シュキン氏が行った調査でも、こうした利回りの差と1年後の経済状況との間に顕著な相関関係があることが確かめられています。

なぜイールドカーブは景気の変化を予言できるのでしょうか。もっともシンプルに説明するなら、中長期国債の利回りは、将来の短期金利がどの程度になるかという投資家たちの予測によって決まってくるからです。10年後に短期金利が高くなるだろうと考えられていれば、10年物国債の利回りも高くなるのです。

10年物国債の利回りが下がると、短期金利も下がることが予想されます。なぜかというと、経済情勢の悪化に対応するために、**連邦準備制度理事会***（ＦＲＢ）が利下げを行う可能性が高いからです。

「イールドカーブはいわば世界中の投資家たちの考えを1本の線にしたものなんです。イールドカーブの曲線の中には、何百万という投資家たちの期待値が埋めこまれていると言ってもいいでしょう」（クレセンツィ氏）

投資戦略 右下がりになったら安全な債券に避難する

前ページに示した図表は、イールドカーブと景気悪化の関連をグラフにしたものです。

これはエストレラ氏とミシュキン氏の論文から抜粋したもので、3カ月物国債の利回りに対し

連邦準備制度理事会
連邦準備制度理事会（FRB：Federal Reserve Board）は、連邦準備制度の統括機関で、中央銀行に相当する

て10年物国債の利回りが小さくなるにつれ、翌年の景気悪化の確率が高まっていく様子を表しています。

このグラフによると、イールドカーブが水平なとき（つまり3カ月物と10年物で利回りに差がないとき）には、1年後の景気悪化の確率は25％です。

一方、イールドカーブが右下がりになり、利回りの差がマイナス1.5％になると、景気悪化の確率は75％にまで高まります。

イールドカーブは1年先のことを教えてくれるので、ゆっくりと時間をかけて景気の変化に備えることができます。特に景気悪化が予想される場合は、リスク資産を避けて安全な資産に投資することが重要です。

たとえば格付けの低い債券、いわゆる**ジャンク債***を避けて、格付けの高い債券や国債を買いましょう。これらの債券は金利低下によって値上がりする傾向があります。

また、景気に影響されやすい企業の株も避けるべきです。

たとえば住宅関連の建築業者や販売店などは、景気の変化に連動しやすい傾向があります。逆に生活必需品や低価格商品をあつかう企業の株は、景気の変動に強く安全な資産だといえます。

ジャンク債
ジャンク債（Junk Bonds）とは、信用格付け会社により投資不適格の格付けを与えられた発行体により発行された債券のこと。ジャンクボンド、投機的債券、ハイイールド債などとも呼ばれる

まとめ39

①発表時期……随時

②データの入手先

The Wall Street Journal ではイールドカーブのグラフを毎日更新しています。The Wall Street Journal オンラインの Market Data Center（www.WSJMarkets.com）にアクセスし、上部メニューから「Bonds, Rates & Credit Markets」を選択してください。それぞれの国債の詳細についても確認できます。また**セントルイス連銀***の提供している**FRED***データベースでも同様の情報が入手できます。本文で触れたミシュキン氏の論文については、http://ideas.repec.org/p/nbr/nberwo/5279.html など数多くのサイトで閲覧可能です。

③注目ポイント……期間が異なる債券の利回り格差の広がり（縮小）

④意味すること……景気が上向き（下向き）になっている。短期債券の利回りが長期のそれに比べて高ければ高いほど、不況の可能性が大きくなる

⑤投資アクション……景気の側面に応じて調整。景気が冷え込みつつある場合は格付けの高い債券や生活必需品業界の株などを買い、リスクの高い証券を売る

⑥リスク評価……中

⑦リターン評価……$$

セントルイス連銀
セントルイス連邦準備銀行は、米国のミズーリ州セントルイスに本店を置く連邦準備銀行の1つ

FRED
セントルイス連邦準備銀行が無料で提供するFRED（Federal Reserved Economic Data）は、収録範囲が金融部門だけにとどまらず、GDP、財政、貿易、産業など多岐にわたる

Part 6 インフレその他の不安要素

不安要素に関する経済指標

最後に取り上げる11の指標は、本書のなかでも非常に重要な位置を占めています。なぜならこれらの指標は、破滅的な事態の到来を予言するものだからです。いざというときに自分の資産を守れなければ、普段いくら稼いでいても意味がありません。

不況の到来を大多数の投資家よりも先に察知しようと思うなら、これらの指標をしっかりとチェックしてください。ＧＤＰを構成する各要素の落ち込みを、いち早く察知することができます。

過度なインフレが迫っていたり、市場の不安が高まっているようなときには、すばやい対策が必要です。人よりも早く動いて自分の資産をうまく守りましょう。そして時には勇敢に動き、大きな報酬を手に入れましょう。

40

GDPデフレーター
―「隠れた税金」を測る指標

インフレは「隠れた税金」のようなものです。普段はゆっくりと、気づかないうちにあなたの預金や財布の中身を盗み食いし、購買力を落とします。

ひどいときには、一瞬にして札束をただの紙切れに変えてしまいます。

こうした隠れた税金によってもっとも大きなダメージを受けるのは、お金に余裕のない人たちです。毎月一定の、低い所得で生活している人たちです。

第一次大戦後のドイツは、夕食の材料を買うのに荷車いっぱいの紙幣が必要なほどのひどいインフレでした。これがファシズムの風潮へとつながっていったことは容易に想像がつきます。

そうした経験があるからこそ、経済学者や政治家をはじめ多くの人々が、インフレを警戒するのです。

インフレを測る指標にはさまざまなものがあり、どれも完璧ではありません。しかし数々の指標のなかでも、**GDPデフレーター**は明らかな利点を多く備えているといえるでしょう。

GDPデフレーターは、ある期間のうちに物価がどれくらい上がったかを示す指標です。

●**タイミング**
一致指標

●**関連指標**
⑲ビッグマック指数（127ページ）
㊸生産者物価指数（PPI）（255ページ）

デフレーター（deflator）とは、しぼませるという意味です。

つまり、見かけの経済成長率から空気を抜くようにインフレ分を差し引いて、経済の現実の姿を私たちに見せてくれるものです。ＧＤＰデフレーターは四半期ごとに、**GDP***（国内総生産）の発表に合わせて公開されます。

インフレ率の指標としては、**消費者物価指数***（ＣＰＩ）のほうが広く知られていますが、ＧＤＰデフレーターにはそれよりもすぐれた点があります。ＣＰＩは少数の限られた商品だけを対象に物価を測っていますが、ＧＤＰデフレーターはそれよりもかなり広範な商品やサービスを対象としているのです。

ですから人々の嗜好の変化といった要素から影響を受けづらく、より正確にインフレの影響を知

GDPデフレーター（連鎖方式・民間投資）

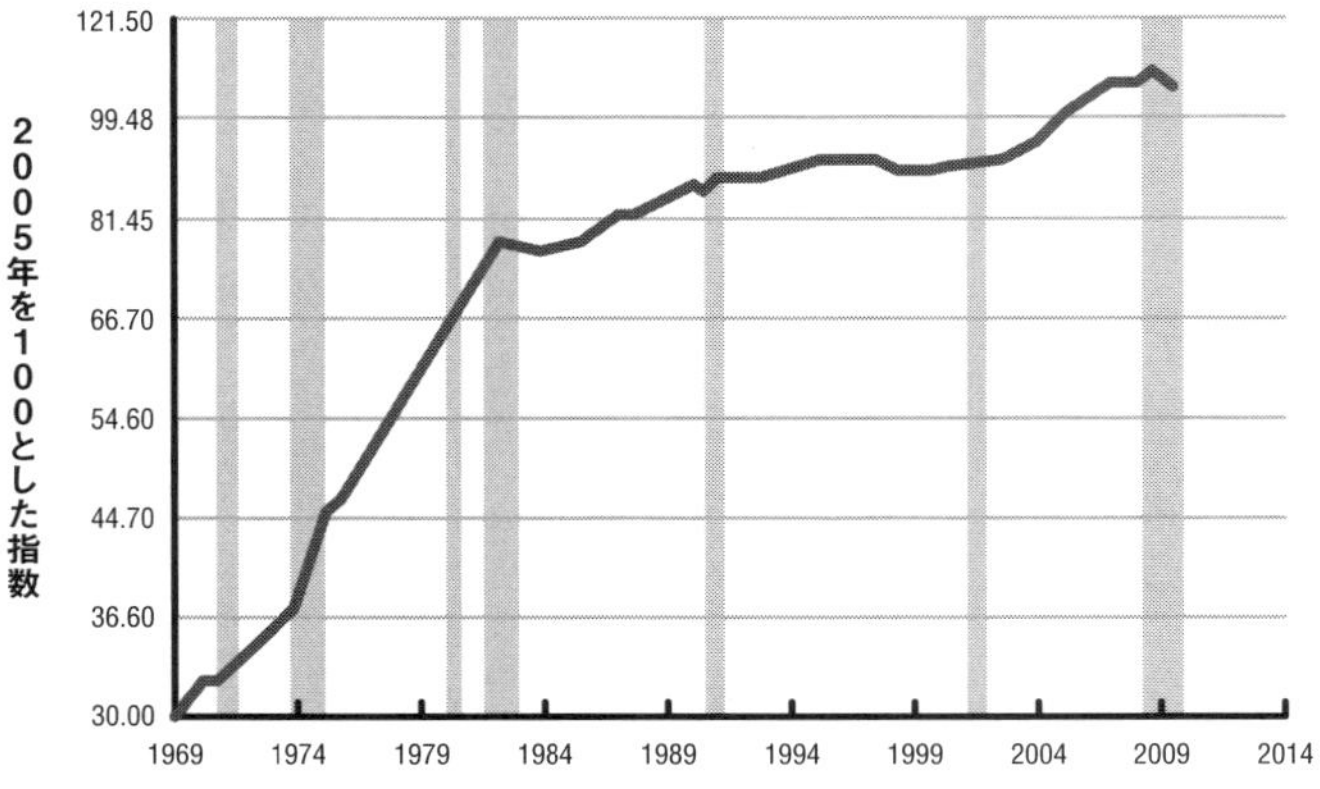

グレーの影は米国の不況期を表す

出所：米国商務省経済分析局

ることができます。

バンク・オブ・ニューヨーク・メロンのシニア為替ストラテジスト、マイケル・ウールフォーク氏は、国外のケースを考えたときにはCPIよりもGDPデフレーターのほうが好ましいと指摘します。

「GDPデフレーターは、もっとも包括的なインフレ指標といえます。米国内にとどまらず、国際的に適用できるという点で、GDPデフレーターに勝る指標はないでしょう。CPIは汎用性がないので、国によってはまったく異なる算出方法を使わなくてはなりません」（ウールフォーク氏）

投資戦略 インフレ率で為替を予測する

ウールフォーク氏は、GDPデフレーターを為替市場の分析に利用しています。

為替市場は一般に不透明で、分析がとても難しいと考えられています。

そのうえ、政府による介入が行われることも多く、そうなると経済指標を利用した緻密な分析が台なしになってしまいます。

しかしGDPデフレーターを使えば、少なくとも分析の正しさという点においては、かなり精度を上げることが可能です。それぞれの通貨の、相対的なインフレ率を考慮するのです。

GDP
国内総生産（GDP：Gross Domestic Product）とは、一定期間内に国内で産み出された付加価値の総額

消費者物価指数
消費者物価指数（CPI：Consumer Price Index）は、消費者が実際に購入する段階での、商品およびサービスの価格（物価）の変動を表す指数

国際的に比較したときのインフレ率の違いは、その通貨が他の通貨と比べてどの程度のスピードで購買力を落としているかを教えてくれます。仮にほかの諸条件が同一だとすると、インフレ率が高い国の通貨はそれだけ相対的な価値を落とすことになるはずです。

日本円と米ドルを例にして考えてみましょう。

仮に米国のインフレ率が３％で、日本のインフレ率が０だとします。この場合、ほかの条件が同じなら、３％分だけ米ドルのほうが弱くなると考えることができます。

たとえば現在1ドルが１００円だとすると、1ドルが97円になると予測できます。

もちろんＧＤＰデフレーターにも、いくつかの欠点はあります。

1つには、情報の遅さがあげられます。消費者物価指数（ＣＰＩ）が毎月発表されるのに対して、ＧＤＰデフレーターは四半期ごとのデータしか発表されません。

また為替のマーケットには、巨大なプレイヤーがひしめいているので注意が必要です。

イングランド銀行などの中央銀行や、シティグループなどの大手金融機関があなたのライバルなのです。小さな個人投資家は往々にして負ける運命にあります。

為替市場に手を出すときには、くれぐれも気をつけてください。

まとめ40

①発表時期……毎月第3～4週の午前8時30分（米東部時間）、GDPと同時に発表（GDPは速報および2回の改定値を含めて毎月発表されている）

②データの入手先

The Wall Street Journal オンラインの Market Data Center（www.WSJMarkets.com）にアクセスし、上部メニューから「Calendars & Economy」→「U.S. Economic Events」のリンクを選択してください。発表時期に合わせてカレンダーに「GDP」のリンクが張られています。「GDP price index」として記載されているのがGDPデフレーターです。また、**セントルイス連銀***の**FRED***データベースや、www.bea.gov、Briefing.com でもGDPデフレーターの情報が入手できます。

③注目ポイント……特定の2国間でインフレ率を比較する

④意味すること……インフレ率の高い国の通貨は相対的に価値が下がってくる

⑤投資アクション……インフレ率が比較的低い国の通貨を買い、短期的な変動や政府介入をやりすごしながら値上がりを待つ

⑥リスク評価……極めて高い

⑦リターン評価……$$$$

セントルイス連銀
セントルイス連邦準備銀行は、米国のミズーリ州セントルイスに本店を置く連邦準備銀行の1つ

FRED
セントルイス連邦準備銀行が無料で提供するFRED（Federal Reserved Economic Data）は、収録範囲が金融部門だけにとどまらず、GDP、財政、貿易、産業など多岐にわたる

41 金価格
——人々の不安を映し出す鏡

●タイミング
先行指標

「金《きん》を持つものはすべてを制す」という言いまわしがあります。ですが、これはそれほど刺激的なアドバイスとは言いがたいかもしれません。

何せ、「お金持ちになりなさい」といっているようなものですから。

しかし、金の価格を軽視することはできません。**金価格**は、市場のムードを知るためのすぐれた指標となるのです。

大まかな言い方をすれば、金価格は経済・金融・国際政治におけるあらゆる不安を映し出すバロメーターだといえます。

経済が好調で金融システムにも問題がなく、世の中に大きな混乱がないようなときは、人々はそれほど金を買おうとしません。ですから、金の価格は下がり気味になります。

たとえば１９８０年代と90年代には、金はあまり人気がなく、投資家の目はほかのさまざまな資産に向いていました。その結果、１９８０年から１９９９年までの20年間にわたって金の相場はかなり停滞しました。ピーク時に1オンス８５０ドルだった価格が、１オンス２５０ドル程度にまで下落したのです。ちょうど好景気が続いていた時期でした。

当時は経済成長がめざましく、インフレ率も低く、大きな戦争もありませんでした。

しかし状況は一変します。１オンス２６０ドル程度だった金価格は、２００１年から２０１０年までの間に、一気に１３００ドルを超えるほどになりました。10年間で5倍になったのです。

この時期、ＩＴバブルが弾け、米国の不動産価格は激しい上昇と暴落を経験し、世界の金融システムが崩壊の危機にさらされる一方、米国はイラクとアフガニスタンにおける戦争にずるずると関わり続けてきました。

さらに米国政府は、とても返済しきれない額の借金をし続け、インフレの懸念も高まりました。

このように不安が高まる時期には、金は魅力的

金価格

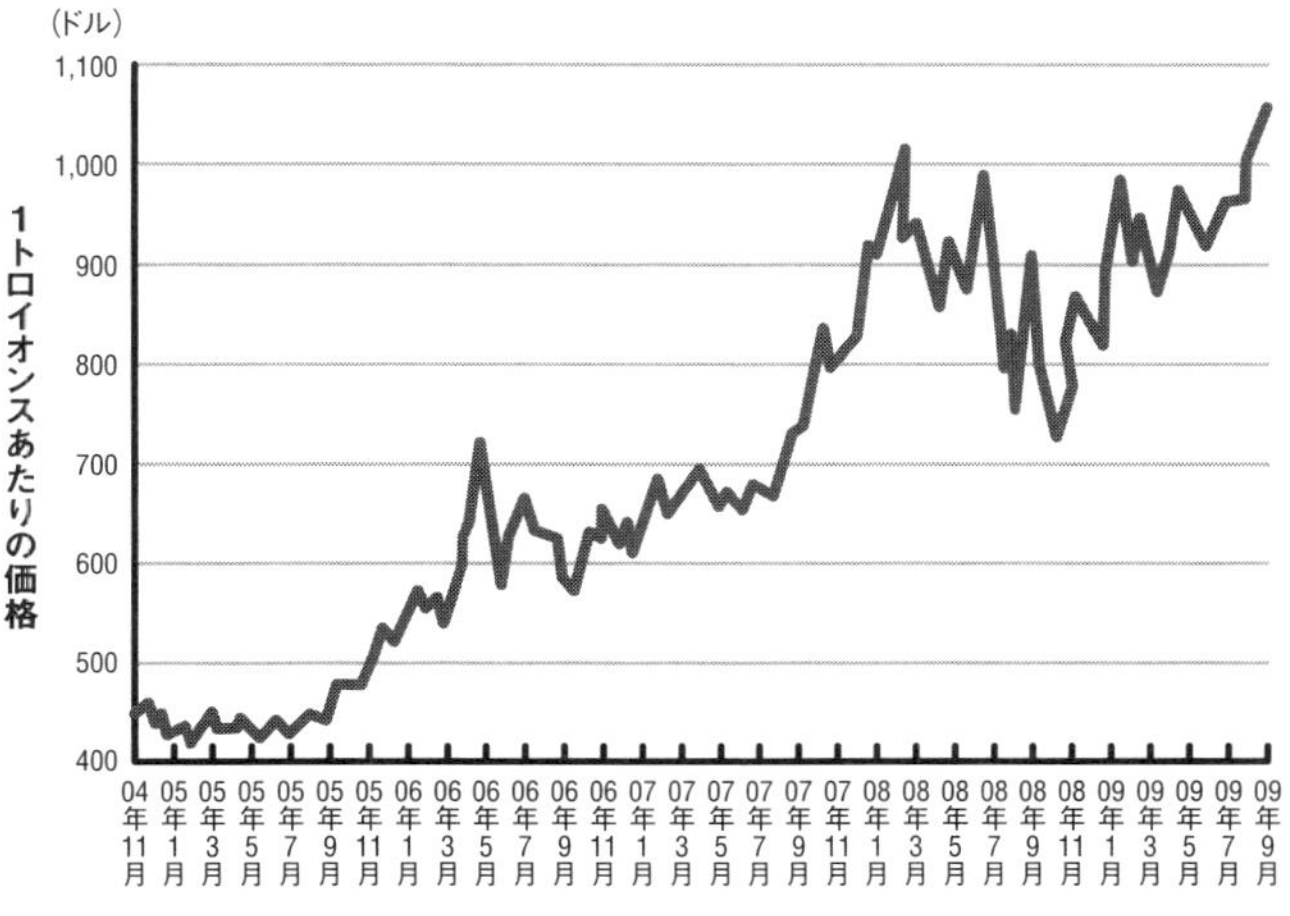

出所：LBMA（ロンドン地金市場協会）

な投資対象となります。

金は価値の安全な保存手段として、大昔から信頼され続けてきました。それに比べると紙のお金など10年やそこらで価値を失うことも珍しくなく、信用するに足りません。

金投資に詳しいジョージ・ジェロ氏によると、1930年代の金1kgの価値は、立派な4ドアの自動車1台分に相当しました。そしてそれは今でも、まったく変わっていないのです。

当時の自動車価格に相当するドルが、現在どれほどちっぽけな価値になっているかを考えると、これは驚くべき安定性です。

投資戦略 不測の事態にそなえて金を保有する

金価格を指標として活用するためのポイントは、投資需要を見ることです。世界で産出される金のうち、およそ3分の2は宝飾品に使用されます。しかし金価格の上昇にもっとも大きく関連するのは、投資家による需要です。

金投資コンサルタントとして有名なCPMグループ社長のジェフリー・クリスチャン氏は、「投資需要が年間2000万オンスを超えたら金価格が上昇してくる」と言います。

これは昔から変わらない目安ですが、現在では投資家たちがどんどん金に飛びつき、さらに多くの金が買われているそうです。まだしばらくはこの傾向が続く、とクリスチャン氏は考えています。

この情報をどのように使えば、利益が出せるでしょうか。金の投資需要の高まりにうまく乗って、価格上昇で儲けるのも1つの手ではあります。

しかしながら、そうした投資はクリスチャン氏のような専門家に任せておいたほうが安全かもしれません。金市場は、控えめにいっても、かなり見通しの悪い世界だからです。

ではその代わりにどうするかというと、**ポートフォリオ・インシュアランス***に利用します。つまり、ひどい不況などの事態に備えて、資産を守るための「保険」として持っておくのです。

「どんな人でも、ポートフォリオの一定の割合はいざという時の保険に充てておくべきだと考えます。たいていの人のポートフォリオは日常的な動きのなかで儲けることしか考えていませんが、非常事態に備えるという視点は必要です」(クリスチャン氏)

つまり何かあったときのために、資産配分に一定の金を組み込んでおくべきだということです。

金の価格は、そのほかの資産とは無関係な動きをすることが知られています。そのため金を組み込むことによって、ポートフォリオ全体が一方向に動いてしまうのを避けることができます。経済が悲惨な状況に陥った場合、金価格はおそらく上昇するでしょう。そして悲惨な状況に陥らなかった場合は、金以外の資産で利益を出せることになります。

ポートフォリオ・インシュアランス
相場下落への防衛として、安定した資産運用をめざす投資手法

資産全体のおよそ5～15%を金に割り当てればいいというのが多くの専門家の意見です。

金を買うにはいくつかの方法があります。もっとも簡単なのは、ＳＰＤＲゴールド・シェアなどの上場投資信託です。株を買うのとまったく同じように買うことができます。

あるいは、コインの形で金の実物を手に入れる方法もあります。

ただしコインを買う場合は、必ず地金型金貨を選んでください。含まれている金の量によって価格が決まるタイプの金貨です。これに対して収集型と呼ばれる金貨は、金の量ではなく細工や希少性によって価格が決まるので、ここでは適切ではありません。主な地金型金貨には、アメリカのイーグル金貨や南アフリカのクルーガーランド金貨、カナダのメイプルリーフ金貨などがあります。

まとめ41

①発表時期……金取引が行われている日（ほぼ毎営業日）

②データの入手先

The Wall Street Journal オンラインの Market Data Center（www.WSJMarkets.com）にアクセスし、上部メニューから「Commodities & Futures」を選択してください。「Metals」の下にある「Gold」から金価格を確認できます。またワールド・ゴールド・カウンシルのウェブサイト（www.gold.org）にも、金関連の詳細な情報が掲載されています。ワールド・ゴールド・カウンシルは、世界最大の金上場投資信託であるＳＰＤＲゴールド・シェアの管理会社を保有しており、日々の取引情報をタイムリーに提供しています。ワールド・ゴールド・カウンシルはＧＦＭＳコンサルティングとも協力して各種統計情報を公開しています。また、ＣＰＭグループも金に関する出版物を出しており、市場の論評だけでなく、貴重な歴史的データを提供してくれます。そのほかの情報源にはロンドンの金市場を管理する**ロンドン地金市場協会***（ＬＢＭＡ）や、金取引の情報サイト Kitco.com などがあります。

③**注目ポイント**……金の価格および在庫の変化

④**意味すること**……金の需要が高まっている場合、投資家たちはインフレや金融危機、国際情勢の悪化を危惧している

⑤**投資アクション**……インフレ、戦争その他の危機が予測される場合、なるべく早めに金を買う

⑥**リスク評価**……高

⑦**リターン評価**……$$$

ロンドン地金市場協会

ロンドン地金市場協会（ＬＢＭＡ：London Bullion Market Association）は、ロンドン金市場で流通する金の値決めなどを行う機関

42

ミザリー指数
——経済的な「痛み」の数値化

経済の神様が微笑んでいるときは、給料がどんどん増えて物価はどんどん安くなります。嘘ではありません。実際にそういうことも起こり得るのです。しかし時には、それと真逆の出来事が起こります。給料は消えてなくなり、生活に必要なものの値段が跳ね上がるという、悲惨な経済状況です。

今となっては尋ねようもありませんが、故アーサー・オークン氏がミザリー（悲惨）指数を考えだした当時の経済・社会的状況も、きっと悲惨なものだったのでしょう。

ミザリー指数は、経済の悲惨度を測る指標です。すぐれた指標が往々にしてそうであるように、ミザリー指数の成り立ちはシンプルです。失業率とインフレ率を足しただけです。

この数値が高ければ高いほど、社会には悲惨な状況があふれているということになります。

バージニア大学ダーデン経営大学院教授のピーター・ロドリゲス氏はこのように語ります。

「ミザリー指数は社会全体における経済的な痛みを数値化したものです。経済的に下層に位置する人ほど、その痛みは激しいものとなります」

●**タイミング**
一致指標～先行指標

ミザリー指数が１９７０年代に考案されたのは、偶然ではありません。

ちょうど１８６０年代以来初めて、政府による徹底的なインフレ対策が破綻した頃でした。金とドルの交換が停止され、続く10年間は１９３０年代の大恐慌に匹敵するほどの高い失業率を記録しました。

当時の一般的な経済理論では、インフレ率と失業率が同時に上昇することはないとされていました。インフレ率が上がれば雇用は増えるはずだし、失業率が上がれば物価は下がるはずだと考えられていたのです。

しかしこの理論は間違っていたことが判明しました。

「１９７０年代のアメリカでは非常に高い失業率のなかで、インフレ率も高まっていきました。そ

ミザリー指数

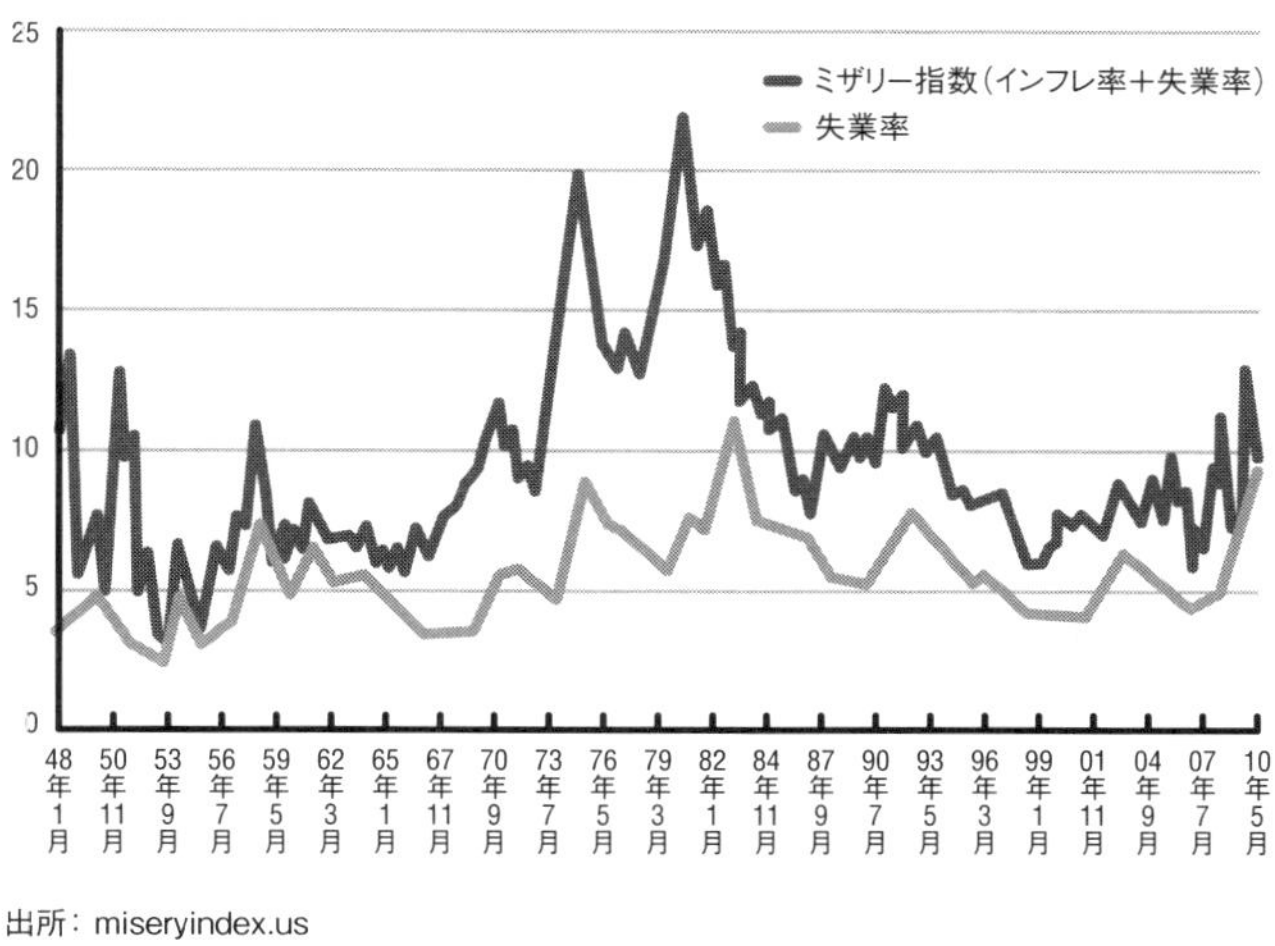

出所：miseryindex.us

れまで誰も見たことのなかった状況がやってきたのです。陰気な科学と呼ばれていた経済学は、〝悲惨な科学〟の域に達してしまいました」（ロドリゲス氏）

ミザリー指数と同様の指標に、経済学者ロバート・バロー氏が考案したバロー・ミザリー指数があります。オークン氏考案のミザリー指数と同様、失業率とインフレ率を足したものですが、ほかの要素もいくつか加えられています。

投資戦略 人々の悲惨さから政権の先行きを予測する

ミザリー指数は基本的に、労働者階級の状況を顕著に表す指標です。もちろん上のほうの階層にいる人々が何も感じないわけではありませんが、下に行けば行くほど痛みは大きくなります。そうした性質から、ミザリー指数は政治の雲行きを占う基準としても使うことができます。

つまりミザリー指数が高まっているときは、民衆の怒りがそれだけ高まっているということです。人々は怒りを選挙の投票所にぶつけます。このような悲惨な状況をもたらした現職の政治家を引きずり下ろそうとします。

民主党のジミー・カーターは、そのようにして大統領の座を失いました。カーターが大統領に就任した時点でミザリー指数は12・7に達しており、在任中はそれ以下に下がることはほとんどありませんでした。１９８０年7月には22という数字を記録し、これは史上最高の値として今も破られていません。いうまでもなく、次期大統領選挙でカーターは、共和党のロナルド・レーガンに大敗しました。

ミザリー指数を低い水準に保つことができた大統領は、たいてい再選しています。ジョージ・ブッシュとビル・クリントンがいい例です。

「とにかく経済の悲惨な状況を改善することができなければ、この国の大統領の座にとどまることはできないのです」（ロドリゲス氏）

ミザリー指数はまた、**連邦準備制度理事会***（ＦＲＢ）がどの程度うまく仕事をしているかを知るための指標にもなります。米国の中央銀行にあたるＦＲＢは、インフレ率の低下と失業率の低下という2つの使命を負っています。ミザリー指数が高くなると、ＦＲＢはまずい仕事をしているということになります。

ミザリー指数を投資に生かすための方法はさまざまで、文脈によって変わってきます。たとえば人々の不満の高まりが政権交代をもたらすと考えれば、これは株価上昇のサインとなります。またミザリー指数をもとに、ＦＲＢの金利政策を占うというやり方もあります。

ＦＲＢは政治的プロセスからは独立した機関ですが、憲法で保護されているわけではないので、まったく影響を受けないというわけにはいかないのです。

連邦準備制度理事会
連邦準備制度理事会（ＦＲＢ：Federal Reserve Board）は、連邦準備制度の統括機関で、中央銀行に相当する

まとめ42

①発表時期……インフレ率または失業率に変化があったとき

②データの入手先

ミザリー指数は「失業率＋インフレ率」で求められます。The Wall Street Journal オンラインの Market Data Center（www.WSJMarkets.com）で最新の失業率および消費者物価指数（ＣＰＩ）を確認してください。また米国労働省労働統計局のウェブサイト（www.bls.gov）でも、同じ情報を入手できます。ミザリー指数のウェブサイト（www.MiseryIndex.us）では、ミザリー指数とあわせて歴代大統領が表示されており、歴史的な動きを読みとることができます。

③注目ポイント……ミザリー指数の上昇（低下）

④意味すること……現在の政権が危機に直面している（安泰である）。ＦＲＢに対する風当たりが強くなる（弱まる）

⑤投資アクション……政府およびＦＲＢの変化を予期する

⑥リスク評価……アクションにより異なる

⑦リターン評価……$～$$$$

43 生産者物価指数（PPI）

──物価上昇の最初のサイン

インフレはスーパーマーケットで生まれるわけではありません。

商品の価格が上がるのは、店が生産者から仕入れるときの価格が上がるからです。

そのため、商品の仕入れ値の動きを知れば、この先の物価の動きを明確に捉えることができます。生産者側が店にものを売るときの値段は、**生産者物価指数**（PPI）によって知ることができます。

生産者物価指数は有名な**消費者物価指数***（CPI）の兄弟のような存在ですが、それほど知名度は高くないようです。消費者物価指数は、消費者が商品やサービスを買うときの価格を測る指標です。

それに対して生産者物価指数は、生産者がその生産物に対していくら受け取るかを表します。

つまり、小売業者が商品を仕入れるときの価格です。

バージニア大学ダーデン経営大学院教授のピーター・ロドリゲス氏はこう述べています。

「生産者物価指数は、ビジネスのコストを教えてくれます。経済に何らかの動きがあったとき、

●タイミング
景気後退時：先行指標
景気拡大時：一致指標

●関連指標
㊵GDPデフレーター（239ページ）
㊶金価格（244ページ）
㊽TIPSスプレッド（280ページ）

消費者物価指数
消費者物価指数（CPI：Consumer Price Index）は、消費者が実際に購入する段階での、商品およびサービスの価格（物価）の変動を表す指数

最初に目に見える変化が現れてくるのは生産者側の物価なのです」

景気が悪いときには、生産者は生き残りをかけてコストを下げ、販売価格や賃金を引き下げます。消費者に喜んでもらうために、物価上昇の一部を自ら犠牲となって引き受ける場合もあります。

逆に景気がよいときには、物価の上昇がそのまま消費者側に転嫁されます。

投資戦略 TIPSと金でインフレにそなえる

生産者物価指数を構成する要素のうち、食品とエネルギーの2つは非常に変動が大きい項目です。これらの不安定な数値は、全体的な動きを読みとる際にノイズとなり、分析を難しくする要因

生産者物価指数（PPI全コモディティ指数）

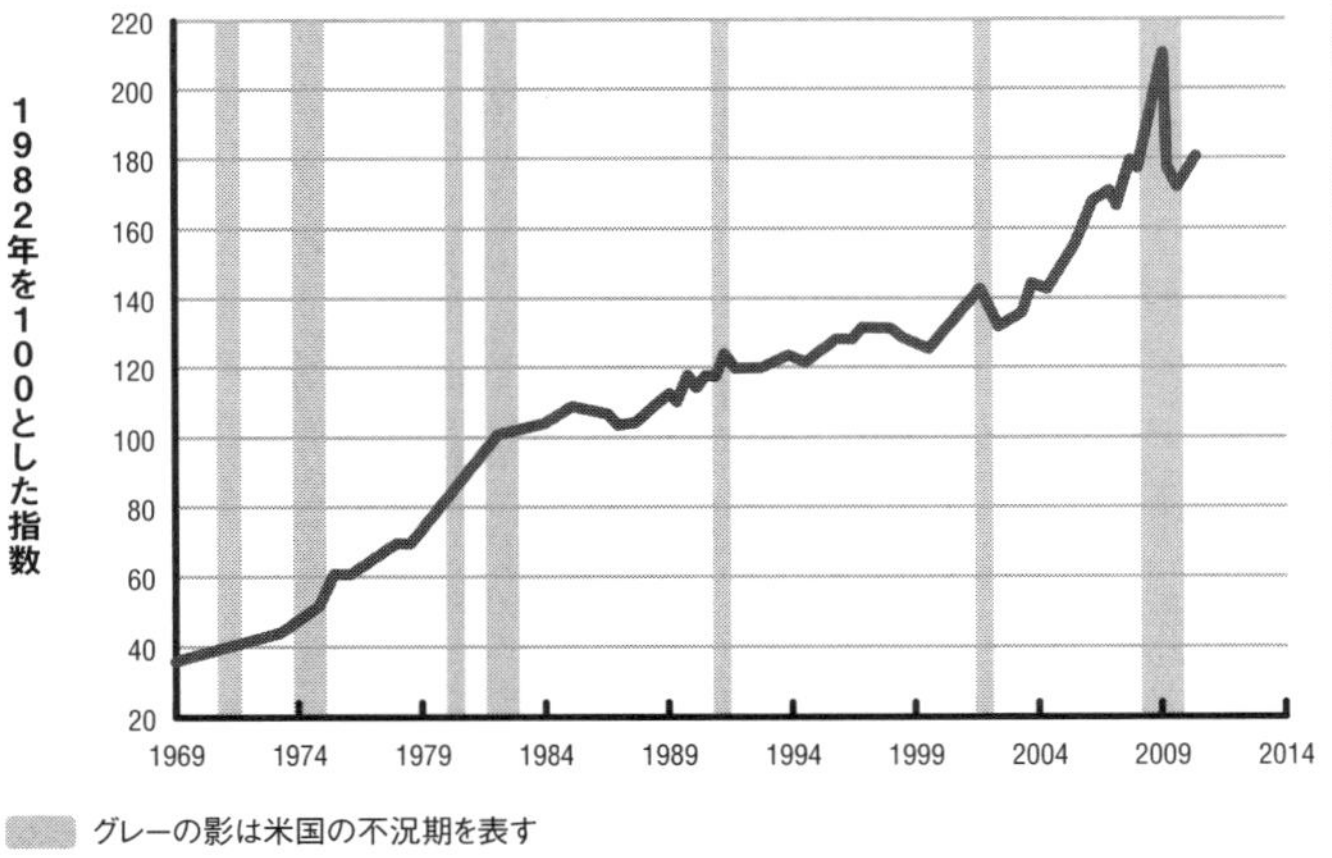

出所：米国労働省労働統計局

となります。そのため、特に食品とエネルギーを除いた、「コア指数」と呼ばれる指数が注目されます。不安定な要素を取り除いたほうが、全体の傾向が見えやすくなるからです。

傾向を把握することが、生産者物価指数を読み解くための鍵です。そのためには、数カ月にわたるデータを分析する必要があります。

ロドリゲス氏は、「移動平均」によってノイズを除去する方法をすすめています。これは過去3カ月や5カ月といった一定期間の平均値を計算し、その平均値の推移を見るテクニックです。

具体的には、毎月の生産者物価指数に対してそれぞれ過去3カ月の平均値を計算し、その平均値をグラフに描いていきます。それぞれの平均値をつなげた線が、「移動平均線」と呼ばれるものです。これは月々の値の変動をなだらかにして、大きな傾向を読みやすくするのに役立ちます。

こうして傾向をつかむことで、次に取るべき行動がはっきりと見えてきます。

たとえば6月から8月にかけて、生産者物価指数の3カ月平均が1%、2%、3%と徐々に増えていたとしましょう。これは明らかなインフレ率の上昇トレンドを示しているといえます。

逆に4%、2%、1%のように下がり気味で推移していたなら、近いうちにインフレが起こることはまず考えられません。

もしも生産者物価指数が上昇傾向を見せていたら、それは消費者レベルでのインフレが間近に迫っていることを意味します。あるいは、景気が停滞しているような時期であれば、生産者および小売店の利幅が小さくなっていることを指している場合もあります。

物価の下落については、インフレよりも考えられる要因が多いので解釈が難しくなります。景気悪化によるものかもしれませんし、製造過程での効率アップによってコストが下がったのかもしれません。

インフレが進行している場合は、**インフレ連動国債***（ＴＩＰＳ）が有効な対抗策となります。通常の債券だと物価が上がっても額面上の価格と金利しか受け取れませんが、ＴＩＰＳは物価が上昇するのにあわせて、元本も大きくなります。

それ以外のやり方としては、インフレ率の低い通貨で資産を保持するという手もあります。また金《きん》も、相場が変動しやすい特徴はありますが、有効なインフレ対策となります。

まとめ43

①発表時期……毎月中旬、米東部時間で午前8時30分

②データの入手先

The Wall Street Journal では生産者物価指数の動向をつねに追跡しています。情報が発表され次第、The Wall Street Journal オンライン版のヘッドラインに速報記事が掲載され

インフレ連動国債
一般に元本がインフレ率によって変動する債券

ます。データだけを確認したい場合は、The Wall Street Journal オンラインの Market Data Center（www.WSJMarkets.com）にアクセスし、上部メニューから「Calendars & Economy」→「U.S. Economic Events」のリンクを選択してください。カレンダーの毎月中旬に「Producer Price Index」のリンクが張られています。米国労働省労働統計局のウェブサイト（www.bls.gov/ppi）で直接データを確認することもできます。過去のデータについては、**セントルイス連銀***の**FRED***データベースから入手できます（http://research.stlouisfed.org/fred2/series/ppiaco?cid=31）。また、Briefing.com の「Investor」コーナーでも同様の情報が入手できます。

③**注目ポイント**……3~5カ月の移動平均で見た場合の、生産者物価指数コアの大きな上昇（低下）

④**意味すること**……インフレの危機が高まっている（低下している）

⑤**投資アクション**……インフレ連動国債や金、インフレ率の低い国の通貨など、インフレ対策資産を買う（売る）

⑥**リスク評価**……高

⑦**リターン評価**……$$$

セントルイス連銀
セントルイス連邦準備銀行は、米国のミズーリ州セントルイスに本店を置く連邦準備銀行の1つ

FRED
セントルイス連邦準備銀行が無料で提供するFRED（Federal Reserved Economic Data）は、収録範囲が金融部門だけにとどまらず、GDP、財政、貿易、産業など多岐にわたる

44 小口投資家
——なぜ彼らはいつも貧乏くじを引いているのか

●タイミング
景気後退時：先行指標
景気回復時：遅行指標

世の中には、不運に生まれついた人というのがいます。いつも間違ったタイミングで、間違ったことをしてしまう人たちです。同情を禁じえません。ちなみに投資の世界では、彼らはこう呼ばれています。**小口投資家**です。

ここで言っているのは、個人で少額の取引を行っている投資家のことです。彼らはいつもきまって、まずい判断ばかりしています。小口投資家が大きく賭けてきた場合、対象が不動産であれ株であれ、たいてい儲かるタイミングは終わるところです。

調査会社ファイナンシャル・リサーチ・コープ（ＦＲＣ）のアナリスト、ピーター・ウェルゴス氏はこのように語っています。

「小口の投資家の方たちは、いつも情報を知るのが遅すぎるんです。それで判断を誤ります。昔から一貫して変わらない特徴です」

ウェルゴス氏の勧めるＦＲＣは、投資信託に関する情報を集めて分析しています。投資信託は小口投資家にもっとも好まれる商品です。ですからＦＲＣの投資信託データを見れば、小口投資家がどのような動きに出ているかを把握することができます。

そしてたとえば、正反対の動きに出ればいいのです。

なぜかというと、小口投資家は本来動くべき方向とは逆のほうに向かって動いている場合が多いからです。価格が上がりきって、賢明な投資家たちが引き上げはじめているところで、彼らは買いに出ます。逆に価格が下がりきってしまったところで、彼らは売ってしまいます。

本来ならば、そこで買わなくては意味がないにもかかわらずです。

「これは人間の性《さが》といいますか、どうしてもパニックになって、我慢できずに動いてしまうんですね」（ロドリゲス氏）

小口投資家の投資動向

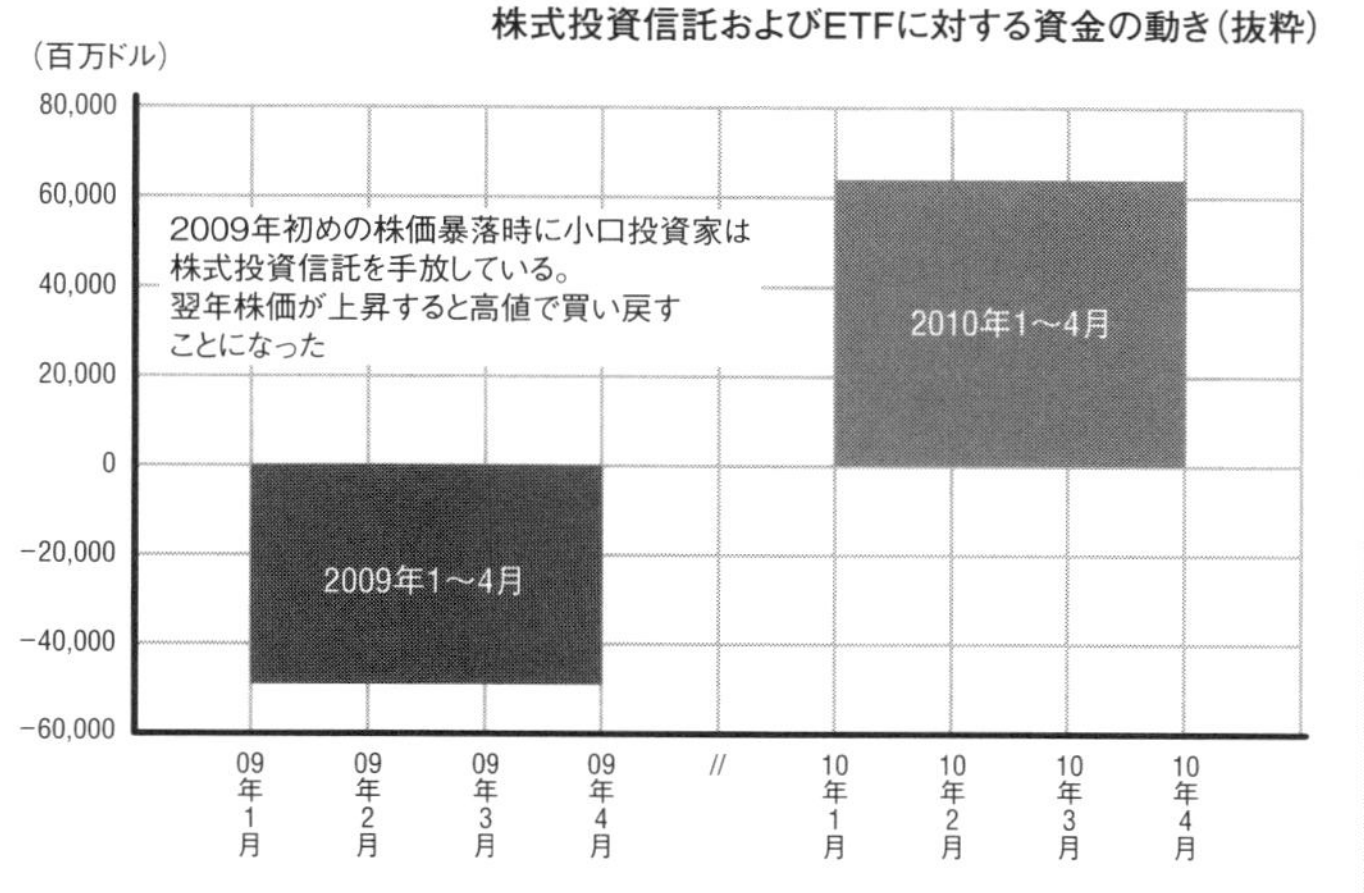

出所：FRC（フィナンシャル・リサーチ・コープ）

投資戦略 小口投資家が買っていたら売る

調査会社FRCでは、特定の投資信託に対するお金の出入りを推定する専門的なテクニックを使って、月々どれだけのお金が投資信託に流れ込んだかを追跡しています。

このデータが重要なのは、市場のなかから小口投資家の動きだけを取り出してくれるからです。プロの投資家は投資信託を買いません。その代わりに株式なら上場投資信託（ETF）を買い、債券なら特定の債券を直接買います。また大きなお金を持っている個人も、投資信託は選びません。その代わりに資産運用の専門家を雇って、自分のニーズに合ったポートフォリオを組み立ててもらいます。

もちろん例外はありますが、一般的にいって投資信託は小口投資家のものなのです。ですから投資信託に対するお金の流れを見れば、小口投資家が何を考えているかを読みとることができます。

投資信託はたいてい、資産の種類によって分類されています。株、債券、現金、貴金属、国内、国外といったカテゴリー別に並んでいます。そのため、どのカテゴリーにお金が流れ込んでいて、どのカテゴリーからお金が流れだしているかを、簡単に把握することが可能です。

つまり、小口投資家が今どんな種類の資産に対して熱くなっているのか、そしてどんな資産から逃げだしているのかを知ることができるのです。

こうした小口投資家の行動と、実際の資産の値動きをあわせて見てみましょう。

そうすれば、小口投資家が過大評価あるいは過小評価している資産の種類が見えてきます。たとえば債券ファンドのリターンが好調で、小口投資家が殺到しているようなら、債券の値動きをチェックしてそこに乗るべきか反対に出るべきかを検討してみましょう。

注意しておきたいのは、特定の投資信託が人気を集めるのは、広告キャンペーンの結果かもしれないという点です。その種類の資産に関心があるかないかにかかわらず、広告が打たれれば一時的に売れ行きがよくなります。

したがって軽々しく結論を出さず、きちんと調査することが大事です。

まとめ44

①発表時期……随時

②データの入手先

ファイナンシャル・リサーチ・コープ（ＦＲＣ）は、個人向けの情報提供はしていませんが、同社の毎月のプレスリリースは各種ビジネスサイトに掲載されています。ウェブ上を少し探せば情報は見つかるでしょう。また投資信託情報サイト MorningStar にもさまざまな情報が掲載されています。各種ファンドの値動きから、大まかな資金の流れを読みとることも可能です（ただし各ファンドのパフォーマンスを考慮する必要があります）。

③注目ポイント……小口投資家がどのタイプの投資信託に集まっているか、特に記録的な資金の流出入が示すセンチメントの変化に注目する

④意味すること……小口投資家の間でブームになっている種類の資産は、すでにピークを過ぎている可能性がある

⑤投資アクション……小口投資家が買っているときに売る。売っているときに買う。特にプロの投資家の動きと食い違っているときは小口投資家が間違っている可能性が高い

⑥リスク評価……中

⑦リターン評価……$$

45 クレジット・スプレッド
──金利差から見えてくる資本の流動性

●タイミング
先行指標
●関連指標
㊻ＴＥＤスプレッド（271ページ）

リスクを取ることは、米国資本主義の本質であるといえます。

ただしリスクといっても、やみくもに何でも突っ込んでいけばいいというわけではありません。そういうのはただの命知らずです。ここで言っているのは、もっと分別のあるリスクの取り方のことです。利益を出すためにリスクを受け入れることは、ビジネスを成功させるうえで不可欠な要素だからです。

リスクの大きさがもっとも見えやすい形で現れてくるのが、債券市場です。債券市場にはたくさんの上場企業が集まり、資金を調達するために借用証書を売り出しています。

危ない会社ほど、お金を借りる際のコストが高くなります。安全な会社に比べて、たくさんの利子を払わなくてはお金が借りられません。

同じだけの利回りで安全な会社にお金を貸せるのなら、誰もわざわざリスクの高い会社に貸そうとは思わないからです。リスク分のリターンがなくては割に合いません。

このようにして生まれる借り入れコストの差を、**クレジット・スプレッド**と呼びます。

クレジット・スプレッドにはさまざまな種類がありますが、ここでは最高レベルの債券（格付け：ＡＡＡまたはＡａａ）と、**ジャンク債***の一歩手前にある債券（格付け：ＢＢＢまたはＢａａ）を比べたときの金利の差に着目していきます（債券の格付けは、専門の格付け会社が借り手の信用度に応じて決定しています）。

クレジット・スプレッドの大きさは、景気のサイクルによっても変化します。

景気回復の前にはクレジット・スプレッドが小さくなり、景気悪化が迫っているときにはクレジット・スプレッドが大きくなります。そのためクレジット・スプレッドは景気の先行指標として使うことができるのです。このような動きになる理由を、Ｈ・Ｃ・ウェインライト社のデヴィッド・ランソン氏はこう説明します。

「経済をまわしているのは、資本の投入です。クレジット・スプレッドが広がるということは、リスクが高まっているという投資家たちの認識の表れなので、結果として資本の流れが悪くなります。資本の量が足りなければ、経済成長は行き詰まってしまいます」

実際、２００８年10月にクレジット・スプレッドが拡大し、資本の流れが滞りました。その結果、やはり不況がやってきたのです。

逆のケースについても同じことがいえます。クレジット・スプレッドが縮まると、世の中の資本の流れがよくなります。その結果、経済成長が活発になっていきます。

ジャンク債
ジャンク債（Junk Bonds）とは、信用格付け会社により投資不適格の格付けを与えられた発行体により発行された債券のこと。ジャンクボンド、投機的債券、ハイイールド債などとも呼ばれる

米国の金利のリスク構造

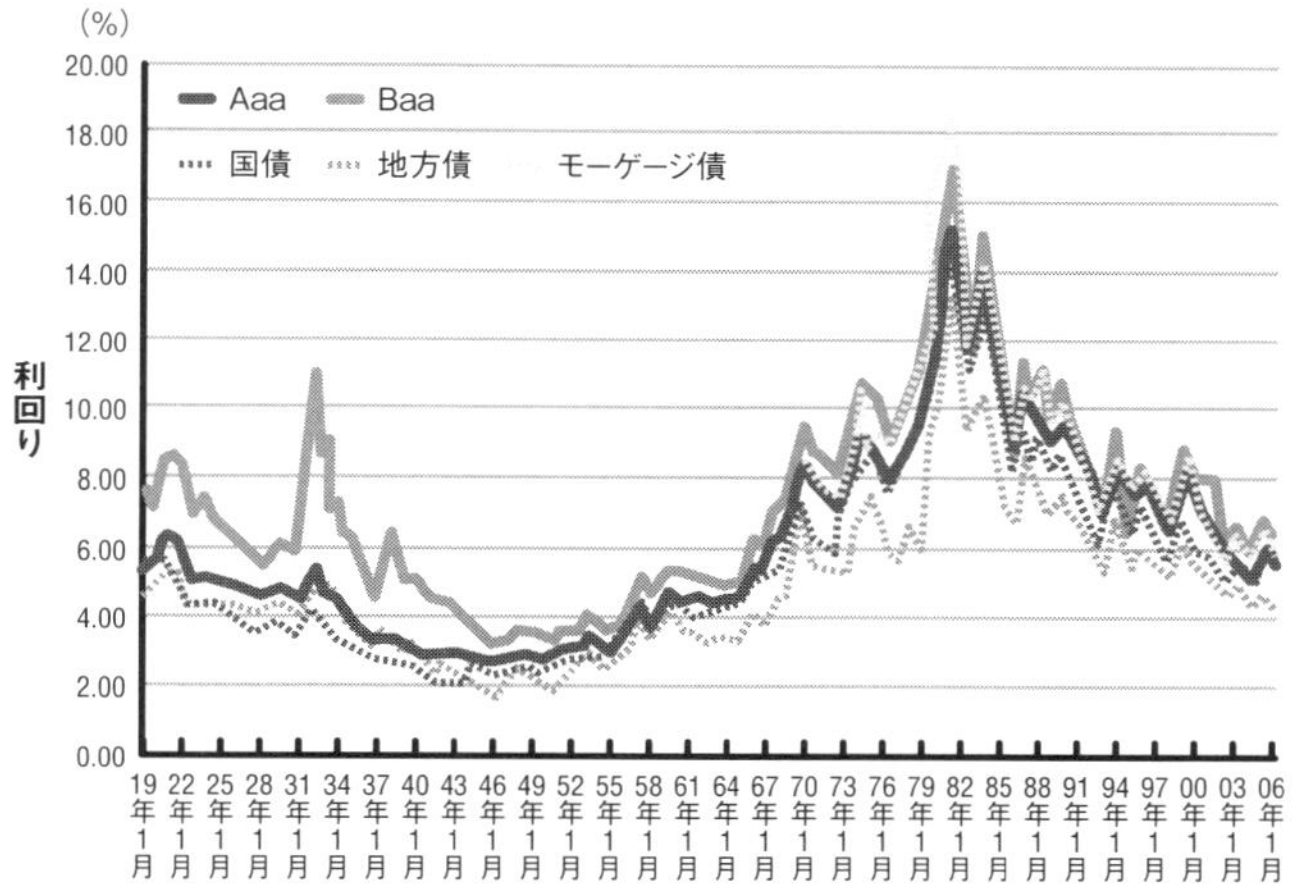

出所：research.stlouisfed.org

格付けBaaとAaaの利回り格差

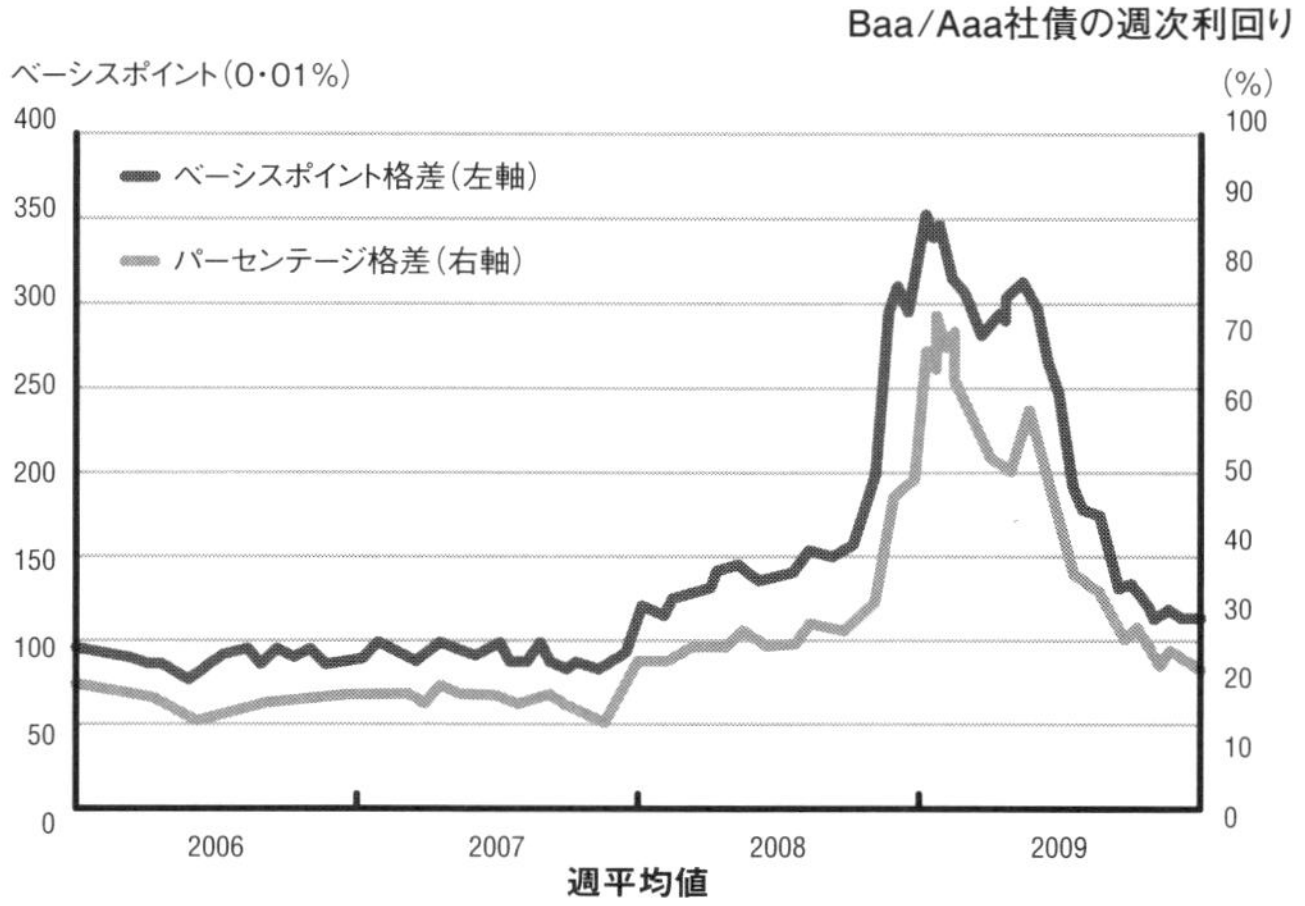

出所：ムーディーズ／FRB（連邦準備制度理事会）

投資戦略 金利差の広がりに応じてリスクの取り方を調整する

ランソン氏は1949年から現在にいたるまでのクレジット・スプレッドの動きを研究し、クレジット・スプレッドと景気の関連性を分析してきました。

クレジット・スプレッドが著しく拡大または縮小した場合、景気はたいてい大きく動いていきます。たとえばクレジット・スプレッドが急激に小さくなると、近い将来に景気が目立って伸びてきます。逆にクレジット・スプレッドが大きく広がると、景気は悪化していきます。

同氏の研究によれば、クレジット・スプレッドが3・5％以上縮まった場合（たとえば格付けが高い債券と低い債券の利率の開きが6・5％から3％に縮まったような場合）、その四半期の経済成長は平均で5％以上の伸びを見せます。

さらに3～6カ月後には、年率換算で6％を超える経済成長が見込まれるといいます。これは米国のような豊かな国にとっては、驚くほど高い数字です。

ランソン氏はこの知見をもとに、2009年の第4四半期における景気回復をぴたりと予言しました。クレジット・スプレッドが急激に縮まったのです。当時それに気づいていた人はかなり少なかったでしょう。

逆にクレジット・スプレッドが3・5％以上拡大した場合は、その四半期および3カ月後におよそ1・4％の成長率低下が見込まれます。

この知識を投資に生かすには、どうすればいいでしょうか。

答えは簡単です。予想される景気の拡大・縮小に合わせて、もっともふさわしい資産を選べばいいのです。

クレジット・スプレッドが急激に広がった場合、近いうちに景気が悪化すると考えられます。そのようなときには、リスクの高い資産や景気と連動しやすい資産を避けるべきです。

ランソン氏がすすめるのは、安全性の高い**ソブリン債***（国債や政府機関債）を買うことです。また、金《きん》も安全な逃避先になります。米国債は、TreasuryDirect.gov のウェブサイトを通じて直接購入することができます。金についても、ＳＰＤＲゴールド・シェアなどの上場投資信託を通じて手軽に購入可能です。

逆に避けるべきなのは、株全般と、エネルギーや金属、穀物などのコモディティです（ランソン氏は金をコモディティに含めず、独自のカテゴリーに属する資産と考えています）。

一方、クレジット・スプレッドが縮まっている場合は、景気拡大が予測されるので、逆のアプローチになります。積極的にリスクを取るということです。

たとえば、新興国の株式はよい選択肢でしょう。新興国の株式には、株式とコモディティのリスクをあわせたような性格があります。新興国の企業の多くは、鉱業や農業などのコモディティ関連の事業を行っているからです。

ソブリン債
各国の中央政府や政府機関によって発行された債券。代表例は国債。一般的には信用度が高いため金利が低いが、ギリシャを発火点として、２０１１年に深刻化した欧州債務危機のように、ソブリン債でも市場がリスクが高いとみなして売り込まれ、金利が急上昇することもある

まとめ45

①発表時期……毎営業日

②データの入手先

The Wall Street Journal オンラインの Market Data Center（www.WSJMarkets.com）にアクセスし、上部メニューから「Bonds, Rates & Credit Markets」を選択してください。移動先ページ内の「Corporate Bonds: Most Actives」から主要な社債の利回りが確認できます。そのほかにもインターネット上のさまざまなサイトで情報を入手できます。なかでも**セントルイス連銀***の**FRED***データベースは過去のデータが充実しています（http://research.stlouisfed.org/fred2/）。H・C・ウェインライトなどのコンサルティングファームもわかりやすい情報を提供しています。

③注目ポイント……クレジット・スプレッドの縮小（拡大）

④意味すること……次の四半期にかけて景気が拡大（縮小）する

⑤投資アクション……株やコモディティを買う（短期債券や金、またはキャッシュに逃げる）

⑥リスク評価……中

⑦リターン評価……$$

セントルイス連銀
セントルイス連邦準備銀行は、米国のミズーリ州セントルイスに本店を置く連邦準備銀行の1つ

FRED
セントルイス連邦準備銀行が無料で提供するFRED（Federal Reserved Economic Data）は、収録範囲が金融部門だけにとどまらず、GDP、財政、貿易、産業など多岐にわたる

46 TEDスプレッド
——金融市場の息苦しさを表す指標

●タイミング
先行指標

●関連指標
㉖ＣＡＯ（信用カオシレーター）（167ページ）
㉚ＬＩＢＯＲ（ロンドン銀行間取引金利）（188ページ）

２００８年に深刻な信用危機が起こってからというもの、銀行はかなりの嫌われ者になってしまいました。しかし嫌いだからといって、無視しても何の得にもなりません。銀行が何を考えているかをしっかり読み解き、それを利用して儲けてやりましょう。

世間がどんなに大騒ぎして銀行の悪口を言おうとも、経済成長を支えているのはやはり銀行による融資です。銀行が貸し出しについてどう感じているかを知ることは、景気を読み解くための鍵となります。銀行の貸出姿勢は、貸し出しのリスクに対する上乗せ金額によって測ることができます。具体的には、政府が借金するときの金利と、銀行同士でお金を貸し借りするときの金利を比較します。

政府は借金を必ず返済できると考えられているので、リスクはゼロです（お金が足りなかったら、課税したりお金を刷ったりすればいいのです）。政府が借金をするときの金利（つまり国債の金利）を基準にすると、銀行間の取引にかかる金利は、リスクの分だけ高くなります。

つまり国債の金利に比べて、銀行間取引の金利がどれだけ高いかを見れば、信用リスクの大きさを測ることができるのです。

　政府が支払う金利と銀行が支払う金利を比較するための指標が、**TEDスプレッド**です。

　これは短期国債と、ユーロドル（米国の外にあるドル資金）の金利である*__ロンドン銀行間取引金利__（LIBOR）の利回りの差を表したものです（LIBORは銀行間取引の金利を表す指標です。詳しくは188ページを参照。Tは Treasury、EDは Eurodollar の略）。

　グルスキン・シェフの主任エコノミスト、デヴィッド・ローゼンバーグ氏は、TEDスプレッドについて次のように述べています。

「TEDスプレッドは、いわば金融市場の酸素濃度を表す指標です。銀行がおたがいに貸し借りする際の信頼度がこれで測れます」

　TEDスプレッドが小さい場合、銀行は自信を

TEDスプレッド

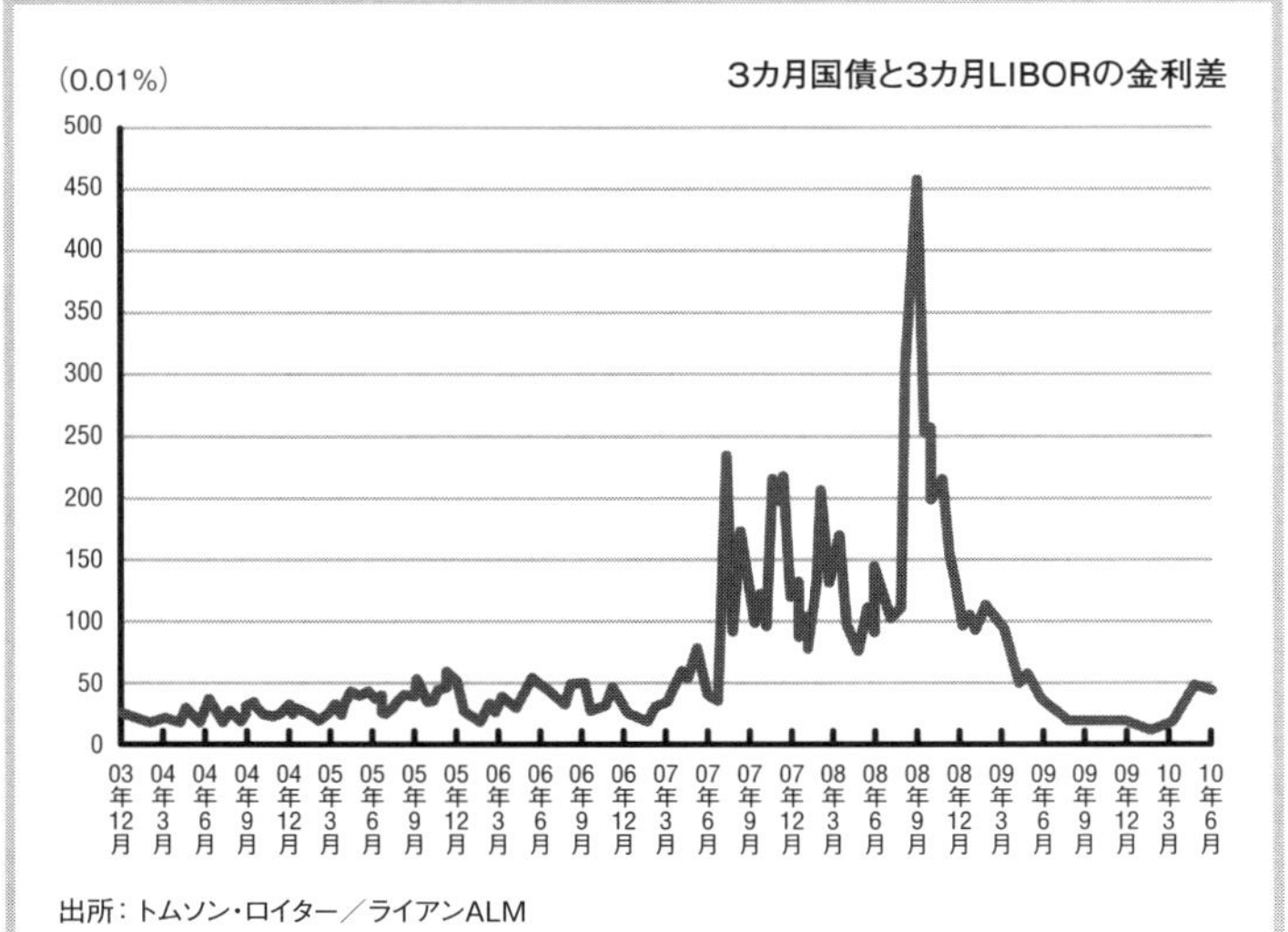

出所：トムソン・ロイター／ライアンALM

持ってお金を貸し出しています。TEDスプレッドが大きい場合、銀行は貸し出しに不安を抱えています。非常に大きくなった場合は、信用危機などの事態をまねく恐れもあります。

銀行がどれくらいお金を貸し出し、どれほどの金利を取るかというのは、経済にとって重大な意味を持っています。より多くの融資が行われると、景気はよくなります。融資が少ないときには、景気は後退し、不況になる場合もあります。

「金融の世界で何かが起これば、それは必ず世の中の経済に影響をおよぼすことになるのです」(ローゼンバーグ氏)

投資戦略 TEDスプレッドが拡大ならリスクを避ける

TEDスプレッドが広がると、全体的に銀行による融資が減り、経済成長が目に見えて減速します。逆にTEDスプレッドが小さくなると、融資が増えていきます。銀行が強気になっている証拠です。

TEDスプレッドが広がった年をあげてみると、1987年、1990年、1998年、2000年、2008年、2010年です。このうち1987年と1998年には大きな変化はありませんでしたが、1990年、2000年、2008年は予想どおり不況が起こりました。2010年に関していえば、多くの専門家が「二番底の不況」が起こるだろうと警戒しました。

ロンドン銀行間取引金利
ロンドン銀行間取引金利(LIBOR:London Inter-Bank Offered Rate)は、指定された複数の有力銀行から報告された午前11時時点の資金の出し手側のレートを、英国銀行協会(BBA)が集計し毎営業日発表しているこのように過去のデータからも、ＴＥＤスプレッドの拡大と景気停滞の間には明らかな相関があると考えられます。ただしそのほかの指標と同様、結論を出す前にきちんと確認することが重要です。拡大または縮小の傾向に持続性があるかどうか、そしてその傾向を裏付けるようなほかのデータがあるかどうか、確かめてください。

一般的に銀行が融資に消極的になると、経済によくない影響をおよぼします。リスクとリターンの比率が変化し、より慎重な投資姿勢が求められるようになるのです。

「ＴＥＤスプレッドが広がっていることに気づいたら、一歩引いて守りを固めることです。少しずつリスクを減らしていきましょう」（ローゼンバーグ氏）

このようなときには、国債や格付けの高い社債など、リスクの低い資産に投資するのが賢明です。株に投資する場合は、生活必需品をあつかう企業をターゲットにしましょう。石鹸やシャンプーなど、生活に欠かせない商品の製造・販売にかかわる企業がおすすめです。

ただし、一気に大きく動いてはいけません。ポートフォリオ全体をいっぺんに変えるのではなく、少しずつシフトしていくことが重要です。なぜならＴＥＤスプレッドの性質として、拡大していたと思ったら急激に小さくなることがあるからです。

そうなると再び融資が増え、経済は活気を取り戻します。

まとめ46

①**発表時期**……随時

②**データの入手先**

３カ月物のＬＩＢＯＲから３カ月物国債の金利を引くと、ＴＥＤスプレッドが求められます。最新のＬＩＢＯＲおよび国債金利を確認するには、The Wall Street Journal オンラインの Market Data Center（www.WSJMarkets.com）にアクセスし、上部メニューから「Bonds, Rates & Credit Markets」を選択してください。国債の利回りはＦＲＥＤデータベースでも確認できます。またＬＩＢＯＲについては、**英国銀行協会***（ＢＢＡ）のウェブサイト（www.bbalibor.com/bba）に詳しい情報が掲載されています。

③**注目ポイント**……ＴＥＤスプレッドの拡大（縮小）

④**意味すること**……銀行による融資が近い将来に減少（増加）する。それにより景気が減速（拡大）する

⑤**投資アクション**……景気に応じて調整する。たとえばＴＥＤスプレッドが広がっている場合は、株などリスクの高い資産から手を引く

⑥**リスク評価**……中

⑦**リターン評価**……$$

英国銀行協会
英国銀行協会（ＢＢＡ：British Bankers' Association）は、英国の銀行・金融サービス業の業界団体。ＢＢＡと略称する

●タイミング
先行指標

47 ゾンビ銀行率（テキサス・レシオ）

――ゾンビの襲撃は防げるのか

２００８年の信用危機がハリウッド映画になったなら、副題は「迫り来るゾンビ銀行の恐怖」といったところでしょうか。ゾンビは生ける屍であり、その名のとおり生きてもいなければ死んでもいない存在です。ゾンビたちはそうした不確かな状況に苦しみ、人間を襲って生者の世界に混乱と破滅をもたらします。

ゾンビ銀行も似たような存在です。彼らは人間の世界に惨事をもたらします。融資を行えるほどの生命力はなく、しかし他社に吸収されたり倒産したりするほど死にきれてもいない。そのような中途半端な状態で、だらだらと経済の片隅に巣くっているのです。銀行がゾンビ化しているかどうかを知るためには、**ゾンビ銀行率（テキサス・レシオ）**と呼ばれる指標を使います。この指標は１９８０年代に、ＲＢＣキャピタル・マーケッツのアナリスト、ジェラルド・キャシディ氏らが考案したものです。

テキサス・レシオは、それぞれの銀行における利用可能資本と不良資産の比率を表したものです。利用可能な資本は、銀行が破綻するのを防ぐためのクッションの役割を果たします。

「1980年代にテキサスの銀行を広く調査した結果、テキサス・レシオが100％を超えると倒産することがわかりました」と、考案者のキャシディ氏は述べています。

100％という数字が鍵になってくる理由は簡単です。その数字を超えると、膨らみすぎた不良資産が銀行の資本を食いつぶすことになるからです。

テキサス・レシオの計算には、少々知識が必要になってきます。

分子となる不良資産は、本来の価値がなくなってしまった資産の簿価の合計です。これには差し押さえた不動産（その他保有不動産〈OREO〉）や、デフォルト（債務不履行）に陥ったり債務再編の対象となった融資が含まれます。要するに銀行に損失を与えるような資産のことです。

テキサス・レシオ

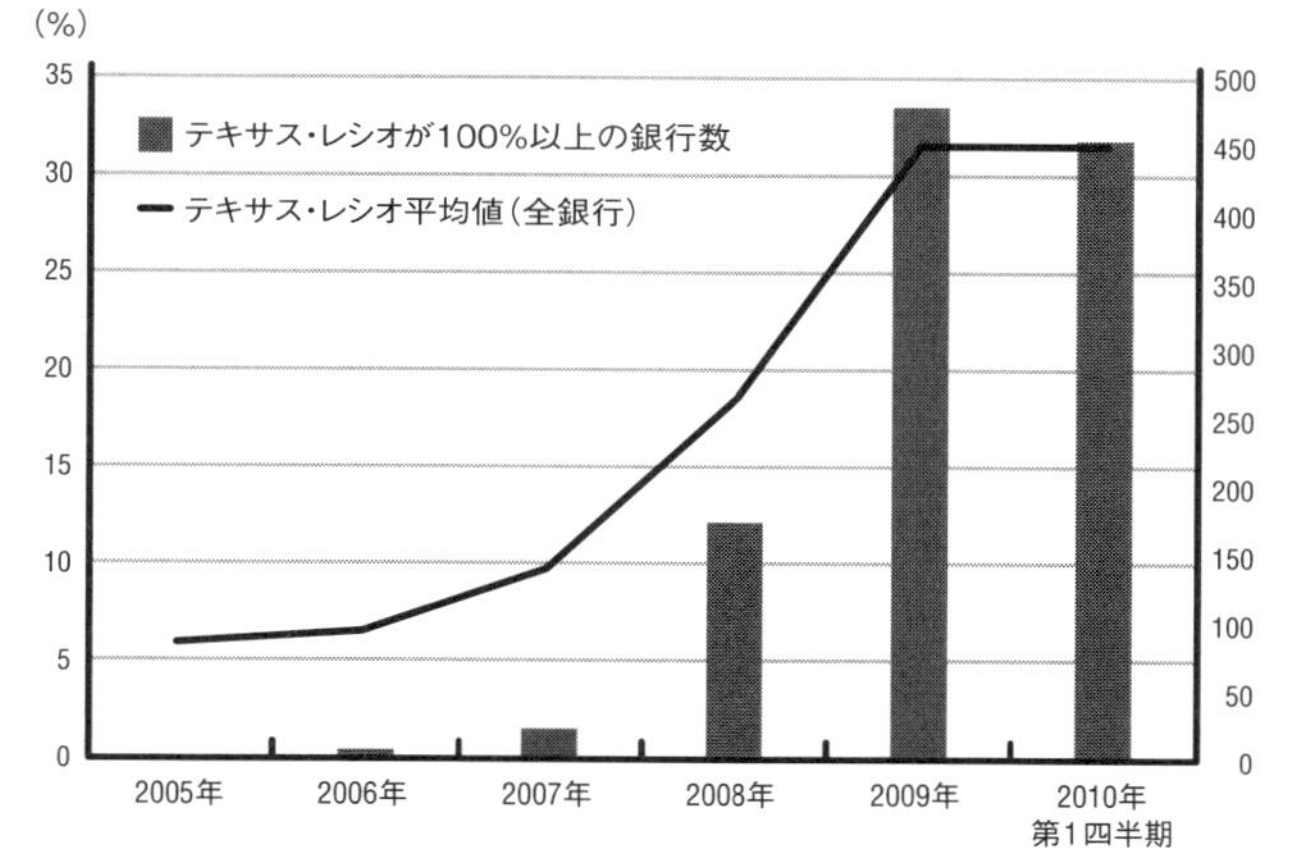

出所：SNLファイナンシャル／RBCキャピタル・マーケッツ

分母となるのは、銀行の自己資本（純資産）および貸し倒れ引当金の総額です。営業権などの無形資産は除外して考えます。この分母（銀行の有形資産）は、いわば洪水から周辺の住民を守るために土手に積み上げられた土嚢のようなものです。不良債権がすべてを無に帰してしまうのを防ぐための防壁であり、ゾンビの襲撃に対する最後の砦です。

不良資産が多く、テキサス・レシオが高くなった銀行は、強い銀行によって救われる場合もあります。しかし一部の銀行はそのままゾンビ化して、死にきれずに徘徊することになります。

投資戦略 100％を超えたら急いで撤退する

テキサス・レシオが100％を超えた銀行は、相当な苦難を抱えていることになります。「自動車でいえばエンジンを限界以上に酷使して、メーターが振り切れた状態で走り続けているようなものです。やがてオーバーヒートして火を噴くのは目に見えています」（キャシディ氏）

テキサス・レシオを見るときには、無形資産を除外して考えることを忘れないでください。営業権やトレードシークレット（営業秘密）、著作権、特許権、商標権などです。

これらを資本に含めると、実情が見えなくなります。銀行が苦境に陥ったときには、そうした無形資産の価値がなくなってしまうからです。

まとめ47

①**発表時期**……毎日

②**データの入手先**

連邦預金保険公社*（ＦＤＩＣ）のウェブサイト（www.fdic.gov/bank/statistical/）で、テキサス・レシオの計算に必要な各銀行の情報を入手できます。通貨監督庁のウェブサイト（www.oc.treas.gov/pubinf.htm）にも情報が掲載されています。また上場されている銀行については、10Ｑ（四半期）または10Ｋ（年次）と呼ばれる、決算情報を見るのもよいでしょう。

③**注目ポイント**……特定の銀行または銀行部門におけるテキサス・レシオの上昇（下降）

④**意味すること**……破綻が近づいている（安定してきている）

⑤**投資アクション**……その銀行の株を売る（買う）。特に１００％を超えた場合は致命的なので急いで売ること

⑥**リスク評価**……中

⑦**リターン評価**……$$

連邦預金保険公社

連邦保険公社（ＦＤＩＣ：Federal Deposit Insurance Corporation）は、1933年のグラス＝スティーガル法にもとづき設立された、米国で預金保険業務を行っている政府機関

48 TIPSスプレッド

——インフレに対する本音を暴露する指標

ウォール街のアナリストたちは、うわべだけの言葉をしょっちゅう口にします。

経済の先行きに関するアナリストの本音を知りたければ、彼らの言うことよりも、彼らのすることを見るべきでしょう。

具体的には、米国財務省が発行している2種類の国債を比較すると、将来のインフレ率に対する期待値を知ることができます。それらの国債に対する投資姿勢を見ることで、口に出さない本音が見えてくるのです。

ここで比較する2種類の国債とは、通常の国債と、**インフレ連動国債***（ＴＩＰＳ）です。

ＴＩＰＳは、インフレに対する調整が行われるタイプの国債です。通常の債券の場合、インフレ率が高くなると持ち主が損をします。物価が上昇しても債券の額面価格と金利は変わらないため、購買力が相対的に低くなってしまうのです。

一方、ＴＩＰＳは物価の上昇にあわせて額面価格と金利が調整され、インフレが起こっても損をしないようなしくみになっています。

●タイミング
先行指標

●関連指標
㉟実質金利（212ページ）

インフレ連動国債
一般に元本がインフレ率によって変動する債券

通常の国債に比べて、ＴＩＰＳの名目金利は低めに設定されています。表面上は、通常の国債のほうがたくさんの利息がついてくるのです。

しかし、ＴＩＰＳの支払利息はインフレ率によって調整されるため、実際にはＴＩＰＳのほうが得になる場合があります。

こうした通常の国債とＴＩＰＳとの間の金利差は、将来のインフレ率に対する期待値を反映しています。

この金利差のことを、**ＴＩＰＳスプレッド**（またはＴＩＰＳブレークイーブン）と呼びます。

例をあげて説明しましょう。通常の10年物国債の利回りが４％で、ＴＩＰＳの利回りが１％だったとします。その場合、向こう10年間の予想インフレ率は年間３％であるといえます。

インフレ調整分を入れたときに、ちょうどおた

TIPSと国債の利回り格差

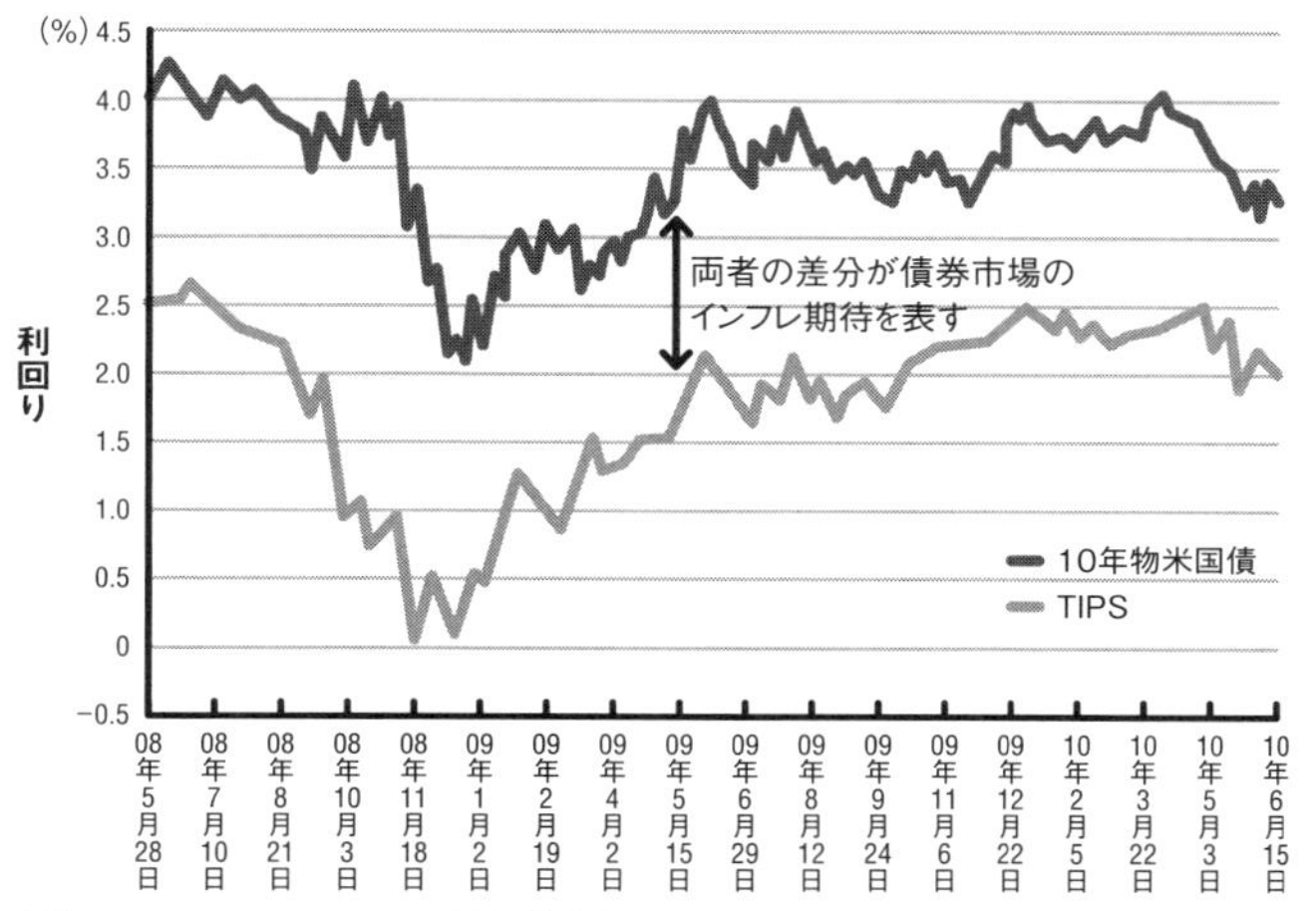

出所：research.stlouisfed.org／米国財務省

がいが釣り合うようになっているということです。この利回りの差は、それぞれの国債価格の動きとともに日々変化しています。

TIPSスプレッドは、債券投資家たちのインフレ期待を測る物差しとして、市場でもかなりの注目を集めています。国債の市場は投資家の質が高く、きわめて合理的な判断で動くことが多いからです（これに対して株式市場では、小口投資家の割合が多いため、ときどき理屈に合わない動きが見られます）。

投資戦略 2%を超えたら利上げにそなえる

TIPSスプレッドは、優秀な投資家たちのインフレ期待を反映する指標として、重要な意味を持っています。

インフレ期待が重要なのは、それが実際のインフレにつながっていくからです。

物価が上がるだろうとみんなが予想しているときには、実際に物価が上がってしまう傾向にあります。そのように現実化する確率が高いことから、債券投資家のインフレ期待に対しては**連邦準備制度理事会***（FRB）もつねに目を光らせています。

ということは、TIPSスプレッドを見れば、FRBの金利引き上げを予測することもできるわけです。債券市場に詳しいマルタ・オン・ザ・マーケッツのT・J・マルタ氏は、「2%とい

連邦準備制度理事会
連邦準備制度理事会（FRB：Federal Reserve Board）は、連邦準備制度の統括機関で、中央銀行に相当する

う数字が利上げの分岐点」と述べています。

つまり、市場の予想インフレ率が年間2％を超えた場合、FRBは金利を引き上げるだろうということです。このようなケースでは、長期債券の価格が反発してくることもあり得ます。

「FRBがインフレをコントロールしているということで予想インフレ率が下がり、通常国債の利回りが下がる（取引価格が上がる）と考えられるのです」（マルタ氏）

予想インフレ率が年間2％を下回っている場合、FRBによる短期金利引き上げはおそらく行われません。そのため短期借り入れのコストが低いレベルにとどまり、コモディティ（金属やエネルギーなど）や株式にとって有利な状況となります。

ただし、TIPSスプレッドは日々変動しているため、たまたま一時的に2％を超えることもあります。他の指標についてもいえることですが、それが持続的な傾向となっているかどうかをきちんと確かめることが大切です。

まとめ48

①発表時期……毎日

②データの入手先

TIPSおよび国債の利回りは、The Wall Street Journal オンラインの Market Data

Center（www.WSJMarkets.com）で確認できます。上部メニューから「Bonds, Rates & Credit Markets」を選択してください。またＦＲＥＤデータベースでも、国債とＴＩＰＳの利回りを確認できます。ＴＩＰＳの情報は米国財務省のウェブサイト（www.treasury-direct.gov）にも掲載されています。

③注目ポイント……ＴＩＰＳスプレッドによる予想インフレ率が持続的に２％を超えている（２％未満である）

④意味すること……ＦＲＢによる利上げの可能性が高い（低い）

⑤投資アクション……景気に応じて調整する。たとえば、ＴＩＰＳスプレッドが２％を超えている場合は、金利引き上げと景気減速が予想されるため、株などリスクの高い資産から手を引いて格付けの高い債券に逃げる

⑥リスク評価……中

⑦リターン評価……＄＄＄

49 CBOEボラティリティ指数（VIX）

——市場の恐怖は数字に表れる

●タイミング
先行指標

犬は恐怖心を嗅ぎとることができるといいますが、実をいうと私たちにもそれは可能です。客観的な数値として、人の恐怖を嗅ぎとるのです。

なぜそんな話をするかというと、恐怖と欲望こそが、ウォール街を動かす原動力だからです。欲望は主観的で計りがたいものですが、恐怖を測るのは意外と簡単です。

投資家の恐怖心を計るには、**CBOEボラティリティ指数（VIX）**という指標を使います。別名「恐怖指数」と呼ばれているものです。

投資家の不安が高まれば高まるほど、ＶＩＸの値も上がります。どんなに平静を装っていても、この数字はごまかせません。

簡単にいうと、ＶＩＸは株価の全体的な下落に対する防衛策の値段を表す指標です。値段が上がるということは、そうした「保険」の需要が高まっているということですから、投資家の不安が大きくなっていると考えられます。

プロの投資家たちが、どれくらい先行きを恐れているかが、ここに表れてくるのです。

ＶＩＸの値は、Ｓ＆Ｐ５００指数を対象としたオプションの価格を、相対的に表したものです。**Ｓ＆Ｐ５００***は米国の主要な株式指数で、マーケットの大きな動きを反映しています。

この指数に対するオプションは、**シカゴ・オプション取引所***（ＣＢＯＥ）で取引されており、２００８年の金融危機のような暴落に対する一種の保険の役割を果たしています。

市場の先行きに対する不透明感が高まると、こうした保険の需要が大きくなります。需要が大きくなると、それだけ価格も上がります。

オプションの価格は多くの場合、**ブラック・ショールズ方程式***と呼ばれる計算式によって決定されます。１９７０年代に、ブラック氏とショールズ氏が考案した計算方法です。

この計算式に使われる入力値には、金利、オプ

ボラティリティ指数

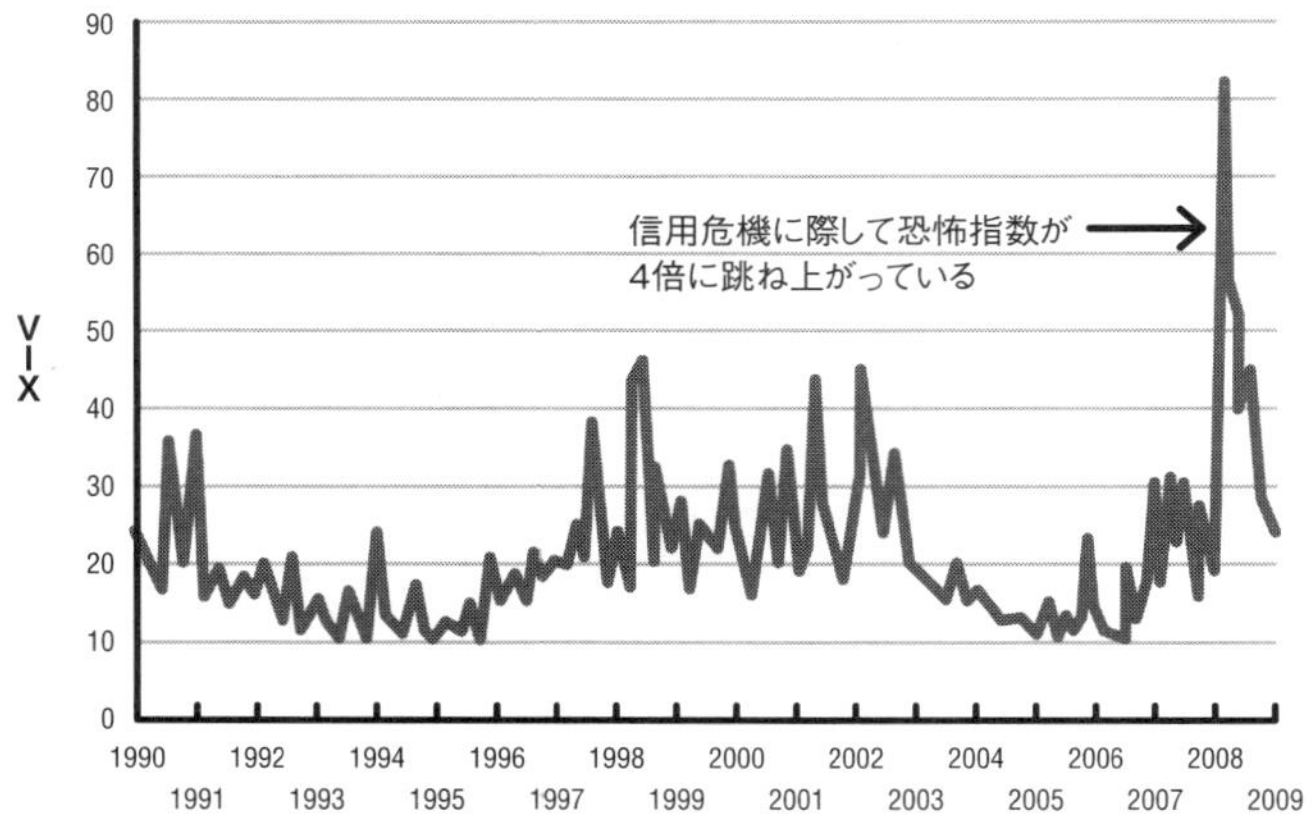

出所：Yahoo! Finance／シカゴ・オプション取引所

ション満期日までの期間、対象となる指数の相対的価格、そしてボラティリティ（株価の変動率）があります。

ここで注目すべきは、ボラティリティ以外の要素については、あらかじめ確定されているということです。ほかの変数が一定であれば、結果であるオプション価格からボラティリティの大きさを逆算することができるようになります。

こうして算出されたボラティリティのことを、**インプライド・ボラティリティ**＊（予想変動率）と呼びます。

VIXとはつまり、株価の予想変動率のことなのです。

投資戦略 20％上昇したら短期利益を狙う

さまざまな思惑の渦巻くウォール街では、他人の恐怖が金儲けの種となります。

しかしあまりにもリスクの高い戦略をとると、返り討ちに合ってしまう危険性があります。

VIXの値によってオプションの売買を行うのは、特にリスクの高いやり方です。一部のプロはそれで儲かるかもしれませんが、素人がうかつに手を出すと大変なことになります。

あるベテラン投資家の言葉を借りれば、「オプションの購入は、瞬く間に巨額の損失を出す方法」なのです。特に初心者の方は、オプションには近づかないほうがいいでしょう。

S&P500
S&P500（Standard & Poor's 500 Stock Index）は、米国の投資情報会社スタンダード・アンド・プアーズ社が算出している米国の代表的な株価指数。ニューヨーク証券取引所、アメリカン証券取引所、NASDAQに上場している銘柄から代表的な500銘柄の株価をもとに算出される

シカゴ・オプション取引所
シカゴ・オプション取引所（CBOE：Chicago Board Options Exchange）は、米国のシカゴにある、世界有数の取引量を誇るデリバティブ取引所

ブラック・ショールズ方程式
デリバティブの一種であるオプションの価格算出に使われる方程式

だからといって、ＶＩＸが使い物にならないかというと、もちろんそんなことはありません。金融街の不安ムードを感じとることができるだけでなく、それをうまく利用して利益をつかみとることも可能です。

オルタナティブ資産投資会社フォーミュラ・キャピタルのジェームズ・アルタッチャー氏は、ＶＩＸの動きを通常の売買に役立てることができると言います。

「ＶＩＸが1日で20％以上の上昇を見せたら、それは買い時です。相場が上げているか下げているかにかかわらず、この段階で買えば利益が出る可能性が高いのです」（アルタッチャー氏）

ふつうＶＩＸが急上昇したら、株価が下がると考えて売ってしまいます。ところが実際は、翌日に反発して上げてくる場合が多いのです。

アルタッチャー氏がすすめるのは、「ＶＩＸが20％上がったら、翌朝にＳＰＹを買って、その日の取引終了前に売ってしまう」というテクニックです。

ＳＰＹとはＳＰＤＲ Ｓ＆Ｐ５００ＥＴＦのことで、市場で取引されている５００社の株価を対象とした、Ｓ＆Ｐ５００指数に連動するタイプの上場投資信託です。

１９９３年から２０１０年半ばまでのデータをもとに計算したところ、右のやり方で平均０・97％の利益が出ることになります。ＶＩＸが1日で20％上がったのは、この期間中で30回だけですが、そのうち22回、すなわち73％のケースで利益が出る結果となっています。

インプライド・ボラティリティ
予想変動率ともいい、オプションの価格から算出された、市場による将来の変動率予測

平均で約１％の利益というのは、１日の取引としては「莫大な数字」だと、アルタッチャー氏は言います。１年あたりの利益に換算すれば、これは２００％超えに相当する数字です。

またこのやり方だと、売買コストも最小限に抑えられますし、仮に利益が出なかった場合でも損失は大きくありません。

たとえば右のテクニックで、その日のうちに売らず１カ月保持していたとしても、平均リターンはマイナス０・64％にとどまります。もっとも大きなマイナスとなったのは２００８年のケースですが、２００８年を除けば１カ月の取引でも平均のリターンはプラスとなっています。

まとめ49

①発表時期……随時

②データの入手先

The Wall Street Journal オンラインの Market Data Center（www.WSJMarkets.com）にアクセスし、上部メニューから「U.S. Stocks」を選択してください。移動先ページ内の「Other U.S. Indexes」の表にある「CBOE Volatility VIX」がＣＢＯＥボラティリティ指数です。Yahoo! Finance やシカゴ・オプション取引所（ＣＢＯＥ）のウェブサイト（www.cboe.org）でも情報が入手できます。

③注目ポイント……1日で20％以上の急上昇
④意味すること……市場の不安が急激に高まっており、反動で利益が見込める
⑤投資アクション……急上昇した翌朝に、ＳＰＹなど広範な市場指数に連動したＥＴＦを買い、その日のうちに売却する
⑥リスク評価……極めて高い
⑦リターン評価……$＄＄＄

50 ウェイトレス美人指数

――女はやっぱり見た目が大事？

●タイミング
一致指標

ウェイトレス美人指数は、その名のとおりウェイトレスの美人度を表す指数です。

地元の食堂や居酒屋で働いているウェイトレスを、観察してみてください。もしも目の覚めるような美人ばかりであれば、景気はかなり暗い状況にあるといえます。

この指標は２００９年、金融危機のさなかに生まれました。

ニューヨーク・マガジンのエディトリアル・ディレクターを務めるヒューゴ・リングレン氏が、同誌の短い論説に登場させたのが最初です。下世話なネタだと思ったら大間違いで、ここには非常に鋭い経済的視点が含まれています。

ウェイトレスの美人度には、雇用市場の様子が如実に現れてくるのです。

「魅力的な容姿の人間を雇いたいと思っている業界はいくらでもあります。男女にかかわらず、見た目がものをいうのは事実です」（リングレン氏）

ただし世の中では男性よりも、女性のほうが仕事において容姿を重視される傾向にあります。だからこの指標はウェイター指数ではなく、ウェイトレス指数なのです。

一般に雇用者側は、とりわけサービス業においては、見た目のいい人間に価値を置いています。モデルのような華やかな舞台だけでなく、ビジネスにおける社交の場や商業イベントでも見た目のいい人間は重宝されます。たとえばニューヨークのバーキャンディーという企業は、パーティーに美しい女性バーテンダーを派遣する事業を行っています。

経済が勢いづいているときには、「美しい人々」はそうした給料のいい仕事でいくらでも稼げます。近所のぱっとしない店で働く必要はないわけです。

しかし景気が悪化してくると、おいしい仕事はなかなか見つからなくなります。そこで仕方なく、そのあたりの安い飲食店で働くことになるのです。

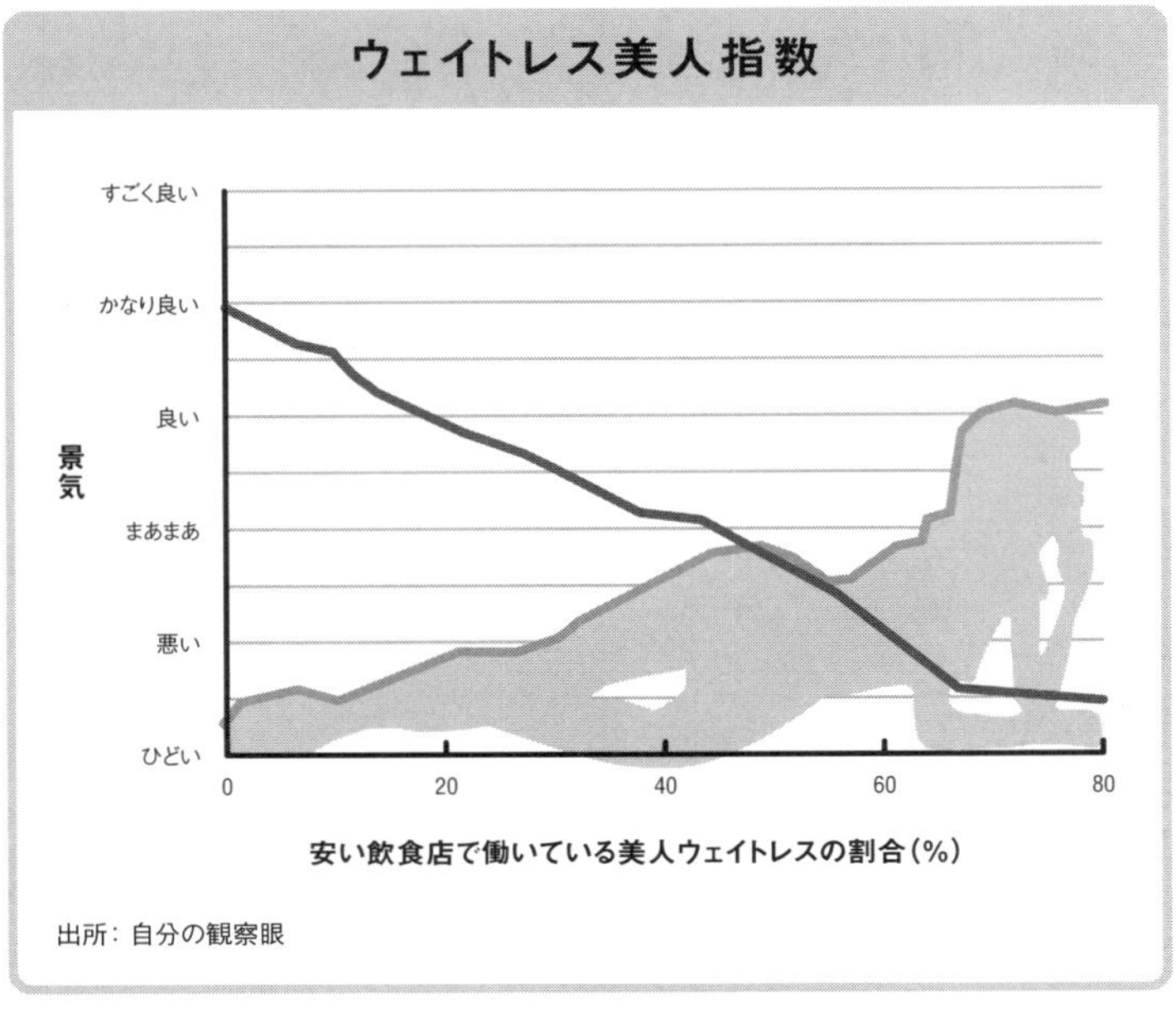

そんなわけで、近所の安い店で目もくらむような美人ウェイトレスを見かけたら、国の経済は危機的状況だと思ってください（あるいはその町には、美人しか住んでいないのかもしれませんが……）。

投資戦略 自分だけの指標を見つける

この指標の厄介なところは、人によって美人の基準がまちまちなことです。ですから実際に出かけていって、自分の目で確かめるのがいちばんです。そして調査のときには、毎回同じ精神状態を保たなくてはいけません。

信頼に足るデータを手に入れようと思うなら、本腰を入れて調査を実施する必要があるでしょう。地元の飲食店に何度も足を運び、きちんと統計をとるのです。なるべくたくさんの記録を定期的にとってください。この指標を読むときには、傾向をつかむことが何よりも大切なのです。

たとえば時系列で比較したときに、ウェイトレスの美人度は上がってきているでしょうか。もしも上がってきていたら、景気は悪化していると考えられます。逆にあまり見つめたくないようなウェイトレスが増えてきていたら、景気は上向いていると考えていいでしょう。

ところで、リングレン氏が雑誌にこの指標のことを書いたのは、読者に自分の視点を手に入れてほしかったからです。

「こういうネタを読んで、ひとつ自分でも指標をつくってみようと思ってもらえたらうれしい」とリングレン氏は言います。つまり、政府が公表するデータだけに頼っていてはいけないということです。


景気を予測するには、自分自身の頭を使わなくてはなりません。

たとえば**連邦準備制度理事会***（ＦＲＢ）の前議長であるグリーンスパン氏は、金属のくずの値段や下着の売上データを見て景気を読んだといわれています。

またニューヨーク市内のタクシーのつかまり具合に、消費者心理を読みとっている人もいます。「タクシー指数」というものです。特定の地域を走るタクシーの数は基本的にほぼ変わらないので、タクシーがつかまりにくい場合は、需要が増えていると考えることができます。

タクシーの需要は景気に連動して上下します。人々の懐具合がいいときは、タクシーがどんどん使われるので、空車を見つけるのに苦労するというわけです。

ニューヨークの真ん中でラッシュアワーに苦もなくタクシーがつかまれば、景気はかなり厳しいと考えてください。ピーク時でもないのに1台もつかまらないようであれば、景気は好調です。なんだかきれいな女性運転手ばかりだなと思ったら、重大な危機が迫っているかもしれません！

連邦準備制度理事会
連邦準備制度理事会（ＦＲＢ：Federal Reserve Board）は、連邦準備制度の統括機関で、中央銀行に相当する

まとめ50

①発表時期……庶民的な飲食店に行ったとき

②データの入手先

残念ながら、The Wall Street Journal オンラインにはウェイトレスの美人度は掲載されていません。ご自身で近所の飲食店に行って、しっかりと情報収集してください。しかしながら、大事なのはウェイトレスを見つめることよりも、自分自身の指標を見つけ出すことです。身の周りに景気を反映しやすい現象はないか探してみてください。さまざまなアイデアを出しているうちに、きっと役立つ指標が見つかることでしょう。ただしその指標だけにもとづいて投資判断をするのは危険です。どんな経済指標の場合でも、必ずほかの指標をあわせて参照するようにしましょう。

③注目ポイント……きれいなウェイトレスが増えている

④意味すること……美貌を生かせるような給料のいい仕事が不足している。つまり景気が悪い

⑤投資アクション……お気に入りのウェイトレスに声をかけたあと、電力や食品、医薬品業界などのディフェンシブ銘柄を買う

⑥リスク評価……極めて高い

⑦リターン評価……$$$$

おわりに

本書を読み終えたら、ぜひ50の指標を実際の投資に生かしてください。そのときに覚えておいてほしいのは、経済予測は科学というよりも、芸術に近いということです。センスを磨けば、より精度の高い予測ができるようになります。

正しいセンスを身につけるには、いくつかのコツがあります。

まず、細かい数字にとらわれすぎないことです。詳細な数字が並んでいると正確そうに見えるかもしれませんが、経済を予測するうえではあまり役に立ちません。

たとえば、「来年の経済成長率は2・3422674%だと予測される」というような発言は馬鹿げています。専門家を気取ってそうした数字を並べる人に騙されないようにしましょう。

公式の統計情報にも同様の罠があります。政府の発表する失業率が9・6%などといいますが、小数点以下の細かい数字は気にしないほうがいいでしょう。政府の公式な数値とはいえ、そんなものは少数のサンプルをもとに算出した推定値にすぎないのです。

それよりは、増加傾向なのか減少傾向なのかという大まかな動きに目を向けたほうが、ずっと役に立ちます。

数字の細かさに気をとられるよりも、もっと世の中を見て経済の基本的な因果関係を頭に入れるようにしましょう。大まかなしくみを理解することは、数字を覚えるよりもずっと柔軟で実用的な知識となります。

本書の各指標の説明も、そうした理解を助けるものとなっています。

ただし、経済はつねに変化を続けています。10年間続いてきた定石や、先週までうまく機能していた理論も、明日には変わっている可能性があるのです。

だからこそ、複数のデータをじっくりと観察し、例外的な動きをきちんと見分ける必要があります。本書が数多くの関連指標を取り上げているのもそのためです。

たとえばX、Y、Zという3つの指標がAという景気の動きを示すとしましょう。

このとき、YとZを忘れてXだけを見ていたら、経済の枠組みが変わってXの位置づけが変わったときに判断を誤ってしまいます。ですがYとZをあわせて見ていれば、Xの動きが以前と違うことに気づくはずです。

すぐれた投資家はつねに細心の注意を払い、慎重に歩を進めます。無一文になる危険を避けるためです。あのグリーンスパンFRB前議長も、とにかくデータを熟読する人でした。

膨大なデータを隅から隅まで読み解き、そのうえで金融政策を決定していたのです。もちろんグリーンスパン氏の判断がつねに正しかったわけではありませんが、飛び抜けて優秀であったことは確かです。

日々スピードを増していく情報化社会においては、より速く正確な決断をすることが求められています。スピードへのプレッシャーに負けて、いくつかの主要指標だけで判断しようと思ってしまうかもしれません。でもそれは大きな間違いです。

なぜかというと、広範な対象をあつかう主要指標は、それだけ正確さを欠くからです。

あれもこれも詰め込んで経済全体を表そうとすると、どうしても大雑把なものにならざるをえません。これはリスクとリターンの関係にも似ています。広範な指標は細かなデータを読む手間を省いてくれますが、それだけ誤りの可能性も高くなってしまいます。

逆に、のんびりと正確さを求めすぎるのもよくないことです。

全米経済研究所（ＮＢＥＲ）がしっかりとした経済分析を発表するまで判断は保留にしよう、などとは思わないでください。そうした分析は正確かもしれませんが、経済のリアルな動きからは大きく遅れてしまいます。ＮＢＥＲは、過去のできごとを分析しているのです。

あのとき買っておくべきだったのか、とあとから気づいても意味がありません。

必要なのは、経済のさまざまな側面を映し出す数々の指標を読み解き、まだ不確かさが残るうちに機敏な判断を行うことです。本書で紹介している指標を知らない人に比べて、あなたはかなり有利な立場にあります。周りのみんながすばらしく好景気だと思っているそのときに、あなたは迫り来る不況の影を感じとることができるかもしれません。

これから経験を積むうちに、自信を持って他人とは違う判断ができるようになるはずです。

本書では50の指標について説明しながら、投資の基本的なポイントについても伝えられるように心がけました。以下にポイントをまとめます。

1．成功する投資家は、景気が良いときにも悪いときにも市場の平均以上のリターンを得る

2．どこに投資すれば儲かるかを判断するためには、あらかじめ景気を正しく予測しておかなくてはならない

3．投資は一発当てて終わるようなものではない。生涯をかけて学び続け、経済への理解を深めていくものである

4．経済予測は科学というよりも芸術である。精密な数値にこだわりすぎず、大局を見るセンスが重要だ

5．過去のパターンを知り、それを裏付ける理論を知れば、データの気まぐれな動きに惑わされるこ

とはない

6. あらゆる経済指標はＧＤＰ（国内総生産）の動きにつながっている。ＧＤＰは個人消費・投資支出・政府支出・貿易収支から成り立っている

7. 多くの指標を知れば、景気の動きをより的確につかみとることができる

8. 本書の50の指標を使えば、タイムリーで、正確で、実用的で、独自の視点を手に入れることができる

9. 投資にもっとも役立つのは、将来の姿を教えてくれる先行指標である

10. ただし一致指標や遅行指標が未来の姿を垣間見せてくれることもあるので、見逃してはならない

経済指標についての説明を読んで知識は身についたと思いますが、それを実際に活用するのはまた別の話です。

経済指標の使い方をしっかりと身につけるためには、計画的に訓練する必要があります。毎日一定の時間を割いて、２、３個の指標を読む練習をしましょう。カレンダーに印をつけて、いつ、どの指標を読むかを決めるのです。ほとんどの指標は発表されるタイミングが決まっています。そのため、本書のまとめや、ウォールストリート・ジャーナルの経済カレンダー「www.wsjmarkets.com → calendars & Economy」を活用するといいでしょう。またBriefing.comにも同様のカレンダーが掲載されています（http://www.briefing.com/investor/calendars/economic/）。

それぞれの指標が発表される前に、本書を読み返しておくのもおすすめです。

本書を熟読したあとは、経済紙にも目を通しておくといいでしょう。経済紙にはその指標に対する市場の期待や、それがどう影響していくかというシナリオなどが豊富に載っています。

そのような計画的学習サイクルを、少なくとも2カ月は継続してください。それが終わったら、今度は仮想投資をはじめましょう。実際の投資ではなく、投資のシミュレーションです。

株や債券を買ったつもりになって、それがどのような値動きになるかを細かく記録していきます。実際にお金を出すのはまだ先の話です。まずはお金のかからない方法で腕試しをするのです。架空の口座をつくって、毎日の終値をもとに収支を計算してみましょう。

こうした仮想投資を少なくとも半年は継続してください。そして十分に準備が整ったと感じたら、いよいよ現実世界の投資にデビューです。

最初のうちは失敗することもあると思いますから、慎重に少しずつ進めていきましょう。

しかし本書の知識とここまでの訓練によって、失敗の数は少なくなり、ダメージも小さくなっているはずです。やがてあなたは、すべての投資家があこがれる能力を手に入れることでしょう。

的確な判断を行い、小さなダメージで、大きな利益を手に入れるのです。

【著者紹介】
サイモン・コンスタブル（SIMON CONSTABLE）
◉――ニュースキャスター、コラムニスト。ウォールストリート・ジャーナルのインターネットライブ番組「The News Hub」の司会を務めるほか、ＦＯＸやＢＢＣなどのテレビ番組に多数出演。ウォールストリート・ジャーナルをはじめ、ニューヨーク・ポストなどさまざまなメディアに寄稿している。バージニア大学ダーデン経営大学院にてＭＢＡ取得。米国有数の一流企業で経営アドバイザーを務めた経験も持つ。

ロバート・Ｅ・ライト（ROBERT E. WRIGHT）
◉――オーガスタナ・カレッジにてＮｅｆ名誉研究員およびトーマス・ウィリング研究所所長を務める。経済学のエキスパートとして14冊の著書があり、バロンズ誌やロサンゼルス・タイムズなど多くの新聞・雑誌に寄稿している。ＮＰＲやＦＯＸ、ＢＢＣなどテレビ出演も多数。アメリカ金融博物館が発行するFinancial History誌の編集委員も務める。

【監訳者紹介】
上野　泰也（うえの・やすなり）
◉――みずほ証券チーフマーケットエコノミスト。1963年青森県生まれ、育ちは東京都国立市。85年上智大学文学部史学科卒業。法学部法律学科に学士入学後、国家公務員Ｉ種試験に行政職トップで合格し、86年会計検査院入庁。88年富士銀行（現みずほ銀行）入行。為替ディーラーを経て為替、資金、債券の各セクションでマーケットエコノミストを歴任。2000年みずほ証券設立にともない現職に就任。
◉――質・量・スピードを兼ね備えた機関投資家向けのレポート発信、的確な経済・市場予測で高い評価を得ており、『日経公社債情報』エコノミストランキングでは02年から６年連続で第１位を獲得。11年『日経ヴェリタス』エコノミストランキングで第１位となった。著書に『No.1エコノミストが書いた世界一わかりやすい経済の本』（かんき出版）、『日本経済「常識」の非常識』（ＰＨＰ研究所）、『国家破局カウントダウン 日本を救う三つの処方箋』（朝日新聞出版）などがある。

【訳者紹介】
高橋　璃子（たかはし・りこ）
◉――翻訳家。京都大学卒業。訳書に『エレファントム』（福岡伸一と共訳、木楽舎）、『アイデアが生まれる時』『ダイヤモンドを探せ』（ディスカヴァー 21）、『Ｙの真実』（福岡伸一と共訳、化学同人）などがある。

ウォールストリート・ジャーナル式《しき》
経済指標《けいざいしひょう》 読《よ》み方《かた》のルール 〈検印廃止〉

2012年2月20日 第1刷発行
2017年6月12日 第9刷発行

著 者――サイモン・コンスタブル、ロバート・E・ライト
監訳者――上野 泰也
訳 者――高橋 璃子
発行者――齊藤 龍男
発行所――株式会社かんき出版
東京都千代田区麴町4-1-4西脇ビル 〒102-0083
電話 営業部：03(3262)8011㈹ 編集部：03(3262)8012㈹
FAX 03(3234)4421 振替 00100-2-62304
http://www.kanki-pub.co.jp/

DTP――松好那名・高橋明香
印刷所――シナノ書籍印刷株式会社

乱丁・落丁本は小社にてお取り替えいたします。

ISBN978-4-7612-6814-5 C0033

経済指標シリーズ
好評既刊

日本経済の鉱脈を読み解く
経済指標 100のルール

鈴木賢志＝著

本体1600円+税

日本の「企業の生産力」「研究開発」「雇用」「消費」「資源・エネルギー」「政府の政策」は、世界の中でどのような位置づけなのか？　100の経済指標を駆使して30の分野を徹底分析！

上野泰也が書いた
経済がやさしく読み解ける好評既刊

1 **No. 1エコノミストが書いた**
世界一わかりやすい為替の本

円高・円安の意味から相場の読み方まで網羅した為替入門の決定版。　本体1500円+税

2 **No. 1エコノミストが書いた**
世界一わかりやすい金利の本

経済の初心者でもスラスラ読めて理解できる金利入門の決定版。　本体1500円+税

3 **No. 1エコノミストが書いた**
世界一わかりやすい経済の本

経済の「本当の姿」をきちんと理解できる経済入門の決定版。　本体1400円+税

詳しくは→http://www.kanki-pub.co.jp/